DE LECTOR A ESCRITOR

EL DESARROLLO DE LA COMUNICACIÓN ESCRITA

INSTRUCTOR'S EDITION

Michael D. Finnemann
Augustana College

Lynn Carbón
The Pennsylvania State University

HEINLE & HEINLE

™

THOMSON LEARNING

United States • Australia • Canada • Mexico • Singapore • Spain • United Kingdom

HEINLE & HEINLE

THOMSON LEARNING

De lector a escritor, Instructor's Edition
Finnemann/Carbón

Publisher CFL: *Wendy Nelson*
Production Editor: *Michael Burggren*
Marketing Manager: *Jill Garrett*
Manufacturing Coordinator: *Marcia Locke*

Compositor: *Graphic World, Inc.*
Cover Designer: *Hannus Design*
Text Designer: *Linda Dana Willis*
Printer: *Malloy, MI*

Printed in the United States of America
1 2 3 4 5 6 7 8 9 10   05 04 03 02 01

For more information contact Heinle & Heinle, 20 Park Plaza, Boston, Massachusetts 02116 USA, or you can visit our Internet site at http://www.heinle.com

For permission to use material from this text or product contact us:
Tel   1-800-730-2214
Fax   1-800-730-2215
Web   www.thomsonrights.com

ISBN: 0-8384-1651-9

International Division List

ASIA (including India)
Thompson Learning
60 Albert St reet #15-01
Albert Complex
Singapore 189969

AUSTRALIA/NEW ZEALAND
Nelson/Thomas Learning
102 Dodds Street
South Melbourne
Victoria 3205 Australia

CANADA
Nelson/Thomson Learning
1120 Birchmount Road
Scarborough, Ontario
Canada M1K 5G4

LATIN AMERICA
Thomson Learning
Seneca, 58
Colonia Polanco
11560 Mexico D.F. Mexico

SPAIN
Thomson Learning
Calle Magallanes, 25
28015-Madrid
Espana

UK/EUROPE/MIDDLE EAST
Thomson Learning
Berkshire House
168-173 High Holborn
London, WC1V 7AA, United Kingdom

TABLE OF CONTENTS

General Introduction

Skill in written communication is one of the most important tools a person can possess. First, effective communication is a factor in the success of almost every activity that is based on human interaction. Second, the refinement of thought processes and the development of compositional skills go hand in hand. It follows then, that the goal of students' skills in written expression should receive attention "across the curriculum," including in foreign languages.

De lector a escritor: el desarrollo de la comunicación escrita is a process-oriented, reading-to-write approach to intermediate and advanced (third and fourth year) Spanish composition that uses authentic texts as models for compositional analysis. *De lector a escritor* is designed to be completed comfortably in one academic semester, but can be easily adapted to a quarter system by eliminating certain subunits. Although the program is designed to serve as the core material for a course that focuses on composition, it is sufficiently rich in topical content and flexible enough in structure to be used as the basic text in Spanish conversation and composition courses as well.

The basic components of the program are the **Student Text** and the **Instructor's Edition Introduction.** The **Student Text** is organized into a preliminary unit, five basic functional units (description, narration, reporting, argumentation, and exposition) and an appendix with language review material. With the exception of the preface and language review appendix, the material in the student text is presented exclusively in Spanish. This **Instructor's Edition Introduction,** in English, follows the structure of the student text and provides the instructor with analyses of the structure and content of the model texts in the program, discussions relevant to the activities in the student text, and answers to grammatical activities found in the text.

The program has been developed in accordance with six guiding concepts. They are:

- writing as communication

- writing as process

- reading to write

- the value of authenticity in text models

- the functional presentation of language structure

- instructor support

This introductory section briefly discusses each concept and its general relationship to the structure and content of the program. Following sections discuss the organization, specific components, and activity types in more detail.

Basic Principles

Writing as Communication

Writing is, in part, a process of interaction between the reader and the writer. The writer has a general purpose (to inform, persuade, entertain, etc.) as well as an intended audience (self, a known reader or readers, general readers, etc). The writer must recognize the characteristics and needs of that audience if he or she is to communicate his or her purpose effectively. Furthermore, in addition to the constraints an audience places on communication, students will come to recognize another constraint—the fact that the content of a text is almost invariably determined by a "controlling idea" or "thesis." The thesis may be either implicitly or explicitly present in the text, but in either case, it can usually be stated in the form of a simple sentence containing a noun phrase or the "subject/topic/theme" (that you are writing about), and a verb phrase or the "predicate/comment" (that you state your views on subject/topic/theme). If the writer clearly conceives and articulates the thesis or controlling idea, it serves to limit the content and guide the development of the composition. Many activities in this program aid the student in clarifying his or her purpose for writing, reflecting on the needs of the reader, and identifying and developing a composition's controlling idea.

Writing as Process

Good writing is never accomplished in a single draft. Instead it is a process involving stages of idea development, re-evaluation of ideas and re-writing of the text with both the intended message and the reader in mind. It is the goal of this program to engage the student in the entire process of composition for the purpose of organizing and clarifying communication. To this end, *De lector a escritor* incorporates a number of features essential to a process writing approach, such as the use of pre-writing activities to help students develop thematic content as well as the organizational skills and linguistic tools they need to communicate successfully in the written mode. The authors recommend the use of draft and revision procedures to develop writing skills as well as the use of peer editing.

Reading to Write

The authors assume that one of the most effective ways to learn to write well is to learn to read well; that is, in taking the role of a close reader with respect to a text, the student will learn to recognize the effect that the author's decisions about the organization and language of a text have on the reader. It is hoped that students' awareness as readers will then transfer to their own writing efforts. The activities in *De lector a escritor* encourage students to act as readers in the writing process in order to verify both that they have accurately and effectively communicated their intended meanings and that they experience the intended responses on the part of their readers. Specifically, activities aid the student as reader to comprehend and decode the text structurally and linguistically; identify the voice, attitude, and intent of the author, and understand how the general structure of the text and the specific language work to guarantee authorial intent. Peer editing serves this end precisely. The peer reader gives the writer valuable criticism on any points in the composition where the communication process breaks down.

Authentic Texts

This program is structured around authentic texts: that is, texts written by native speakers of Spanish for a native Spanish-speaking audience that are representative of each unit's form of written discourse and focus on either an interesting topic of Hispanic culture (whenever possible) or a topic with a universal, timeless appeal. The texts comprise a balance of literary and non-literary sources from a variety of regions.

It is important for students to understand clearly two things when working with these texts. First, the readings are presented as examples for study and *not* as models for direct imitation. The goal of textural analysis is not to produce compositions that rival the readings in polish and sophistication, but rather to help students develop an appreciation of good composition and an awareness of some principles of writing that they might want to use in their own compositional efforts. Second, while the authors have endeavored to find manageable authentic texts, this does not mean that all the readings are going to be easy for students to read. Students are *not* expected to understand everything in a text nor do they need to understand it completely in order to read it for a general appreciation of its lines of organization. *De lector a escritor's* ample pre-reading activities should sufficiently prepare students to read and analyze the texts.

Functional Presentation of Language Structures

Grammar is not the major objective of *De lector a escritor.* The program strives to avoid the well-known tendency for composition courses to degenerate into glorified grammar review courses. Nevertheless, the authors recognize that the language system cannot be ignored in a composition course. Consequently, each unit focuses on a limited set of language topics that relate directly to the writing goals included in that unit. The language points addressed, however, generally reflect traditional problem areas for students at the intermediate and advanced levels. A Grammar Appendix provided at the end of the student text presents a concise, but reasonably complete functional overview of the Spanish language and serves as the reference for the specific language activities contained in a unit. By "functional" the authors mean that the linguistic explanations and practice in *De lector a escritor* emphasize the relationship between form and meaning by focusing on the communicative effect of formal choices. In general, it is assumed that the student knows the formal paradigms or can review them from another source.

As the discussion below on Textbook Organization indicates, each unit has a primary language review objective related to its compositional goals. The language activities typically tell the student to review a section in the appendix and then perform a contextualized language task which refers the student back to the actual content of the authentic texts in the unit. Students are encouraged to observe language in context.

Instructor Support

This program gives special emphasis to instructor support. This detailed **Instructor's Edition Introduction** enables instructors without specific training or preparation in Spanish composition to teach it effectively. This **Instructor's Edition Introduction** includes:

- complete discussions of the structure and content of the authentic texts in the student text. This is important because this analysis is the starting point of all the activities in the textbook. The authors do not pretend to do critical justice to the literary texts in the student text; the discussions are intended to focus only on the compositional properties of those texts.

- discussion of student activities (rationale, execution, options, answers, and/or possible responses) wherever necessary.

- suggestions for additional activities wherever possible.

Structure of the Program

Textbook Organization

The Preliminary Unit

The purpose of the preliminary unit is twofold. The first objective is to review some basic facts of Spanish orthography and punctuation. The second objective is to acquaint the student with the components of and symbols used in a typical Spanish/English dictionary, as well as show how to analyse a concept and then use the dictionary effectively to find and verify the word or phrase needed. The dictionary practice in the Preliminary Unit also begins to acquaint the student with false cognates and other problematic Spanish concepts that students commonly encounter.

Units 1-5:

Units 1-5 represent five specific types of written texts that follow a logical progression across the units. Each unit contains a list of writing and linguistic objectives related to three authentic texts that range from shorter to longer.

Unit 1 focuses on **descriptive composition.** The texts represent purposeful and thesis-driven descriptions people, things and places. The authors emphasize that descriptions, like all forms of writing, are organized around a purpose and are written from a perspective; in fact, since nothing can be exhaustively described, descriptions in particular need a specific purpose and/or a thesis to limit and structure them. The associated language objectives are the review and practice of the Spanish copula (**ser/estar** and related predicates), adjectives and adverbs, and comparative structures.

Unit 2 deals with **narration.** The "story" and its components (setting, character, problem, action, climax, resolution) is taken as the basic model of narration. The unit introduction focusses on the "joke" as a short, narrative form that must be highly structured. The readings include a personal letter recounting a trip, a short literary narrative, and a legend. Compositional emphasis is placed on the authorial voice, use of description, the use of foreground and background for relating information, and the role of dialogue. The primary language objective is the review and practice of verb tense and aspect, in particular the interaction of preterit and imperfect verb forms. Additional practice is provided on orthography, use use of the present and past participle descriptive devices, adverbials, and pronouns.

Unit 3, reporting, like the preceding units, focuses primarily on the representation and recreation of reality. Unit 3 stresses the requirements of "objectivity" and is based primarily on the news story as model. The texts represent an effort to present a range of news story forms from "fact story" (**la noticia**), to "report" (**el reportaje**), to "in-depth report" (**la crónica**). The main language objectives are: 1) the use of pronominalization as a principal means of maintaining coherence in a composition and, 2) the use of conjunctions to produce more complex structures and condense information, with special emphasis on the relative clause. Additional activities target, among other things, the subjunctive and the passive.

Unit 4, argumentation, moves into the subjective domain of opinion and focuses on how the writer attempts to persuade his or her audience. Although this kind of writing may be fundamentally subjective, the arguments must be effective, so an understanding of the attitudes, values and knowledge base of the reader is essential. The primary focus on reader subjectivity is what distinguishes this unit from Unit 5 on exposition. The central model of argumentative writing assumed in this unit is the editorial. The readings are examples of a film review, a letter to the editor, and a news commentary with a clear subjective orientation. Unit 4 also contains a subunit on *the formal letter*, since many types of letter involve an effort to persuade or elicit a response from the reader (letters to the editor, letters of complaint, letters to prospective employers, etc.). The language focus of the unit is on pronominalization, mood choice and the use of conjunctive and transitional expressions to relate ideas. The unit also affords some practice on **por/para**, the various uses of the past participle, idioms, etc.

Unit 5, exposition, deals more concretely with the requirements of logical and coherent presentation of ideas, and the development of a thesis statement as the principal organizing feature expository compositions. Although all of the readings in Unit 5 reflect to a greater or lesser degree a subjective bias on the part of their author, they are all posit explicit theses and exemplify the use of facts, examples, anecdotes, quotes, comparisons/contrasts, arguments, etc. to support their central idea. The language focus in Unit 5 is the use of logical and temporal relators, pronominalization, conjunctive and transitional expressions (sentential adverbs), idioms, etc.

The content of ***Lector a escritor*** can be adapted to different teaching circumstances. If used as the authors intend, roughly two-weeks can be devoted to each unit in a ten-week quarter; three weeks each in a typical 15 week semester (one-week per reading). In cases where a course must focus on objectives in addition to composition and use additional texts, ***Lector*** can be easily reduced and reconceived as essentially *three* units by combining units in a number of ways, eliminating a reading or two, and reducing the writing program. Since narratives naturally incorporate description in the relation of actions and events, Units 1 and 2 form an obvious unit. Units 3 and 4 might be combined to produce a unit contrasting objective and subjective composition. Likewise, Units 4 and 5 might be conflated since both deal essentially with the development and support of a central thesis or claim.

Grammar Appendix

The Grammar Appendix serves both as an overview of Spanish and a reference for the specific language practice activities included in the program. As an overview, the appendix strives to relate language forms (morphemes, words and parts of speech, phrases, clauses, etc.) directly to categories of meaning and function. The main components of the appendix are:

- Introduction: overview chart

- Predication: the verb phrase

- Complementation: the noun phrase

- Modification: the adjectival and adverbial phrase

- Relationships: prepositions and conjunctions

Organization of a Unit

A. Objetivos/Objetivos lingüísticos
A statement of the content, structure and goals of the unit in two areas. **Objetivos** lists the specific compositional objectives of the unit, and **Objetivos lingüísticos** defines the language review objectives associated with the type of composition.

B. Introducción general

1. Rasgos del género

This section gives a general definition and discussion of the compositional form on which the unit centers. It also links the language objectives to the compositional objectives.

2. Actividad(es) preliminar(es)

A brainstorming activity or activities that make use of the notions presented in the **Rasgos** section.

C. Lecturas

Three authentic texts that serve as the nucleus of the unit.

1. *Lectura:* The title and author are given.

2. *Introducción a la lectura:* The introduction to the reading provides the student with general information about the source, author, context, or special features of the text they are about to read.

3. *Antes de leer:* The *Actividades* in this section are pre-reading activities designed to help students read the authentic text. They form a rough three-stage progression: 1. general brainstorming exercises to activate relevant world knowledge related to the reading, 2. activities designed to activate text-type schema, and 3. text-specific pre-reading activities that generally suggest a nonlinear reading strategy (particularly in the case of the more difficult texts) and/or prompts students to make guesses about the content and structure of the reading based on the title or introductory information.

4. *A leer:* An authentic, unedited (although occasionally excerpted) reading presented in its original format with the exception of the addition of a paragraph number for quick reference and glosses in Spanish (only where necessary).

5. *Después de leer:* A follow-up activity section with four subcomponents:

- *Preguntas de comprensión:* A series of factual questions presented in order the answers occur in the text. These questions help guarantee students' basic understanding of the text's contents. Some questions require computation or analysis and are focused on material directly relevant to the thesis of the text.

- *Enfoque en el contenido y la estructura:* A set of activities that help the student analyze the content and structure of the text. The activities are designed to highlight the theme and thesis of the text and to help students appreciate the reading's structural unity (controlling idea, coherence, cohesion, etc.) by analyzing paragraph organization (grouping and separation), transitions, and so on. A frequent strategy used in these activities is to make an assertion and then ask students to discuss it, supporting their positions by referring to concrete features of the text. For example, an activity may propose a representation (or several representations) of the structure of the reading and ask students to evaluate their relevance.

- *Enfoque en el lenguaje:* A set of activities that help students to focus on language (vocabulary and structures) in context by having them examine the language of the authentic texts. Although students are asked to produce forms on occasion, the primary goal of the language activities is to encourage students to observe language "at work" and to treat authentic texts as valuable sources of language material. Vocabulary activities, for example, frequently require students to seek, organize, and develop semantic fields implicit in the texts; the idea is to encourage students to regard language materials as a rich source of vocabulary. Students are frequently asked to locate, identify and explain the use of forms in the reading selection. The goal is help the student see how grammar works in context.

6. *Actividades de escritura:* A set of brief (one paragraph to one page), guided composition activities intended to help students learn to write paragraphs and to serve as the basis for peer editing. The purpose of these activities is to give students practice at the paragraph level before they attempt the longer composition tasks defined at the end of the unit.

D. Para resumir

This section reviews the compositional principles observed in the model authentic texts.

E. Actividades de escritura extendida

A set of activities for longer compositions (about 2–5 pages) that are more open-ended than the **Actividades de escritura** found at the end of each reading section. The **Actividades de escritura extendida** are intended to serve as alternative topics for the main composition of each unit and occasionally require some research on the part of students.

Unidad Preliminar

Objetivos

The Preliminary Unit is designed to accomplish three objectives:

The first objective is to give students an overview of the nature of composition and the composition process. It places emphasis on the importance of the thesis.

The second objective is to review the basic orthographic issues that distinguish Spanish and English: namely, and the use of written accent marks, the rules of capitalization, and certain systematic spelling differences or changes (stem-changing verbs, double consonants, maintaining soft and hard consonants, etc.) and distinctive punctuation matters (inverted question and exclamation points, the use of the period and comma in numbers, and the dash to mark dialogue).

Finally, the Preliminary Unit seeks to acquaint the user with the dictionary and provide strategies for effective dictionary use. The activities ask students to compare dictionaries, recognize their typical components, and analyse dictionary entries (symbols, types and order of presentation of information, etc.). Students are advised to analyze concepts prior to dictionary use and to use the strategy of "reverse look-up" to help verify their choices.

The last activity, **El manejo del diccionario**, is the first in a set of dictionary practice exercises distributed thoughout the program that seek to draw students attention to a fairly large number of concepts that students typically mis-render in Spanish. It is not usually necessary to translate the sentences in these exercises, only identify the appropriate Spanish equivalent of the concept involved.

Unit notes

Unit 1: La descripción

Objetivos

The basic premise of each unit in *De lector a escritor* is that any formal effort to write is a decision-making process ultimately guided by two considerations:

1. the perspective and/or purpose of the writer, and
2. the characteristics and/or needs of the intended audience.

Both considerations taken together help the writer determine the selection and organization of information.

Good description, perhaps more so than other types of writing, must be guided by these considerations. This is so because the possibilities of description are infinite; it is never possible to exhaustively describe anything. Unlike narratives, for example, which may readily be organized around a time line and the behavior of the participants, the appropriate starting point and subsequent development of a description is anything but obvious. It is essential for the writer to define his or her controlling purpose and to adopt a perspective in the entity to be described. Possible controlling purposes are many: to inform, to entertain, to persuade, etc. They may even take the form of a thesis (a specific statement or claim about the entity). Depending on this purpose, the composition is organized from a particular perspective or combination of perspectives. This can be accomplished spatially, temporally, by sensory mode, objectively or subjectively, and by descriptive domain (physical, psychological, social, etc.), among other possibilities. Again, depending on his or her purpose, the writer may have to adjust content and structure to suit a particular audience or reader.

Objetivos lingüísticos

The various language activities in Unit 1 focus primarily on three sentence-level grammatical structures generally associated with the description of entities (concrete or abstract). These three structures are typical learning problems for intermediate students.

The copula: Unit 1 activities practice the choice of the existential hay, the copula **(ser, estar)** and related predicates (**tener** idioms, for example). These predicates are intimately connected with: 1. the presentation of entities in discourse **(hay),** 2. the labeling of entities **(ser),** and 3. the modifying of entities **(ser, estar).** The use of these and other expressions that translate as to be in English is an ongoing learning objective throughout students' education in Spanish.

Noun phrase modification: Unit 1 activities are designed to encourage the development of descriptive vocabulary and to draw students' attention to the various forms noun modification can take in both Spanish and English: suffixes, simple lexical items (determiners, adjectives), phrases (prepositional and past participial), and relative clauses.

Comparative structures: Since comparison represents a basic strategy in descriptions, Unit 1 gives students practice with comparative structures (equality and inequality) that include nouns, adjectives, verbs, and adverbs.

Actividad preliminar (p. 14-15):

The goal of this activity is to help students appreciate the importance of defining one's perspective and purpose in descriptive writing and to recognize the relationship between perspective/purpose and content/structure.

The Texts

The texts selected for this unit represent unedited descriptions of three different types of entities: people, objects, and places and environments. The first selection comes from a Hispanic newspaper oriented to a popular audience in the U.S. This text, a column of personal ads, is included to show how a writer may need to adapt the content and structure of a descriptive text to target a specific audience. The two other selections are short literary pieces by Colombian and Argentine authors. These two literary texts show how description can be used to make a statement or develop a thesis. They illustrate, in addition, the use of irony and metaphor as organizing devices in composition. In all three selections, students must determine the attitude and perspective of the writer in order to comprehend the message.

Lectura 1: "El correo del amor"

Introduction (p. 15): The first reading is a segment from a regular column entitled **"El correo del amor"** in *El Mundo*, a Hispanic newspaper published in Boston. The column is both an advice column and a forum for "personal ads." This text is included for several reasons: 1. it involves the description of people, which is inherently interesting to students; 2. it represents a popular text type with compositional properties easily recognizable to students, and 3. it illustrates the interaction between writer and audience and its potential effect on the content and structure of a composition.

In short, although the authors hope that students find the reading enjoyable and interesting because of its focus on people and relationships, it is not a frivolous inclusion. Personal ads, as is the case with all advertisements, contain descriptions carefully designed to appeal to a given public or audience. They are audience-directed compositions, since the descriptions must be intelligently tailored by the writer to achieve personal ends. Consequently, these ads are organized to do two things: 1. target the correct reader and potential partner, and 2. present oneself in such a way as to then appeal to that reader and potential partner. Students as readers will detect a number of different motives and value systems underlying the content and structure of the various personal ads.

In addition to the specialized content, the economic restraints of cost and space dictate the structure and therefore the content of the descriptions in the personal ads. As a result, the writers must make decisions about what to include and what to leave out.

Analysis of text structure and content: Although always subject to variation, the informational content (and to a lesser degree the structure) of personal ads is fairly uniform and predictable. The general structure of a personal ad might be characterized as follows:

- describe self moving from the general to the physical to the personality.

- describe ideal partner.

- indicate motive and intentions, either directly or indirectly.

- list contact information and send picture, write, call, etc.

- use romantic "line" (optional).

The writer will almost invariably begin with self-identification and self-description that moves form general classifications (sex, nationality, social status) to personal characteristics. This is generally followed by a set of requirements or a description of the ideal partner. Obligatory categories of personal description, with minor variations include nationality and origin, sex, age, height, weight, general appearance, employment and economic status, current social status, religion, personal qualities, likes and dislikes, habits, hobbies, etc. The writer will at some point implicitly or explicitly indicate his or her motive(s) for seeking a partner and his or her ultimate intentions. There are instructions or a proposal for making contact. Finally, it is not uncommon to conclude with a romantic "line" to encourage response.

Antes de leer (pp. 16-17): Exercise A is a group activity designed to show students that perspectives vary and influence perception even at the level of basic description. The second phase of the activity requires the group to come to some common agreement on the content and structure of the description. The 50-word limit will force choices.

Exercise B is an individual activity requiring students to marshal personally relevant vocabulary and to think in terms of organizing descriptions around key traits and comparing and contrasting various types (public and private, real and ideal, self and friend, etc.).

Exercise C is a pre-reading activity requiring students to predict the reading's content and structure based on their schematic knowledge of personal ads. The activity also encourages personal values clarification and alerts student to possible messages underlying the text. The activity lends itself to paired work.

Enfoque en el contenido y la estructura (p. 19): Exercise A is a group activity which should produce something similar (but not necessarily identical) to the schema suggested in the previous analysis of text structure and content. Alternately, the instructor might have the class discuss the first personal ad (P1) as a straightforward example of the schema and then compare the other personal ads, discussing deviations from this pattern. For example: Which ads leave out data?, What kind of data is left out? (Personal appearance?), Why might P5 delay data about his height and weight?, etc.

Exercise B is another individual or group activity designed to elicit through comparison the categories of description characteristic of such ads and to probe the various purposes and motives that govern their content and structure. The students might do a comparative chart in order to group and classify the adds more effectively. The chart could then serve as the basis of a brief comparative composition.

Exercise C is an individual activity requiring students to focus on the content and structure of an individual ad as evidence of the writer's personality and motivation. This activity will involve speculation, but it should be grounded in the data.

Enfoque en el lenguaje (pp. 20-21): The choice of language in personal ads is intimately related to the writer's purpose and to the potential reader's assumed needs. Since the writer wants to encourage responses from the audience he or she has targeted, the ad's language must allay fears and encourage trust. The terms **caballero** and **dama** are favored over **hombre** and **mujer** in these ads, to avoid sexual innuendos and ennoble the enterprise of seeking a partner. The term **mujer,** when it is used, places an accent on gender. The very frequent use of the diminutive **damita** in these ads communicates an attitude of endearment, reverence, and protectiveness. The terms **honesto, honrado** and **hogareño** are frequently used in the descriptions to appeal to the security interests of the reader. They address the reader's need to know that the writer's self-description is honest and accurate, that his or her intentions are honorable, and that the goal is a meaningful and lasting relationship. In Spanish, **honesto** also carries connotations of chastity, or at least lack of promiscuity. Two of the ads make reference to skin color **(color indio),** suggesting this is a culturally relevant category of description for the reading public.

The text is a good source of vocabulary for describing people in physical, personal, motivational, and social terms. It also gives ample illustration of the various structures that are used in noun phrase modification: 1. suffixes (dam*ita*), 2. simple adjectives (**divorciado, romántico**), 3. phrases (**de buen carácter, de buenos sentimientos, con no más de 20 años**), and 4. relative clauses (**muchacha** *que* **le guste cocinar**).

To appreciate the choice of terms used in Exercise A, the class might discuss the meaning and use of the American English usage of the term *dame* (cognate of **dama**) associated with the period of 1930-1950.

As part of Exercise B, students should look up the terms **honrado** and **honesto** in one or more good dictionaries and speculate on their meanings *vis a vis* their English cognates. **Honesto,** for example, can refer to chastity or non-promiscuity. Students should note that English does not have a close equivalent for **hogareño.**

In Exercise C, a list of categories is included to encourage students to collect and organize this vocabulary by semantic fields and to recognize the variety of structures one might use in doing the compositional activities at the end of the unit.

Exercise D is an individual activity that asks students to expand on the descriptive vocabulary in the text in a personally relevant way.

These are the answers to Exercise E: **Anuncio #1: Soy, Estoy, Tengo, Tengo, Tengo, Tengo, Tengo, Soy. Anuncio #5: Soy, Tengo, Soy, son, sea. Anuncio #11: Soy, Soy, Tengo, Soy, Estoy.**

The answers to Exercise F include various possibilities for comparisons. Students should endeavor to produce the requested mix of structures and comparative types.

Actividades de escritura (pp. 21-22): Exercise A is a paired activity that will require students to negotiate and come to an agreement on the type of roommate they are looking for. The pair might draft separate lists of requirements first and then come to agreement on five important ones which will serve as the basis of the ad. It is likely they will need to use adjective clauses (in both the indicative and the subjunctive).

Exercise B encourages contrastive description. Although the subjects differ only in terms of age and purpose, students can speculate reasonably about other differences (origin, marital status, etc).

Lectura 2: "Preámbulo a las instrucciones para dar cuerda al reloj"

Introduction (p. 22): The second reading is a short, ironic piece by Julio Cortázar describing in essentially negative terms what would normally be a welcome gift, a watch. The description is thesis driven; the basic idea is that along with the watch come unpleasant obligations and preoccupations associated with time, care of the object, and social status. The thesis is developed inductively and stated explicitly in the last sentence. The irony is seen in the terms that Cortázar invents to refer to the object, in the insistent repetition of the phrase **te regalan,** and in the play on words that characterizes the concluding sentence.

Analysis of text structure and content: The structure of the text might be represented as follows:

Title: preamble equals a warning

Text based on repetition of phrase **(No) Te regalan**

   I. Metaphorical characterizations of watch
      a. Watch labeled in terms of things
      b. Watch personified through a label
      c. Watch related to individual as a "part of the body"

2. Statements characterizing the consequence of the "gift"

3. Conclusion stating thesis with ironic twist

The text is purposefully entitled a *preamble;* a preamble is a general statement that precedes a text. In this case the preamble is ironically intended as a warning against using the watch, to be read before the instructions for winding it. It is ironic because, clearly, no manufacturer would warn the buyer not to use the product. The body of the text is held together by the repetition of the phrase **Te regalan.** This repetition is used stylistically to drive home the irony of the notion of the watch as a "gift." The statements in the paragraph have a three-part internal structure.

First, there is an internally structured sequence of metaphorical names for the watch. The first set labels the watch in terms of other things **(un pequeño infierno florido, una cadena de rosas, un calabozo de aire).** The watch is then personified as a small stone cutter **(ese menudo picapedrero)** chipping the owner's life into little fragments. Finally, a series of labels relates the watch to the individual as an extraneous but intrusive part of one's person **(un nuevo pedazo frágil y precario de tí mismo, algo que es tuyo pero no es tu cuerpo, un bracito desesperado colgándose de tu muñeca).**

Second, we see a series of statements about the personal consequences of attaching a watch to one's wrist **(necesidad de darle cuerda, obsesión de atender a la hora, miedo de perderlo, tendencia a comparar).** These are ironically stated as other "gifts" associated with this watch.

Finally, the last sentence is a summary statement of the thesis and adds the final ironic twist that inverts gift and receiver: you are not the receiver of a gift (the indirect object), you *are* the gift (the direct object). In short, your life has been given over to preoccupations of various sorts, including care of the object, time, fear, and invidious comparisons.

Antes de leer (pp. 22–23): Exercise A is a vocabulary-development activity intended to help students pull together positive and negative descriptive vocabulary. The activity again points to the relationship between personal perspective and description. The students' descriptions should reveal something about their values and preferences.

Exercise B is a personalized activity in which students should write one to two sentence statements that relate descriptions of people to anticipated gifts; for example, *My father is sports-minded so I will probably buy him a pair of good quality running shoes* (functional reason).

In Exercise C, students should eventually surmise that the reading will have to do with important considerations that should be read prior to using a watch. Ask students to speculate about what these considerations might be.

Enfoque en el contenido y la estructura (pp. 24–25): In Exercise A you might also ask students if the thesis is explicitly stated in the text at some point. They should be able to identify that it is stated in the last sentence.

In answering Exercise B, number 3, students should recognize that Cortázar inverts the direct and indirect objects.

Enfoque en el lenguaje (pp. 25–27): The sequence of terms that the author uses to refer to the watch show that naming is a powerful descriptive device. These particular names are good examples of the use of metaphor. A linguistic metaphor is an implied comparison of things that come from two widely different realms. But the comparison must be apt in some sense; that is, a basic trait of one term must be attributable to the other. For example, the hearer must perceive (or come to perceive) that a watch shares properties with **infierno, cadena, calabozo;** namely, that a watch can represent agony, constraint, and imprisonment. The irony of the names is generated by the contradictions embodied in the noun-modifier combinations. The negative implications of owning a watch are more insidious because they come in the guise of a beautiful gift (**infierno florido, cadena de rosas**), which makes it difficult to see the problem (**calabozo de aire**). Furthermore, the emphasis on smallness (**pequeño, menudo, pedazo, bracito**) enhances the thesis because the watch's size is completely out of proportion in comparison to the effect it has on one's life.

Exercise A is intended to help students understand the nature of linguistic metaphors and to recognize the irony embodied in the contradictory noun-modifier combinations. Ask students to look up the definition of metaphor in the dictionary.

The answers to Exercise B are: **está, fue, es, estás, es, estar, hay, es, eres.**

The answers to Exercise C are: **1. peor . . . de, 2. menos . . . que, 3. más . . . que, 4. tanto como, 5. tan . . . como, 6. mejor . . . que, 7. tanto como, 8. carísimo, 9. más . . . del, 10. más . . . de lo que.**

Actividades de escritura (p. 22): Exercise A is intended to encourage subjective descriptions of both objects and personal states and emotions. **Antes de leer,** Exercise A (p. 21) could serve as the basis of this task.

Antes de leer, Exercise B (p. 23) could serve as the basis of this Exercise B.

Exercise C is meant to encourage a composition which describes the subject in personal and symbolic (rather than objective or physical) terms. Such a composition might include a thesis, for example: *These days running shoes are a status symbol.*

Lectura 3: "Canning y Rivera"

Introduction (p. 27): The final reading by Argentine journalist and writer Roberto Arlt describes a place (a major intersection in Buenos Aires) in terms of its ambience. This text is thesis driven. The thesis or controlling idea is explicitly stated in the first sentence: Canning y Rivera is a series of things—a sentimental hub, a refuge for vagrants and cheap philosophers, and a necessary pathway for people in various occupations. The remainder of the text develops this thesis in spacial terms. Arlt also uses metaphors to aid the description and characterization of the relevant "spaces." The two major spaces (the café and the bustling intersection) reflect two different social worlds.

Analysis of text structure and content: The structure of the text might be summarized as follows:

Canning y Rivera
P1 Thesis states that the intersection is the city's sentimental hub.
　　 The hub has two parts: the corner and the café.

El café
The description moves from the outside world to the interior of the café.
P2 Transition paragraph relates café to theme of idleness.
P3 Café's ambience is like that of a secular church, a refuge (metaphor).
P4 Describes café interior.

Hormiguero humano
The description moves from the café to the outside world.
P5 Intersections are like an anthill (metaphor).
　　 Description begins with the outdoor tables of the café.

P6 Outside world contains working women who pass in groups.

P7 Flirtation shows the transitory interaction of two worlds.

P8 Describes the "human parade".

- *Canning y Rivera:* The three segments of the text are interrelated but independently coherent descriptions of the same ambience. The first, Canning y Rivera, is in essence a one-paragraph capsule description of an intersection. It identifies the location and presents two major themes associated with it. These themes are then developed in the other two segments: 1. the café as hangout for the (young) wealthy leisure class, and 2. the variety and bustle of human activity that takes place outside the café at the intersection. These two worlds have only passive and passing interaction. The café-dwellers observe the outside world through the window or from tables on the sidewalk, and there are minor flirtations between the lazy youths and the working girls who pass.

- *El café:* This segment contains three paragraphs that focus on the café. In the first paragraph, the author addresses the reader directly **(usted)** and re-introduces the theme of leisure and laziness associated with the intersection.

    The second paragraph identifies some of the types of people that idle away at the café, which serves as their refuge. The café is compared to a church, a place of mediation and spiritual activity. But in this case, the habitues of the café are secular and engage in spiritually useless activities. The café also serves as a window to the world outside that is populated by the other half of society— the working class. The spatial description of the café implies two worlds, that of the idle and that of the employed.

    The third paragraph describes the internal atmosphere of the café in terms of its overpowering stultifying effect on one who enters it **(se pasa sin vuelta).** The interaction between the waiter **(un plantígrado resignado)** and the customers reflects the contrast between the two worlds within the café itself. The final, elliptic sentence sums up the self-absorbed behavior of the café's customers from the point of view of the waiter, a worker like those who pass outside.

- *El hormiguero humano:* This section contains four paragraphs that focus on the kind of people and activities that are associated with the intersection. The title and first paragraph state the theme by using a metaphor for the intersection as a human anthill in full activity. The description begins with the café (where the previous section left off). The author looks at the young café dwellers, their posture and dress reflecting their casual attitude, and wonders how they can afford it. **Nadie le mete la mula al mozo** is a reference to their cheap tipping behavior. The youthful idlers are not necessarily rich; they just desire to lounge and be idle. The second paragraph moves to the world that passes by the café. The author mentions specifically the working women of various occupations who pass in groups of various sizes and implies that their passing may be socially motivated (to see how the other half lives? to flirt?).

    The third paragraph shows the transitory and insubstantial nature of the interaction between the two worlds. The idle men watch the women and flirt. Their laughing response to the working woman's retort reinforces the theme of the carefree, untroubled idleness of the café dwellers. The last paragraph generalizes the scene to show that the intersection is a buzzing microcosm of the urban life that lies outside the café. It describes the nationalities and types of people that pass, and it is obvious that within this society nationalities have identifiable, commonly accepted associations with certain trades and activities. The last sentence has a cinematic effect as it moves away from the buzzing intersection to expose the **dorado cielo azul de la mañana.**

A brief note on the suicide mentioned in the initial paragraph. When first mentioned, it is still not clear what the incident might have to do with the basic theme of lazy ambience. But a little reflection indicates that even something as dramatic and determined as an attempted suicide is transformed by the environment (especially that of the café) into something that is casual, lazy, and an ineffectual effort—that is, the woman's fall was broken by the awning of the café.

Antes de leer (pp. 28-29): Exercise A is a group discussion activity that should prepare students to read the description for its portrayal of an ambience. You might ask students to compare and contrast two of the places mentioned in number 1.

Exercise B is a personalized activity designed to promote descriptive vocabulary development and spatial analysis.

Exercise C is an activity that facilitates students' reading of the passage and encourages guessing about its possible content and structure.

Exercise D is an activity that facilitates the reading of this particular text through the recognition of derivational morphology. Students should note that the addition of these suffixes produce new nouns (person: **gorrero**, place: **hormiguero**) and adjectives **(esquinero, verdadero, despensero).**

Enfoque en el contenido y la escritura (pp. 31-33): Exercise A is a group-discussion activity that should help students appreciate the fact that the essential structure of the text is presented in the introductory section.

As students do Exercise B, instructors might want to point out the third paragraph as a particularly good example of paragraph development and one worthy of analysis. Students might try to outline P4 producing an outline similar to the following:

1. Frase temática:
   Tesis = En una esquina así se pasa sin vuelta.

2. Desarrollo/Explicación:
   a. El cliente:
      1. En cuanto entra se siente contagiado de pereza.
      2. Los brazos le empiezan a pesar.
      3. La mirada se le llena de neblina.
   b. El mozo:
      1. Está acostumbrado a la clientela, es un plantígrado resignado.
      2. No protesta.
      3. Sirve lentamente, como un mártir.

3. Resumen/Conclusión: Cinco de propina y la mesa ocupada tres horas.

As students do Exercise C and discuss the meaning of the spaces described and the spatial metaphors used, the instructor should ask students to discuss the progression of space in the text to see if they can identify the movements in the last two subsections of the text (café: exterior to interior, etc.) They should also discuss the significance of P7 **(el piropo).**

In part of Exercise D's discussion, students are invited to look for some indication of the author's attitude implicit in the descriptions. It is not really important to come to any agreement regarding what that attitude is, but the discussion and arguments should be supported by specific references to the reading.

As students do Exercise E, they should appreciate the fact that in any well-written text, nothing is truly gratuitous or superfluous. The instructor should guide students to understand that the author must have mentioned the incident for a reason and that it must contribute in some way to the theme or thesis of the text.

Enfoque en el lenguaje (pp. 33–35): Some examples that students should find as they do Exercise A are: **vago, desocupado, la atorrancia, estarse sentado/recostado, squenun, fiaca, dejarse estar, meditar, pereza, despatarrar, no hacer nada, los zánganos, gozar.** The authors have asked a number of Argentine colleagues about **squenun** and none could tell us exactly what the term means. Nonetheless, students should be able to surmise in general that the term is a noun referring to a person and relates to the ideal of idleness.

The answers to Exercise B are:

1. **es, es/está, hay, Hay, están, está, están, está. 2. eran, estaba, estaban, Había, Eran, Estaban, Hacía, Era, había, Era.**

The answers to Exercise C are:

1. **tanto . . . como, 2. tan . . . como, 3. más . . . que, 4. más . . . que, 5. menos . . . de lo que, 6. más . . . qué, 7. tanto . . . como, 8. como/tanto como/más que, 9. igual que.**

Actividades de escritura (pp. 35-36): The point of Exercise A is to reveal personality indirectly through description of one's personal space. One might introduce this activity by asking students first to list three personality traits that they feel their rooms reflect, and then list three descriptive facts about the room associated with each personality trait.

Exercise B strives to have students describe various levels. Students might start by simply jotting down as many words and phrases as possible in English, giving little thought of the end product. They would then examine this descriptive material, looking for a main idea, focus, or starting point.

Students might begin Exercise C with a short paragraph summarizing the various types of students they can identify and then indicate their reasons for selecting the type they intend to describe in more detail. Students should reveal their attitude toward the chosen type implicitly through their description, rather than through a direct statement.

Actividades de escritura extendida (pp. 36–37): Both the Cortázar and Arlt readings share the theme of time. An additional topic for composition would be to ask students to write a thesis-driven composition that relates the two texts in terms of what they might reveal about time from an Hispanic perspective.

Unit 2: La narración

Objetivos

Students will learn that narration is generally organized according to the time order of the events it narrates and requires decisions involving the foregrounding and backgrounding of facts. Since narration involves the weaving together of descriptions of entities and events, this subunit builds naturally on the preceding one. Students will also recognize that narrative texts, like descriptive ones, can be organized around a thesis which may be either explicitly or implicitly present in the text.

Objetivos Lingüísticos

Tense/Aspect: These language activities focus student attention primarily on the interplay of various aspectual forms in past-tense narration; primarily the effect of the preterit/imperfect alternation in the foreground and background of events. Students should learn that these forms appear together in a narrative and that each plays an indispensable role in relating events. Students should recognize that aspect is a system of meaning that goes beyond the preterit/imperfect distinction to include the perfect constructions **(haber + –do)** and progressive constructions **(estar + –ndo).** It is assumed that students already know the verb forms themselves; emphasis is on their use.

    Modification in the Verb Phrase: Unit 1 features aspects of noun phrase modification. Unit 2 focuses on verb phrase modification, or adverbial structures, and the basic meaning categories that they reflect. Structurally, adverbials can take the form of simple adverbs, adverbial phrases, prepositional phrases, participials, and adverbial clauses. These structures modify verbs in terms of time, frequency, duration, space, quantity, degree, emphasis, comparison, manner, purpose, cause, and reason. Students are asked to identify adverbials and the type of information they supply.

    Actividad Preliminar (p. 40): The point of this activity is to help students realize that one of the most common narrative forms there is, the joke, must be highly structured to be effective.

The Texts

The texts in Unit 2 represent a variety of narrative items presented in order of type and increasing level of complexity: 1. a personal letter written by a young Spanish woman, 2. a short piece of literary narrative by Latin American author Marco Denevi, and 3. a journalistic recount of a well-known Spanish legend.

Lectura 1: Una carta de Túnez

Introducción (p. 42): The text is an unedited personal letter written by a young Spanish woman to her sister. It recounts the events of a trip to Tunisia with several friends. The text is clearly thesis driven, even though the writer was probably not entirely conscious of the fact. The thesis, that travel ought to be an adventure, is stated in the next-to-last paragraph of the letter, but it has been implicitly developed throughout the narrative in the author's choice of which events to relate and in the specific use of certain kinds of descriptive vocabulary and expressions. The letter also represents an example of a composition written to a known audience; the reader and writer share certain background knowledge.

    Analysis of text structure and content: The six paragraphs of the letter represent clear divisions in the narrative. The structure of the letter might be represented as follows:

Beginning of trip —— P1		Assembling at the airport
The trip itself ——	P2	The car/the capital city/en route
	P3	The commotion the women caused en route **(Furor en el camino)**
	P4	A consequence of the flirtation
The end of trip —— P5		Conclusion/summary statement of the implicit thesis, that travel should be an adventure
Closing of letter —— P6		Closing of the letter

The descriptive content reinforces the implicit thesis (travel = adventure) by highlighting various notions such as:

- lack of planning/impulsive action:
  entre pitos y flautas, no llevaba más que una rebeca, con un despiste de narices, a caza y captura del hotel, no teníamos ni flores de cómo funcionaban las calles, FIAT-UNO + 5 personas + 5 equipajes botando

- accidental, unexpected, dramatic, or unique events:
  viento huracanado, de casualidad, nos pegamos una perdida, perderse 1000 veces, tener un flechazo, lo que hacíamos nosotros no hacía nadie

- danger/excess:
  jolgorio, un sitio auténtico navajeros, parajes inhóspitos

- purposeful flirtation/courting and laughing in face of danger:
  pero muertos de risa, causar furor, causar revolución, provocar en plan bestia, pasar un montón

Antes de leer (pp. 42-43): In Exercise A, students reconstruct the logical order of a letter and decide on sensible paragraph breaks.

Exercise B alerts the reader to expect information exclusive to the writer and the intended reader; students should be encouraged to identify those parts of the letter that imply shared knowledge between the two. It then draws student attention to the general schema of "telling about a trip" as the organizing principle of the narrative. The reader expects a series of incidents in time order; some sensory description of people, places, and things; expression of emotional reactions (enjoyment, nervousness, etc.), as well as references to hotels, food, transportation, etc.

Enfoque en el contenido y la estructura (p. 45): In Exercise A, students should recognize a structure similar to the one given in the previous analysis.

Exercise B points to the inductive development of the thesis. Throughout the entire letter the description (suggesting lack of planning, flirtation, thrills, excitement, danger, excess) has supported a thesis which is not stated until the end of the next-to-last paragraph, that travel should be an adventure. This is an example of inductive development.

Enfoque en el lenguaje (pp. 45–47): Exercise A asks students to identify the verb forms and to explain the author's choices between *preterit* and *imperfect* in context. Students should recognize that the imperfect is used to relate background events and descriptions, while the preterit relates the sequence of actions and events in the foreground.

Exercise B is preparatory to the writing activities in the next section. The point is that observation as well as written description and narration are both ultimately guided by mental schema; that is, sets of descriptive categories, some of which are generally shared and some of which reflect personal orientations.

When these categories from Exercise B are represented as an ordered list of questions (Exercise C), the list can serve as an effective organizing device for writing.

Actividades de escritura (p. 47): Exercise B requires the student to relate and interweave background descriptions with the narrative sequence of events.

Lectura 2: El cuento "Génesis"

Introduction (p. 47): This short narrative by Latin American writer Marco Denevi is a good example of a composition with an implicit thesis. The text has a surprise ending akin to the punchline of a joke;

as a consequence, the writer must manipulate the reader through a controlled presentation of information in order to guarantee the effect of the ending.

Analysis of text structure and content: The structure of the text can be represented as follows (S = sentence):

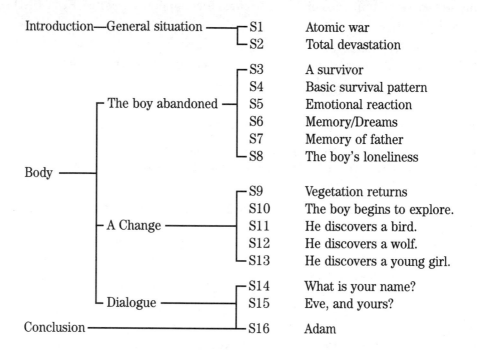

Introduction—General situation	S1	Atomic war
	S2	Total devastation
	S3	A survivor
	S4	Basic survival pattern
The boy abandoned	S5	Emotional reaction
	S6	Memory/Dreams
	S7	Memory of father
	S8	The boy's loneliness
	S9	Vegetation returns
	S10	The boy begins to explore.
A Change	S11	He discovers a bird.
	S12	He discovers a wolf.
	S13	He discovers a young girl.
Dialogue	S14	What is your name?
	S15	Eve, and yours?
Conclusion	S16	Adam

The title suggests the biblical book of Genesis and the story of the Garden of Eden. It is apparent from the beginning that the narrative retells Genesis in its essential outlines as a new cycle or rebirth of civilization after some future nuclear war. But the reader does not really become aware of the intent of the author until the dialogue at the end, which functions much as a punchline in a joke. The author implicitly raises a question: Are we now living in civilization's first cycle? The reader then recognizes that the boy's "father" may in fact represent God of the Bible's Old Testament: the pilot of a spaceship (spaceship Earth?), who smiles and admonishes, wrapped in flames and residing in the clouds. The text has an implicit thesis: Maybe civilization has already had its second chance and is not doing much better than the first time.

Antes de leer (p. 48): Exercise A again draws students' attention to the fact that the names Adam, Eve and Eden are loaded with descriptive associations that we probably all share: nudity, lack of self-consciousness and shame, naiveté, physical beauty, naturalness, simplicity, grace, lack of either intelligence or stupidity, curiosity, etc.

Enfoque en el contenido y la estructura (p. 49): In Exercise A, the authors favor structural option #1 as indicated in the previous analysis, although there is certainly room for debate.

Enfoque en el lenguaje (pp. 49-50): As an extension of Exercise A, students might consider the effect that changing the aspect of the verbs has on the meaning of the story.

Activadades de escritura (p. 51): Exercises A and B ask students to project the story of the new (old?) Adam and Eve. Students might consider maintaining the Genesis story line, in which case they must in some novel sense expel Adam and Eve from the idealized Garden of Eden and put them into a real world.

Exercise C asks students to continue the story of Adam and Eve, but to give it a different conclusion from the biblical story.

Lectura 3: "Teruel y sus amantes"

Introduction (p. 51): "**Teruel y sus amantes**" is a thesis-driven journalistic text that moves from description (of a region and city, Teruel) to narration (a story of star-crossed lovers). The unifying thesis appears in the transition between the description and narrative: namely, the region of Teruel has spawned a passionate, idealistic type of person motivated by the principles of love, fidelity, and equality. The narration must bear out all three principles.

Analysis of text structure and content: The structure of the text may be represented as follows:

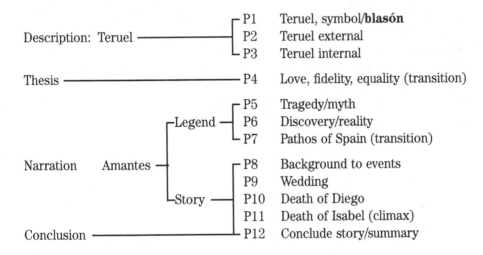

	P1	Teruel, symbol/**blasón**
Description: Teruel	P2	Teruel external
	P3	Teruel internal
Thesis	P4	Love, fidelity, equality (transition)
	P5	Tragedy/myth
Legend	P6	Discovery/reality
	P7	Pathos of Spain (transition)
Narration Amantes	P8	Background to events
	P9	Wedding
Story	P10	Death of Diego
	P11	Death of Isabel (climax)
Conclusion	P12	Conclude story/summary

The title is ambiguous: "**Teruel y sus amantes**" Assuming one knows that Teruel is a region and a city, **amantes** can refer to the lovers associated with Teruel or simply to people who love Teruel.

As the first word in each paragraph **(Teruel)** indicates, the three beginning paragraphs form a structural unit. Each paragraph describes some aspect of Teruel (the region or the city) and, in each case, the underlying function of description is to establish Teruel as "unremarkable" or "non-noteworthy" on the surface in order to enhance the effect of the transition to come in P4. P1 states that Teruel, like all Spanish provinces, has a coat of arms that symbolizes the region. P2 describes Teruel in external geographical terms as a harsh region and the source of rivers that are at once important, but are unrecognized for their importance. P3 describes the town of Teruel as a classical provincial capital, charming and representative, but nothing out of the ordinary.

P1 also serves to introduce the thesis implicitly via a description of the coat of arms: the bull as the symbol of blind impulse or unrestrained passion, and the star as a compass for spiritual emotion or passion **(afanes poco terrenales)**.

P4 is transitional. It connects the description of the region **(esta tierra)** to the narrative unit that follows and clearly states the thesis that guides the text: one might not expect it of the region (it must be discovered), but **(pero)** it has produced a passionate people **en cuyos corazones palpitan tres ideales profundamente: el amor, la fidelidad y la igualdad.** The highest symbol of these principles is the story of the Lovers. The author is then obligated to fulfill the thesis; that is, to show how the legend of the Lovers reflects the ideals of love, faithfulness, and equality. The fact that **Amantes** is capitalized here, but not in the title, suggests that the ambiguity of the title is intentional.

P5-12, dealing with the legend of the lovers, form the second major structural unit of the text. It is composed of several subunits.

P5-7 are a subunit which functions to establish the "reality" of the legend of the lovers. P5 contrasts the fictionality of the superficially similar story of Romeo and Juliet with the legend of the **Amantes.** It describes the two actual mummies placed to recreate the climactic moment: Diego in his coffin **(brazos cruzados)** and Isabel looking down at him. P6 gives details of the actual discovery of the remains of the lovers and the parchment which testifies to historic events. P7 concludes the subunit by making a general comment about Spain and the legend, and acts as a transition into the narrative. The reader now knows that the narrative will emphasize the tragedy.

P8-12 are a narrative subunit which relates the actual story. P8 gives the background situation up to the day of Isabel's marriage to Azagra, a man whom she does not love. P9-11 focus on the contiguous days of the wedding and the funeral. In P9, Isabel refuses to run away with Diego, citing her oath before God and her honor; Diego falls dead on the spot. P11 is set off by itself because it captures the dramatic climax of events, Isabel's death.

P12 concludes the narrative and summarizes the thesis in the final paragraph: the passion of these Lovers was so great that they literally died for love (unlike Romeo and Juliet, who had to poison and stab themselves to get the same effect).

Thus, the author satisfies all three elements of the thesis by showing how the story illustrates the principles of love (the **Amantes** died for love), fidelity (Isabel remained faithful to her word and ultimately, in death, to Diego), and equality (love ignored the economic differences between Isabel and Diego).

Antes de leer (pp. 51-52): The discussion of *Romeo and Juliet* and *West Side Story* in Exercise B could focus on the elements that make them so powerful dramatically; that is, what makes them tear-jerkers? The schema for these stories should help students read the narrative part of the text.

Exercise C is simply intended to facilitate the reading of a difficult text. In order to guarantee that students read the original text, the instructor might require them to note additional information for each paragraph.

Enfoque en el contenido y la estructura (pp. 55-56): In Exercise A, students must evaluate and discuss the claims made by the authors of the textbook.

Exercise B asks students to consider the effects of rearranging the order of the text's paragraph. A well-crafted text should not permit such changes.

Students should evaluate the diagram in Exercise C. It is somewhat different than that given in the previous analysis. Instead, it is intended to highlight the special nature of P1 (introduction), P4 (transition/thesis), P7 (transition), and P2 (conclusion to story and summary of thesis), while maintaining the essential relationships of the various segments. Students should note that P4, P7, P11, and P12 are substantially shorter than the other paragraphs in the text. In each case, the length is a clue to the paragraph's special function. P12 is separated out because it contains the climax of the narrative.

Enfoque en el lenguaje (pp. 56-57): In Exercise B, number 2, the preterit form of **querer** means *tried to* as opposed to *wanted to.* In number 3, the imperfect **recriminaba** suggests the unreal, dreamlike quality of Isabel's state of mind; Diego and his words are in the background and have not fully impinged on her consciousness.

Actividades de escritura (p. 58): Activity A asks students to recall a local legend they are familiar with and compose it in written form.

Exercise B is based on the negative image that the authors assume most readers will have formed of **el rico hombre** named **Azagra,** who is **maduro y opulento de bienes.** The image probably involves notions of a man who is old, fat, arrogant, or in some sense unworthy of Isabel's hand.

Exercise C gives students a chance to write some dialogue, which is an integral part of narrative prose. In preparation for the activity, the instructor might draw student's attention to the Spanish punctuation conventions for representing written dialogue that appear in the various texts of Unit 2.

Actividades de escritura extendida (pp. 58–60): Activity A asks students to consider what they would write if they had the once-in-a-lifetime opportunity to correspond with a significant other across time. The premium is on deciding what to ask and tell.

Activity B attempts to get students to integrate the various components of a narrative, including dialogue, into the account of a signature incident in their lives.

Activity C requires students to construct the fable or short story in such a way that the chosen proverb could serve as the last sentence (or punchline) of the narrative; that is, the narrative should inductively develop the thesis explicitly expressed by the proverb.

Unit 3: El reportaje

Objetivos

The main goal of Unit 3 is to help students gain an appreciation of the requirements and difficulties of objective reporting of facts and events. The student will learn to distinguish between statements of fact and opinion, gather information, summarize and synthesize information accurately and economically, and write journalistic reports.

There are a number of common types of reporting that students have undoubtedly encountered; to name a few: newspaper and magazine articles, newsletter items, summaries of various types (the prècis, plot summary, abstracts of articles), syntheses and condensations (*Reader's Digest*, for example), minutes of meetings, and informational forms of various kinds. Unit 3 focuses on the journalistic "report" (news items and human interest articles). The authors have chosen this type of report because of its clearly definable compositional features and because students are already familiar with news style, although they may not be aware of the explicit characteristics of this style.

Unit 3 builds on the writing skills practiced in the units on description and narration, since these types of discourse are central components of news reports and human interest stories. Although the communicative goal of Unit 3 (objective reporting) differs from that of Unit 4 (statement of opinion, persuasion) and Unit 5 (thesis development and logical argumentation), it also forms a natural transitional step in the development of expository writing skills. Journalistic style teaches writers to identify central themes, theses, and information (headlines), condense and summarize essential facts (the news lead) and to develop the summary in further detail (body of the report). Furthermore, news reporting is clearly writing for a defined public; the writer must keep the needs and interests of the reader clearly in mind.

Newspapers and news magazines have at least three basic functions: to inform the public, to interpret events while influencing and/or reflecting public opinion (editorial pages), and to entertain. While such publications have a basic obligation to inform the public, they must also compete to attract and maintain a readership; these constraints help account for the content and structure of the publication and for the form and style of its journalistic reports. Newspaper articles follow a fairly well-known format that has evolved to engage and accommodate the busy reader.

Objetivos lingüísticos

While the language objectives relevant to the compositions in Units 1 and 2 were primarily (simple) sentence level, Units 3-5 focus on complex sentence structures and the relationships between sentences and the composition's thesis. The main language objective in Unit 3 is the use of cohesive devices, in particular, pronouns and relativizing conjunctions.

Pronominal Reference: Students observe, evaluate, and practice the use of basic pronominal structures in context. Among other things, the activities are designed to make students aware of the following:

- The limited use of subject pronouns. Their use is generally limited to human referents and these pronouns are used only where context requires it.

- Distinctions among direct, indirect, and prepositional object pronouns.

- The effect of the use of the reflexive pronoun as subject filler (dummy subject) or object filler (dummy object). If the reflexive is omitted, the sentence must be interpreted as having a specific subject in the first case and a specific direct object in the second.

Relative conjunctions: These structures are very frequent in journalistic prose because they permit a substantial amount of additional information to be carried by the noun.

Actividades preliminares (pp. 65–66): Activity A asks students to analyze the typical newspaper as a reflection of the society it serves.

Activities B and C are designed to give students practice in distinguishing subjective statements from objective statements of verified (or verifiable) fact.

The Texts

The texts in Unit 3 represent a variety of news or journalistic feature items presented by type and in increasing order of complexity: 1. a "short" news item highlighting a scientific achievement in the Hispanic world (the development of a breed of mini-cows in México), 2. a "report" on crime and violence in San Salvador and 3. a human interest story on the life and death of Spanish classical guitarist Andrés Segovia.

Lectura 1: "El audaz lechero de las minivacas"

Introduction (p. 66): The first text is a short, factual news story of human interest included here to help students appreciate a contribution by the Hispanic world to modern science, as well as to illustrate the basic features of the news article format.

Analysis of Text Structure and Content: The structure of the news item might be represented as follows:

Headline	Focuses on person	
Lead	P1	Summary lead answers most of *Who?*, *What?*, *When? Where?*, *Why?*, and *How?* questions.
Body	P2	Information on scientist and reasons for developing the breed
Conclusion	P3	Current status of the project and future directions

The headline refers tantalizingly to **"minivacas"** but clearly features a person (**"el audaz lechero"**) in relation to the **"minivacas".** It is not clear from the headline that the individual mentioned is the Mexican scientist who developed the cows. The reader can surmise, however, that the nationality of an individual will be the focal point of the article. Since the newspaper is directed to Hispanic readers in the U.S., the article naturally features as an implicit theme the fact that the achievement is due to the vision and effort of a scientist of Hispanic (Mexican) origin.

The article has three paragraphs. The first is the summary lead, which directly or indirectly answers four of the five basic journalistic questions in the following order: *When?*, *How?* (after 30 years of study with considerable effort), *Who?* (Mexican scientists and researchers), *Where?* (México), and *What?* (developed miniature cow). The obvious question, *Why?*, is left unanswered for the moment, inviting the reader to continue.

P2 is the body of the article. It expands on the information in the lead in two ways: 1. it specifies and features *Who?* (Juan Manuel Berruecos), and 2. it answers the question Why? (as a solution to an economic problem). The placement of the comma in P2, sentence 1 serves to isolate and feature the individual. Note the difference in these two sentences:

1. **El profesor Juan Manuel Barruecos, fue quien tuvo la idea . . .**
   (Prof. Juan Manuel Barruecos, it was he who had the idea . . .)

   vs.

2. **El profesor Juan Manuel Barruecos fue quien tuvo la idea . . .**
   (Prof. Juan Manuel Barruecos was the one who had the idea . . .)

The content of P2 naturally compares the "mini-vaca" to a normal cow in order to point out the advantages of the smaller breed. P3 concludes with a statement about the current status of the project and its future directions or end goal.

Actividades de escritura (pp. 71-72): As an alternate activity, ask students to evaluate the effect of changing P2 and P3 in the following way:

P2 El profesor Juan Manuel Barruecos, fue quien tuvo la idea de procrear estas miniaturas. Tiene 30 miniaturas y calcula que para fines de 1988 va a tener alrededor de 500 cabezas, las que luego se convertirían en miles de minivacas.

P3 Según Barruecos, el mundo no se puede expandir y la única solución es reducir a los animales, ya que alimentarlos y mantenerlos resulta muy costoso. Estas vacas serán una comodidad para las pequeñas haciendas: puesto que si una vaca adulta normal necesita una hectárea de terreno para desarrollarse, en este mismo espacio podrían entrar 8 de las minivacas, y cada una produciría entre 4 y 5 litros de leche diarios.

In doing this activity, student should notice how this change disrupts the flow of information and postpones the answer to the crucial questions raised in the lead: Why develop a miniature breed?

Lectura 2:   "La ciudad del 'razor' y el guardia"

Introducción

While the first reading is clearly a "fact" story (**noticia**) that reports all relevant information related to a recent ocurrence or event according to a relatively specified format, the second reading might be considered a looser journalistic form called a "report" (**reportaje**), intended to bring a situation to the reader's attention and engage his/her interest. In this case, the issue is the increasing cycle of urban crime and violence in San Salvador which, according to the author has changed that city into a modern equivalent of a medieval walled city. In order to interest the reader, the writer of a report enjoys more latitude than (s)he does in a fact story to select, organize and express facts and to communicate a point of view.

Analysis of Text Structure and Content

One possible representation of the report is as follows:

Headline:	"La ciudad del 'razor' y el guardia"
Summary:	Story in a nutshell
By Line	Author/Periodical

First section

Introduction

Lead	P1–	Image - objects of violence - symbols of a walled city
	P2–	Differentiates the modern walled city from its medieval counterpart. The walls are internal
The enemy	P3–	Lists the enemies which are various types of criminals
	P4–	Gives the enemy a name - the criminal
Thesis	P5–	Violence has changed both the *physical nature* of the city and *the way in which people relate*.

Example #1 - A specific crime against property

Event	P6–	A professional near the university robbed 4 times in past year and they took everything.
	P7–	The other 4 professional offices in building also robbed. Enough!
Response	P8–	They have caged themselves in with defenses
	P9–	They have even barred off the false ceiling.

La última tecnología

Introduction	P10–	A "boom" in use of technology for security
Cost	P11–	Small spaces
	P12–	Big residences and businesses
Services	P13–	Types of security service
	P14–	Technological sophistication - central monitoring / warning systems
	P15–	Additional cost for centralized monitoring service
Conclude	P16–	Costs/investment in security depends on customer's resources
	P17–	Number of customers, most residential, shows impact of the problem

***Los allegados**–A specific case of crime against person*

Introduction	P18– Quote foreign investor: allegado = guardaespaldas - ironic
	P19– Thought "espantoso" - ironic
Body/Event	P20– Held-up
	P21– Kidnap - ransom
Conclusion	P22– Cost - 3 body guards $\times$ 6,000 colones - person
	P23– Cost - 20,000 colonos to protect two establishments.

Ciudad "Miedo"

Introduction	P24– Sub-thesis = Architecture reflects the fear
Body	
Example	P25– An architect gives a example of a middle class suburb built in the 50's
	P26– Quote - "porche" - no longer exists
Wire	P27– Open spaces are now fortified walls with razor wire - often electrified
	P28– Wire originally developed for penal and military purposes
Conclusion	P29– Special need for sense of "openess" in the confines of an urban area
Conclusion	P30– Welcome to "Fear" city, the walled city.

Unlike the headline of a "fact" story which attempts to concretely inform the reader, the headline of this "report" seeks to attract the reader by creating a puzzling image that can only be resolved by reading further. A standard feature of journalistic composition is a secondary headline or a capsule summary designed to brief the reader.

In addition to having the properties of a report, this news story shows many traditional elements of a expository composition, in particular, it explicitly states a thesis (P#5) which determines the text's content and structure. The author supports both parts of the thesis in the course of the report. The report is presented in four segments, each of which not only presents an example or case in point to support the thesis but also reveals an internal structure characterized by an introduction, a body and a conclusion.

The first segment has two main components. P#1–P#5 can be viewed as an introduction that states the general theme, limits it, and posits a thesis. P#1 is a lead designed to engage the reader by evoking the image of a medieval walled city. P#2 extends the lead and qualifies it by differentiating the modern city, namely San Salvador, as having internal walls. The next two paragraphs define and specify the problem, crime and the criminal element. P#5 explicitly states the thesis of the report; namely, that crime and violence has changed both the *shape* of the city and the way in which people *relate*. The second component (P#6-P#9) provides the first example: a crime against property and seeks to impress the reader with the severity of the problem, which is even affecting the better parts of town: a professional building near the university has been hit four times in a year and the tenants have had to resort to extreme measure of caging themselves in (even blocking off the false ceiling)- the internal walls.

The second segment (**La última tecnología**) develops the theme of extreme defensive measures by reporting on the demand for modern technology for protection and surveillance, despite its high cost. P#10 serves as an introduction to the segment asserting a "boom" in the use of defensive technology. The body of the segment is the unit P#11–P#15. P#11 and P#12 indicate the cost of this technology for small and large spaces, respectively. P#13–P#15 discuss the services provided by professional security agencies and reinforces the theme of cost. P#15 and P#16 form a segment conclusion indicating the extent to which the services are employed despite the costs.

Los allegados, the third segment, presents a case that brings the problem of violence down to the most frightening level, that of personal safety. The case primarily supports the second part of the thesis, that crime and violence has has affected how citizens relate to each other. The foreign businessman has found that his bodyguards are his closest associates ("los allegados"). Again, the segment can be analysed into an introduction (P#18–P#19) which states the initial perplexity of the businessman, a body (P#20–P#21) that recounts his personal encounter with crime and violence, and a conclusion (P#22–P#23) indicating the outcome of the situation; namely, that the man has invested heavily in both his personal safety (P#22) and in the protection of his property (P#23).

The last segment, *Ciudad "Miedo"*, addresses the other part of the thesis, that crime and violence has changed the physical nature of the city. The internal structure of the segment again reveals an introduction (P#24), body (P#25–28) and a segment conclusion (P#29). P#24 introduces the segment by explicitly stating the sub-thesis. The body has two parts. P#25 and #26 form a unit which cites an authority (an architect) who gives the example of homes in a middle class suburb that no longer make use of the "porche", an open area in front of the house, for socializing. P#27–P#28 focus on the specific use of walls topped by razor wire, which was developed for prisons and military use. The author returns to the image and reality of walls and razor wire to symbolize citizens under seige. P#29 concludes the segment with a quote that summarizes the importance of open space in an urban setting.

The last paragraph, with its ironic welcome, renaming of the city, and evocation of the medieval walled town, serves as a pithy conclusion to the entire report.

Lectura 3: "Inventor de la guitarra"

Introduction (pp. 82-85): This is an article from a popular news magazine in Chile of the *Time* and *Newsweek* variety, intended for a general but literate audience. It is a human interest story about Andrés Segovia, a world-renowned Spanish guitarist who recently passed away. It is thesis driven and employs metaphor as an organizational device.

Analysis of Text Structure and Content: A possible representation of the structure of the text might be as follows:

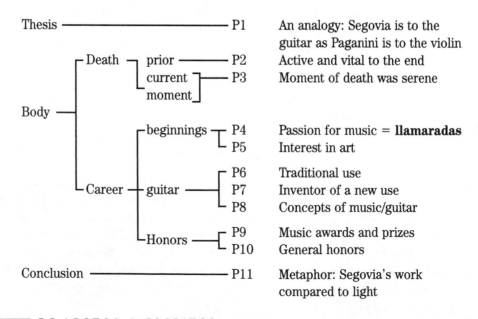

Thesis — P1 — An analogy: Segovia is to the guitar as Paganini is to the violin

Body
- Death
  - prior — P2 — Active and vital to the end
  - current moment — P3 — Moment of death was serene
- Career
  - beginnings — P4 — Passion for music = **llamaradas**; P5 — Interest in art
  - guitar — P6 — Traditional use; P7 — Inventor of a new use; P8 — Concepts of music/guitar
  - Honors — P9 — Music awards and prizes; P10 — General honors

Conclusion — P11 — Metaphor: Segovia's work compared to light

The quotes around **"inventor"** in the title clearly indicate that the term is meant to be taken in a special, non-literal sense. The text must clarify the intended meaning of **inventor.** The subtitle indicates that the article in part reports on the death of Andrés Segovia; his ripe old age and accomplishments are going to be subthemes, and the text will obviously eulogize Segovia. Some of the content is clearly predictable; readers will want to know at least the following: the circumstances of his death (Was it natural?, painful?, solitary?), a general biography and order of key events in his life, how his original interest in music developed, and the extent of his fame and his specific accomplishments.

It is important to note that the article does not begin in dry biographical terms (**"Andrés Segovia nació en . . ."**). P1 is an analogy that forms part of the general thesis of the text. An analogy is a type of comparison (a relation of two equations such as Segovia/guitar; Paganini/violin) that must be appropriate in some sense. The statement of the comparison must be justified. The aptness of the analogy is seen in that one part of each equation is a musician while the other part is a "stringed" instrument but each of a different type, classical (violin) and non-classical (guitar). This difference is significant because the basic thesis of the article is that Segovia's artistry transformed the guitar into a classical instrument. The proportion is justified by the idea that both musicians were "geniuses of interpretation."

P2–3 form a major unit that relates the circumstances of Segovia's death. P2 gives Segovia's situation prior to death, points to his vitality (at age 94 he had no intention of dying, and had recently been very active), indicating that death was unexpected (he had been ill, but he recovered). P3 focuses on the immediate circumstances of death and answers questions that the reader will ask. There is a metaphorical transition (triggered by the word **"llamaradas"**) into the next part of the text; the transition introduces the theme of immortality. P4–10 form a major biographical unit with several subunits. P4–7 is a major structural subunit that recounts the history of Segovia's developing career as an artist. P4–5 form an internal subunit with the theme of his early, intense interest in music. P4 begins with a quote describing the event that sparked his passion for music and establishes a metaphor (his passion was like flames and light **"llamaradas, luz"**) that the author picks up later. P5 continues the theme of P4 (early and intense interest in music). The subtitle preceding P5 establishes another metaphor (music = the ocean).

The position of the subtitle (precedes the actual quote in P8, from which it comes, by four paragraphs) shows that it is a feature of journalistic style to tie text together with subtitles that anticipate later text. P6–8 form a subunit with the theme of the evolution of the guitar as a classical instrument. P6 reveals that Segovia began using the guitar in traditional ways (flamenco and popular music) and describes Segovia's professional appearance. P7 justifies the title **"inventor"** in the sense that Segovia's interpretive genius expanded the range of the guitar to include classical music. As with his use of **"inventor",** the author plays on the literal versus the figurative meaning of language again, when he says that Bach began to produce works just for him. It also alludes to the global nature of Segovia's reputation and fame.

P8 metaphorically summarizes Segovia's concept of music in general and of the guitar in particular. It restates the metaphor heralded by the preceding subtitle (music = the ocean) and expands it (instruments = islands). Music is also related to color. The guitar is equated to an entire orchestra, and its potential is compared to other classical stringed instruments (violin and cello).

P9–10 form a subunit with the theme of the recognition that has been bestowed on Segovia. P9 focuses on music-specific prizes and awards. P10 focuses on general honors for his artistic achievement.

P11 is a compact, concluding statement that capitalizes on the metaphor of music = light.

Antes de leer (pp. 82-83): In Exercise D, students are being asked to be aware of the fact that one builds an impression of people based partially on information and partially on conjectures and extrapolations from information. This activity relates directly to the issue of objectivity and subjectivity in descriptions and reports.

Enfoque en el lenguaje (pp. 85-89): As a background to Exercise B, tell students that the author makes use of a number of figurative devices involving implicit comparisons. An analogy compares things in relational terms often expressed as a ratio: Segovia is to the guitar as Paganini is to the violin. A metaphor is an implied equation of two things from very different realms of experience: music = ocean, instruments = islands. A simile is more literally expressed than a metaphor and uses *like* or *as* in an explicit comparison: the guitar is like a small orchestra. An image generally gives some visual form to a concept or idea: passion = flames, the sound of music = luminous.

Actividades de escritura (p. 89): As an alternate writing activity, have pairs of students rewrite the story on Segovia as a brief news story announcing his unexpected death. Both the headline and lead must change. Compare and evaluate the results.

Unit 4: La argumentación

Objectivos

Unit 4 is a bridge between Units 3 and 5. While the focus of Unit 4 is objective reporting of facts, Unit 4 explores the properties of compositions that state a point of view and frequently seek to influence the reader on a very subjective level, appealing to his or her values and basic emotions. Like the expository compositions in Unit 5, "Exposition," subjective compositions are all thesis-driven; that is, there is always an underlying claim ("The author believes that …") which must be supported by facts and arguments (logical or emotional).

Consequently, subjectively motivated compositions cannot be written in a haphazard fashion; they require utmost attention to compositional organization and style for at least two reasons. First, if their intent is to persuade, compositions of opinion (probably more than any other kind of composition) must be written with the reader's knowledge, values, attitudes and feelings in mind. For example, when trying to convince a nonsympathetic reader, it is often best to start with the strongest (least debatable or least controversial) arguments and end with the least convincing argument from that reader's perspective. This ordering prevents the reader from summarily dismissing the entire position.

Second, in order to be convincing or persuasive, the development of the composition must be perceived as based (to the greatest degree possible) on logic, reason, and fact in order to have the desired effect on the reader.

The activities in Unit 4 involve distinguishing statements of fact from statements of opinion, identifying the devices employed by writers to influence readers, and structuring arguments in order to have maximum influence on both sympathetic and nonsympathetic readers. The students are introduced to a basic expository paragraph structure (topic sentence, body, and conclusion) and they analyze the paragraph types (problem-solution and cause-effect) closely associated with subjective compositions.

Objetivos lingüísticos

As in Unit 3, Unit 4 continues to focus on complex-sentence structures and the relationships between ideas.

Mood: Mood choice (subjunctive versus indicative) in embedded clauses is relevant to Unit 4 because this choice relates to the status of the propositions in the mind of the speaker or writer. That is, mood choice reflects the writer's assessments of reality, truth, value, cause or necessity, as well as subjective judgments about specific propositions. A number of activities ask students to identify subjunctive and indicative forms in text-related sentences and to account for the choice of mood in context.

Cohesive elements: The language activities in Unit 4 work with two language phenomena associated with the "cohesion" of texts: pronouns and conjunctions, and transitional expressions. Pronouns are devices used to maintain reference in a text while avoiding redundancy of expression. Students are asked in examples drawn from the readings to classify pronouns in terms of form and function and to identify their referents in context. Transitional expressions can either relate the speaker to an idea or relate one idea to another (conjunctions). Various activities highlight transitional expressions and require students to assess their meanings in context.

Actividad preliminar (p. 94): As an additional activity, have students bring in a short editorial from an English-language newspaper along with an analysis which separates the content into statements of fact and statements of opinion, and logical arguments and emotional arguments.

The Texts

The readings in Unit 4 involve a statement of opinion and represent three different text types: a *review* of a critically acclaimed Argentine film, an eloquent *letter to the editor* of a Chilean news magazine from the wife of a **desaparecido,** and a *news commentary* on the diversity of Hispanics in the United States.

Lectura 1: "La historia oficial"

Introduction (p. 95): A movie review was chosen as the lead item for Unit 4 for two reasons: first, reviews (of books, movies, etc.) provide a good transition from Unit 3 (reporting) to Unit 4 (opinion) since they involve elements of both compositional types. The reviewer must report certain basic descriptive and factual information about the film as well as formulate an opinion that serves as a positive or negative recommendation to the readers. Second, students should be reasonably familiar with the general content and structure of movie reviews and thus able to discuss their properties with minimal prompting. **"La historia oficial"** is a critically acclaimed film that deals with a particularly chilling aspect of the political violence that has rocked regions of Latin America— namely the fate of the orphaned children of **desaparecidos.** (This film is available in Spanish in many well-stocked libraries and video rental stores.)

Analysis of Text Structure and Content: The authors represent the structure of the text as follows:

Introduction — P1	General appraisal of director and the film's success	
Topic of film — P2	The national drama involving adoption of the children of **los desaparecidos.**	
Plot summary —	P3	The protagonist as member of the privileged class
	P4	Family crisis related to the political crisis
	P5	The personal crisis of the protagonist

As the introduction of the review indicates, the author considers the film one of the best produced in Argentina, a country which is achieving ever greater recognition for the quality of its films. The author limits his commentary to the topic of the film, excluding other aspects such as the quality of the acting, the technical aspects of the film, etc. The commentary is basically a nonevaluative content summary structured as indicated. Like any good review, however, the plot summary stops short of giving away the conclusion. The thesis or controlling idea of the review is contained in the last sentence of P2—the film maker tries to present the personal dimensions of the drama through his choice of protagonist.

Antes de leer (pp. 95-96): Films are compositions, and in Exercise B, students should try to identify the central thesis of one of these films; that is, the statement that the film maker is trying to make. The second part of the task is to reflect on the devices used by the film maker to get his or her statement across to the audience.

In Exercise C, the student is asked to identify in general terms the typical structure and content of a film review. The purpose of reviews is to help the public choose wisely among a number of options. A movie review must give the reader a clear sense of what the film is about without giving away its conclusion. The reviewer critiques the film along any of a number of dimensions (directing, acting, screenplay, technical quality of the film, etc.) and ultimately makes a recommendation (implicitly or explicitly) to the reader.

Enfoque en el contenido y la estructura (p. 98): In Exercise C the authors opt for **Estructura A,** but, as always, the point of the activity is to encourage discussion or debate that will help students refine their sense of composition structure.

"El lector tiene la palabra"

Analysis of Text Structure and Content: This letter was chosen for two reasons: first, it has a relatively transparent structure marked by a clear statement of purpose, and second, the writer effectively uses a number of devices to accentuate the tragedy of the situation and evoke emotion in the reader. Here is a possible structure for the letter:

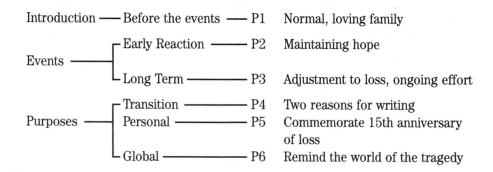

P1 is a brief statement recalling the writer's normal, happy past. Brevity has an impact; it is a simple statement of what has been lost and destroyed. The author purposely does not idealize family life before the tragedy, but emphasizes the presence of love. This strategy actually heightens the sense of tragedy—what was lost was not some exceptional fortune or privilege, but simply family life with its natural joys and sorrows.

In P2 the author retells initial events and reactions as a series of painful memories. The repeated use of the infinitive **recordar** leaves unstated (for the reader to fill in) the family's emotional reactions to the memories described. The placement of the ellipses (provided they are not editorial deletions) appears to be a carefully calculated device to make the reader reflect on the statements that precede the ellipses. The first set, for example, suspends the reader and cause him or her to consider the poignancy of a scene in which a father is taken away in the presence of a daughter barely four years old. Furthermore, the use of the indefinite **se** and imperfect verb endings evokes a sense of protracted suffering and remoteness in time as well as an image of a faceless authority to which there is no appeal.

P3 describes the ongoing reality that arises with the passage of time and the painful adjustment to life without the loved one. The author asks a set of questions that highlights the ultimate cruelty of a regime that expects victims to accept their tragic fate, and mocks their agony and inquiries with ingenious lies.

P4 simply states the two-fold purpose of the letter; each purpose is developed in a separate paragraph. P5 states the personal purpose to mark the fifteenth anniversary of the event and recall the specific facts related to the fateful day. P6 moves to what the writer presents as the more general and more important purpose, to make sure that society never forgets the tragedy. This paragraph is an excellent example of a problem-solution structure. The structure might be summarized as follows:

S1   Purpose (to expose the problem)
S2   Rationale behind purpose
S3   First condition for solution of the problem **(Para ello . . .)** is to become aware of the problem.
S4   Second condition for solution **(Para ello . . .)** is to know the truth.
S5   Final (most important) solution **(También . . .)** is to punish the guilty. This is necessary for two reasons:

    1. In order not to forget and let history repeat itself
    2. In order for the nation to recover its dignity

S5   Conclusion: Restates in a new way the importance of achieving the stated purpose.

Antes de leer (p. 101): Students should be able to anticipate the special traits of a letter to the editor. The most obvious ones are that, unlike a personal letter, it will identify a problem or issue and state a position or reaction related to it.

Enfoque en el contenido y la estructura (pp. 102-103): The authors choose Estructura B, but debate is encouraged.

Enfoque en el lenguaje (pp. 103-106): Vocabulary for Exercise A includes: **detenido, humillaciones, burlas, amenazas, dolor, mentiras, clandestinidad, detención, Comisaría, tortura, justicia, crimenes, castigados, práctica inhumana, desaparecidos.**

Lectura 2: "Los Hispánicos"

Introduction (p. 111): This reading is a news commentary from the *Los Angeles Times* in which the author clearly rejects the term "Hispanic" as a distorting label for Spanish-speaking populations of the United States.

Analysis of Text Structure and Content: Here is one possible structural organization of the reading:

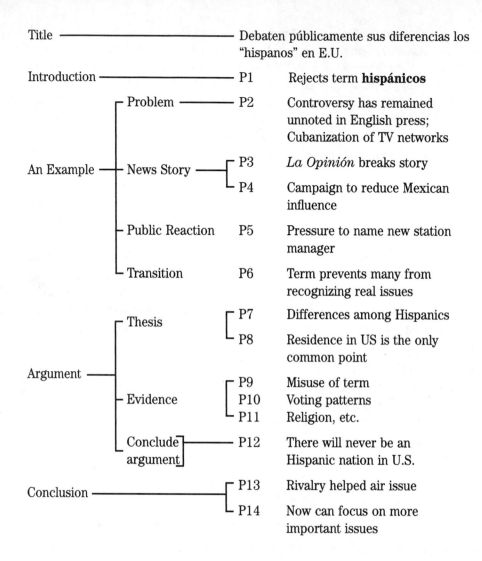

Title			Debaten públicamente sus diferencias los "hispanos" en E.U.
Introduction		P1	Rejects term **hispánicos**
	Problem	P2	Controversy has remained unnoted in English press; Cubanization of TV networks
An Example	News Story	P3	*La Opinión* breaks story
		P4	Campaign to reduce Mexican influence
	Public Reaction	P5	Pressure to name new station manager
	Transition	P6	Term prevents many from recognizing real issues
	Thesis	P7	Differences among Hispanics
		P8	Residence in US is the only common point
Argument	Evidence	P9	Misuse of term
		P10	Voting patterns
		P11	Religion, etc.
	Conclude argument	P12	There will never be an Hispanic nation in U.S.
Conclusion		P13	Rivalry helped air issue
		P14	Now can focus on more important issues

The title and subtitles of the article summarize its thesis and essential argument. But the title does not necessarily indicate that it is a news commentary instead of a straight news report.

P1 states the author's position, which is developed in two parts. The first is a report of a case in point (P2-5), a controversy between Cubans and Mexicans over control of Spanish television. P6 serves as a transition into the second part of the article, which is a thesis statement (P7-8) followed by supporting arguments (P9-11) and a conclusion to the argument (P12). P13-14 serve as a general conclusion to the article.

Unit 5: La exposición

Objetivos

The focus of Unit 5 is expository composition, which requires thesis development. Students learn that a thesis or controlling idea may be explicit or implicit in a text and that it may be developed deductively or inductively. They are shown the typical structure of an essay that explicitly states a thesis and proceeds to develop it deductively.

Unit 5 activities ask students to identify the thesis of a text and determine whether its development is inductive or deductive. Students are also asked to compare and evaluate various representations of a given text's structure. Several activities help students to analyze in some detail the structure and content of key text paragraphs. The compositional activities require students to make a thesis statement (a claim about reality), give logical support and verifiable evidence for a position, point out weaknesses in alternative positions and attack them with counterarguments and draw conclusions.

Objetivos lingüísticos

Unit 5 continues to focus primarily on pronominalization, conjunctions and transitional expressions. These are aspects of language that contribute to the cohesion of a composition. Language activities focus on the occurrence of these structures in the unit readings and ask students to consider their meaning in context.

The Texts

The three texts presented in Unit 5 are journalistic essays presented in order of increasing complexity. Each essay develops a thesis that is explicitly stated in the text. The first reading is a news report on a small-town festival in Mexico celebrating Malinchi, a legendary figure in the history of the Spanish conquest. The thesis relates to the ambivalent attitude of Mexicans toward her. The title of the second text states a thesis with respect to its topic, the recently deceased Spanish artist Salvador Dalí; however this thesis is developed inductively in the text and made explicit at the end. The third is an extended essay from the Zapatista Movement web page that develops the main thesis that the Zapatistas make strategic use of fuzzy boundaries in their struggle. It is an excellent example of the standard organization of an expository essay: statement of the theme or topic, limitation of that theme, statement of a thesis, presentation of arguments and facts in support of the thesis, and a concluding statement.

Lectura 1: "A La Malinchi, discreta pero sincera devoción"

Introduction to Text (p. 125): This is a recent news article dealing with a topic of deep-seated cultural significance to Mexican society, the Conquest and the legend of La Malinchi. The article is in part an in-depth report woven around a hard news story (the Festival of San Juan Bautista). The headline raises a question which the story must answer, and the lead posits a thesis which must be developed.

Analysis of Text Structure and Content: One possible representation of the structure of the text might be summarized as follows:

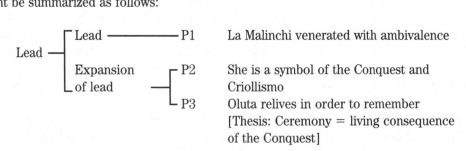

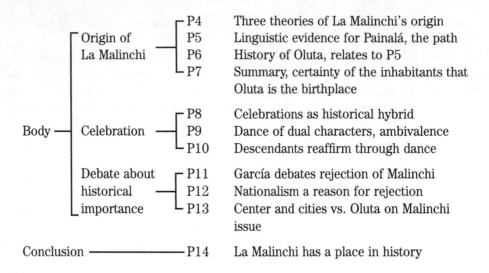

The large print headline alludes to an ambivalence with respect to the topic of the article, La Malinchi, raising a question that must be answered: Why is La Malinchi celebrated with **"discreta pero sincera devoción"?** The bulleted subheads feature the content of major segments of the news story in order of development:

- **Oluta rememora a la sagaz y bella mujer** (developed in P1-3).

- **Su origen, nombre y obra aún se discuten** (developed in P4-7).

- **Atavíos aztecas en la Fiesta de San Juan** (developed in P8-10).

P1 is a summary lead which answers the following journalistic questions: Who? (La Malinche, the people of Oluta), What? (the Festival of San Juan Bautista), Where? (Oluta, Veracruz), When? (Today, June 24), and How? (in a veiled and discrete manner). The question Why? is left purposely open as an inducement to read further. P2–3 expand upon the lead and explain why La Malinchi is treated with ambivalence. P2 explains why the devotion is **"discreta"** and P3 indicates why it is **"sincera".** P3 also states a central thesis of the article: **"la ceremonia es el dato vivo de la conquista española, presente en la memoria de los indígenas veracruzanos".**

The body of the article contains three main subunits. P4–7 develop the issue of the debate about the origins of La Malinchi and present data in support of Oluta as her birthplace. P4 raises the question and gives a place name reference from colonial histories. P5 discusses the relationship between the place name reference and Oluta. P6 gives information on the evolution of the name "Oluta". P7 concludes the subunit by stating that the issue was settled politically in 1831. P8-10 focus on the Festival of San Juan. P8 identifies the Dance of the Conquest as the historical remembrance of the role of La Malinchi. P9 describes the structure and performance of the actual dance which portrays the dual nature of La Malinchi through two female dancers. P10 serves as a sort of conclusion **(así)** to the subunit—namely, the dance shows that the inhabitants of Oluta recognize their descendance from La Malinchi.

P11-13 form a subunit focusing on the historical debate concerning La Malinchi's role in history. More specifically, the unit summarizes a book which discusses the nature of the historical rejection of

La Malinchi and argues against it. P14 is a brief concluding statement affirming the place of La Malinchi in the history of Oluta.

   Enfoque en el contenido y la estructura (p. 129-130): Here is an alternate exercise to accompany Exercise B. As the analysis above indicates, the headline and subheadlines reflect the structure of the article fairly close. Since headlines might be considered reduced leads, students could try to write a new, one-sentence lead for the story using just the language contained in the headlines. To do so they will have to experiment with various devices for condensing language (noun modifiers, relative clauses, parenthetical phrases, etc.). Students should also come to appreciate the effect that alternations in word order have on the meaning and the focus of the lead.

   In Exercise C, after students identify a unifying theme for each of the paragraph groups, have them discuss the reasons for paragraph division with a given group.

   Enfoque en el lenguaje (pp. 131-132): As they do Exercise A, have students observe the number of labels associated with the name of La Malinchi. These are in order: **"la sagaz y bella mujer", "mujer de controversia", "La Malinchi", "la legendaria india", "la mujer de mítica belleza y lúcida inteligencia", "esa sagaz y seductora mujer", "la celebre y bella traidora", "Mallicanalli Tenepal, Malinchi o Doña Marina", "la cacica entrometida", "la clásica entrometida y desenvuelta".** The capitalized article **"La"** connotes the unique, legendary status of La Malinchi. The descriptive labels emphasize her beauty, intelligence, free spiritedness **("desenvuelta"),** legendary status and her controversial but crucial role in the history of the conquest **("entrometida").** The labels **"entrometida"** and **"desenvuelta"** contain quotation marks indicating that they are cited from historical sources. The title **"Doña"** suggests some respect and regard on the part of the Spanish conquistadors.

   While doing Exercise B, students should note that one linguistic consequence of a theme involving argument and controversy is the need for transitional expressions of contrast, opposition and contradiction, clarification and emphasis, cause and effect, and summary and conclusion.

   Actividades de escritura (p. 132): Alternate Writing Activity 1. Have students write a brief in-depth report that analyses the local or regional significance of a ceremonial event that they are familiar with.

   Alternate Writing Activity 2. Have students do general research on the history of Pocahontas and/or Sacajawea and write a report comparing their historical roles with that of La Malinchi.

Lectura 2: "Dalí, figura emblemática del siglo XX"

Analysis of Text Structure and Content: Here is one way to organize the text's structure.

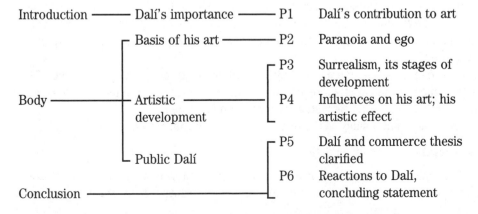

Introduction	Dalí's importance	P1	Dalí's contribution to art
	Basis of his art	P2	Paranoia and ego
		P3	Surrealism, its stages of development
Body	Artistic development	P4	Influences on his art; his artistic effect
	Public Dalí	P5	Dalí and commerce thesis clarified
Conclusion		P6	Reactions to Dalí, concluding statement

The title states the thesis of the text—Dalí is an emblematic figure of the twentieth century. It is not clear from the title alone what this means.

P1 is a general introduction of the subject's importance to the world of art. P2-5 compose the main body of the essay. P2 focuses on the relationship between Dalí's psychology and his art. P3-4 form a subunit which deals with Dalí's artistic development. P5-6 represent a second subunit on Dalí as a public figure. The thesis is clarified in the last sentence of P5: Dalí is emblematic of the twentieth century in that, in addition to being a consummate artist, he was also a "wheeler and dealer" in the business of art. P6 outlines the official reaction to Dalí as an artist and public figure. The last sentences of the paragraph restate the thesis: Dalí was an exemplary figure designed by himself for the twentieth century.

Antes de leer (pp. 133-135): Exercise A is a group discussion activity that is designed to activate and pool student knowledge and impressions of the world of art in preparation for reading.

Exercises B and C are advanced organizers designed to have students predict the text's content and to read actively for information. They can be done as individual or paired activities.

Enfoque en el contenido y la estructura (p. 137): In Exercise D, the authors opt for **Estructura C**, but this is a judgment call. The other structures can all be justified. The point again is to encourage student analysis and discussion.

Lectura 3:   "Todas somos Ramonas"

Introduction:

In addition to being a timely essay related to a political event that has received international attention, the article leads directly to a number of interestng discussion and composition topics: the culture of poverty, revolution, indigenous populations, the changing role of women in Hispanic society, language, Mexican politics and change, the media and the Internet as a technologies and as instruments of change. Furthermore, the reading serves well as a final selection in that it includes elements of every text-type studied in this program: descriptive prose, narrative, report, argument and exposition. As a result, the text is also linguistically rich allowing for the presentation and review of a wide range of language forms.

Analysis of Text Structure and Content

The essay serves to illustrate the wide array of compositional elements associated with a well-written essay: 1) a topic ("borders / boundaries") which is stated broadly in the introduction and then gradually limited and refined to focus on Comandante Ramona and women in the Zapatista revolution, 2) a clear primary thesis ("people cross boundaries and boundaries cross/cut through people") which is stated explicitly and developed deductively, 3) a body which develops the thesis through a variety of strategies such as: example, anecdote, narrative, compare/contrast, quotation, question/answer, and argumentation, 4) a pithy conclusion that eloquently synthesizes all of the themes and images introduced in the text.

A central expository strategy employed by the author to explores that main theme of Comandante Ramona and women in the Zapatista revolution is that of positing questions and exploring and evaluating possible answers. At each stage the question is refined.

To facilitate reading and analysis the text is presented in four parts:

Fronteras fractales = The introduction

P#1 posits the topic of "boundaries/borders" in both general terms with international examples, and specific terms with her own bi-cultural situation, and ends with the thesis statement: "People cross boundaries and boundaries cross people." This suggests the external/internal boundary notion that the author returns to in the last paragraph of the introduction (P#4).

In P#2 the author limits the topic to the boundaries created by conflict and develops it via an example from Central America - her experience covering the peace talks in El Salvador in 1988, a more immediate Latin American context. A complex sequence of external boundaries is created by military checkpoints.

P#3 further limits the scope of the topic to the case in point - the Zapatista movement in Chaipas, Mexico - showing the presence of physical external borders and boundaries.

P#4 concludes the introduction by asserting that boundaries are also internal, and establishes the question she wants to answer: What causes an indigenous person to cross the (internal) line and join a rebel movement?

Mujeres de mucha enagua

This segment (P#5- P#8) limits the scope of the topic further to the role of women in the revolution and characterizes or defines the indigenous woman (vis a vis European) as authentic and culturally sophisticated.

In P#5 the author poses the question with respect to "activist" women (in order to avoid the term "zapatista") and realizes that "por los golpes" refers very concretely to mistreatment by men.

P#6 establishes the "committment" of the women as activists. Thousands have converged on Mexico City - walking 20 days to get there. Although they have surprised themselves by their own efforts, they are not (as the author hastens to point out) are not giddy women, but solid and purposeful.

P#7 emphasizes the cultural authenticity of the women in their traditional dress ("enaguas", "huipiles", "trenzas") by which they declare their identity. The quality of their dress also qualifies them as "artists" in the view of the author, and not merely "artisans", which she regards as a racist term applied by Europeans. In short, their culture these indigenous women is "high" culture equal to that of European society. This comparision of indigenous and European society is continued in the next paragraph.

P#8 places additional emphasis on the cultural authenticity of the women as seen in the fact that Spanish is their second language at best. The author even finds a poetic quality in their efforts to use Spanish, another observation intended to counter the notion that these women are in any sense culturally "inferior". Furthermore (states the author), unlike European women who may gain power, the Zapatista women are not "defeminized" in the process - in fact, activism and womanhood are woven into a single image: a woman who "tiene mucha enagua", an authentic woman.

La Comandante Ramona a caballo

In P#9 the author's guiding question becomes more pointed and precise: Why did these indigenous women cross the line to enter the realm of the unknown and violent rebellion? The author regards this as a remarkable event given the many constraints placed on women in a traditionalist society, and the question is thus justified as particularly worthy of investigation.

P#10 frames an argument. It examines the claim made by the women themselves that their activism is a result of mistreatment by their husbands ("los golpes"). The author reasons that it could not simply be a matter of "golpes". If it were, women everywhere would be in revolt against male-dominated society, and this is not the case. It must be the result of a combination of factors. Furthermore, many of the activist women are unmarried, although the author concedes that the "golpes" can come from the father or another male, etc. The main point is that these women have freed themselves from subjugation to males, like Ramona who never got married.

The segment P#11-P#14 attempts to define "Ramona' as a person and a symbol.

In P#11 the author begins with an anecdote or narrative describing her encounter with a girl in the marketplace, who sells dolls attired as "el comandante Marcos" and "la comandante Ramona". The girl's enthusiasm for Ramona is a testament to the power of her persona in the lives of the indigenous women of the region. This marks a phenomenon worthy of further investigation.

P#12 poses the question (just who is Ramona and what accounts for her influence?) and presents what few facts are known about her life and political activity, along with the author's impression of Ramona as a fragile but earnest and inspiring woman gathered from a poor quality video.

In P#13 the author demonstrates through quotes from the women that Ramona is much more than a Zapatista commander. The women's statement describe Ramona in mythic rather than concrete terms, which shows that they have not actually seen her - she is a construct in their minds.

P#14 is intended to enhance the notion of Ramona as an inspirational symbol by showing the transcendence of its power, which she holds over an educated European female, a university professor none-the-less, who can provide authoritative eyewitness testimony to the vitality, physical endurance and command presence of Comandante Ramona. The uncertainly about Ramona's health and the possibility that she may even be dead, merely reinforce conclusion that she is more important as a symbol than as a flesh and blood leader of the revolution.

In P#15 the author continues to probe by questioning whether Ramona, even as a mythic symbol, is sufficient cause for indigenous women to cross the line or the boundary into a life of activism. She reasons that there must be other incentives. One hypothesis that the author entertains is Elena Poniatowsky's thesis that el Zapatismo represents the best option in life for these indigenous women and has led to an improvement in their circumstances.

But in P#16 the author argues that the matter goes even deeper. She posits "power" or the empowerment experienced by the women through their active and significant participation in the movement as more motivating than "gratitude" to the Zapatistas for any improvement in their lives.

Evidence for the empowerment of women in the Zapatista movement comes in P#17 where the author refers to Comandante Marcos' statement that the movement really began before the 1994 uprising when women "imposed" their "Ley revolucionaria de las mujeres", a manifesto declaring freedom and rights for indigenous women.

In P#18 the author states that, while they now have their own agenda, Zapatista women do not want to change their lives in ways that might affect cultural values and traditions that they cherish. In other words, they wish to remain *authentic*, raising sheep for wool, expressing their artistry though their crafts, etc. The author adds one more dimension to the complex of reasons that account for the activism of the Zapatista women, namely *emotion*: poverty is boring, joining the Zapatista movement has opened the world to indigenous women.

Las fronteras borrosas

The last segment returns to the main theme of borders/boundaries to show how the Zapatistas have exploited vagueness, indeterminacy, non-specificity, and permeability of borders and as a principle revolutionary strategy and the role of women as a key element in this overall strategy.

P#19 raises the question of why the Zapatistas went to such lengths to recruit women and embrace their agenda. The author gives the lie to the possibility that Zapatista males have undergone some miraculous liberation from "machismo", rather, she argues, the movement has recognized the strategic ability of women to cross boundaries and penetrate barriers.

In P#20 the author argues that women are effective in this peculiar type of "non-war" where public relations are everything. Women can operate with impunity in places and in ways that men cannot. Oppressive reaction against women demonstrators would play poorly in the world press, violence against women would "lose points" for those in power.

P#21 explains how the Zapatistas strategy of maintaining amorphous identities (the ski mask "el pasamontes") and fuzzy boundaries functions. It makes their cause non-exclusive and non-exclusionary, providing avenues of affiliation for all sorts of dissident causes, which increases their network of support. Furthermore, deft use of the Internet by the Zapatistas has erased national boundaries as a barrier to affiliation and support.

P#22 summarizes the strategy: clear boundaries favor the status quo, while fuzzy boundaries favor those without power. Those in power benefit by circling their wagons and drawing lines in the sand, by defending the status quo and excluding the opposition. On the other hand, fluidity and lack of definition are the allies of the powerless.

In P#23 the author returns to women, asserting that Zapatista women show a lack of boundaries in their own lives. For them there is no separation of personal, political or artistic life; these dimensions are all of a piece.

P#24 argues that society has ascribed to women a peripheral position; an inconsequential identity. This works to their advantage in ways. In the first place, the author points out that they have not been clearly defined by male dominated society as worthy opponents who must be taken seriously, consequently their expressions of protest are less likely to provoke violent reaction. Women can operate with impunity.

P#25 returns to the topic of Ramona as the prime example of the power of an amorphous identity. The author points out that she is ambiguous symbol who appeals to a wider spectrum of people than even her male counterpart, Comandante Marcos. She wears a ski mask. She is kept out of public eye. The video showing her is itself blurred and unclear. Ramona may not even exist, she may even be dead. Nevertheless, Ramona as a symbol can cause throngs of demonstrators of many stripes to coalesce and shout "Todos somos Ramonas". Her video provokes tears, even on the part of the author.

P#26 concludes both the last section and the essay in general in a very elegant manner, summarizing the themes and thesis in terms of Ramona, the titular topic of the composition, answering the lead question "what does Ramona symbolize?" The answer distills all of the themes (borders, women, Ramona, power, authenticity) of the essay and the thesis (people cross borders and borders cross people) into one clinching statement: "She symbolizes the power of the authentic: borders do not cross Ramona, Ramona crosses them with her petticoats (womanhood) well placed."

Given the length and complexity of the reading, the pre-reading activity is designed to enable students to get a quick overview of the entire text.

DE LECTOR A ESCRITOR

EL DESARROLLO DE LA COMUNICACIÓN ESCRITA

Michael D. Finnemann
Augustana College

Lynn Carbón
The Pennsylvania State University

HEINLE & HEINLE

™

THOMSON LEARNING

United States • Australia • Canada • Mexico • Singapore • Spain • United Kingdom

HEINLE & HEINLE

THOMSON LEARNING

De lector a escritor
Finnemann/Gorell

Publisher CFL: *Wendy Nelson*
Production Editor: *Michael Burggren*
Marketing Manager: *Jill Garrett*
Manufacturing Coordinator: *Marcia Locke*

Compositor: *Graphic World, Inc.*
Cover Designer: *Hannus Design*
Text Designer: *Linda Dana Willis*
Printer: *Malloy, MI*

Printed in the United States of America
1 2 3 4 5 6 7 8 9 10   05 04 03 02 01

For permission to use material from this text or product contact us:
Tel   1-800-730-2214
Fax   1-800-730-2215
Web   www.thomsonrights.com

ISBN: 0-8384-1650-0

For more information contact Heinle & Heinle, 20 Park Plaza, Boston, Massachusetts 02116 USA, or you can visit our Internet site at http://www.heinle.com

International Division List

ASIA (including India)
Thompson Learning
60 Albert St reet #15-01
Albert Complex
Singapore 189969

LATIN AMERICA
Thomson Learning
Seneca, 58
Colonia Polanco
11560 Mexico D.F. Mexico

AUSTRALIA/NEW ZEALAND
Nelson/Thomas Learning
102 Dodds Street
South Melbourne
Victoria 3205 Australia

SPAIN
Thomson Learning
Calle Magallanes, 25
28015-Madrid
Espana

CANADA
Nelson/Thomson Learning
1120 Birchmount Road
Scarborough, Ontario
Canada M1K 5G4

UK/EUROPE/MIDDLE EAST
Thomson Learning
Berkshire House
168-173 High Holborn
London, WC1V 7AA, United Kingdom

TABLA DE CONTENIDO

PREFACE

Skill in written communication is one of the most important tools a person can possess for at least two reasons. First, effective communication is a factor in the success of most activities requiring human interaction. Second, refinement of the thought process and development of compositional skill go hand-in-hand. It follows that development of written expression could receive attention "across the curriculum", including in foreign languages.

De lector a escritor: El desarrollo de la comunicación escrita is a process-oriented, reading-to-write approach for intermediate/advanced *(3rd/4th* year) Spanish composition, based on authentic texts as models for compositional analysis. It is designed to be completed comfortably in one academic semester, but can be easily adapted (by combining certain subunits) to a quarter system. Although the program is design to serve as the core material for a course focused on composition, it is sufficiently rich in topical content and flexible in structure to be used as the basic text in Spanish conversation and composition courses.

Organizing Principles and Basic Features
Writing as Communication and Process

Writing is a process of interaction between the writer and the intended reader. The writer has a purpose (to inform, persuade, entertain, etc.) and an intended audience (self, known reader(s), general reader(s), etc.), and must strive to communicate his purpose effectively to that audience. Students will come to appreciate that, in order to communicate purpose effectively to a given audience, the contents must be organized around a "controlling idea", or *thesis*, which can usually be stated in the form of a simple sentence containing a "subject" (what you are writing about) and a "verb" (what you have to say about the subject). The controlling idea, if clearly formulated by the writer, serves to limit content and guide the development of the composition. The activities in this program continually remind the student of the crucial role of the thesis.

Good writing is never a "one shot" deal. It is a "process" involving stages of idea development as well as stages of re-evaluation and re-writing of the text with both the intended message and the reader in mind. The process involves most of the following steps: getting an idea (brainstorming), researching information, writing an outline, writing a rough draft, revising the draft (maybe several times), and editing the final version for language errors and style.

Reading to Write

One of the most effective ways to learn to write well is to learn to read well and to analyze the effect of the organization and language of a text (hence the title *De lector a escritor*). Discussion aud activities encourage the student to take the role of reader in the writing process in order to guarantee: 1) accurate and effective communication of intended meanings, and 2) intended responses on the part of the reader. Specifically, activities aid the student as "reader" to a) identify the audience and its requirements, b) identify the voice, attitude, intent of the writer/author, and c) analyze the reading structurally and linguistically to appreciate how the general structure of the text and the specific language work to guarantee the intent of the author.

Authentic Texts

The five units of *De lector a escritor* are structured around unadapted, authentic Spanish-language readings; that is, texts written by native speakers of Spanish for a native Spanish-speaking audience. The readings were chosen because they represent: a) good examples of the type of writing a given unit seeks to develop (description, narration, report, opinion/persuasion, and argument development), b) a topic related to Hispanic culture, and c) a balance of literary and non-literary writing. It is hoped that the readings and associated activities afford students ample opportunity to converse in Spanish about matters of interest to them.

Two notes about "expectations" are in order. First, the readings are presented as examples for "study" and not as models for direct "imitation" — the goal of the text analysis is not to produce compositions that rival the reading in polish and sophistication, but rather to develop in students an appreciation of good composition, as well as an awareness of some principles of writing that they might use in their own compositional effort. Second, while the authors have endeavored to find manageable authentic texts, this does not mean that the readings are necessarily "easy going". Students, however, are not expected to understand everything, nor do they have to understand completely in order to read the texts profitably and appreciate their general lines of organization. Furthermore, the program features ample pre-reading activities to facilitate the reading process.

Focus On Functional Language And Contextualized Language Practice

Although grammar review is not the main objective of the program, each unit will focus on a limited set of language topics that directly serve the writing goals of the unit. In most cases, these language topics also reflect traditional problem areas for students at the intermediate and advanced levels. Language explanations and practice in this program are "functional"; that is, they focus on the relationship between form and meaning and the communicative effect of making choices in form. A Grammar Appendix at the end of the Student Edition presents fairly complete functional overview of the Spanish language in a fomat that compares/contrasts Spanish and English usage with many examples. Language tasks in the units refer students to the Appendix to review a relevant topic. The tasks focus on language in context; that is, they frequently ask students to return to the authentic reading to observe and account for the use of language form in the context of the reading.

Basic Components of the Student Text

The basic structure of the Student Text is as follows:

Preliminary Unit

The program begins with a Preliminary Unit designed to review some key aspects of Spanish orthography and give some basic practice in the use of the dictionary.

Five Main Units

The five main units focus on each of the following compositional types in order: Description, Narration, Reporting, Opinion/Persuasion, and Argument Development. Each unit begins with an introduction to the basic features of the compositional type followed by three representative authentic texts presented in order of length or difficulty. Each reading comprises a subunit with its own pre-reading *(Antes de leer)* and post-reading activities *(Después de leer)*, including a set of short (1 paragraph to 1 page), text-related compositional tasks. Each unit ends with a section *(Para resumir)* that summarizes the compositional principles observed in the reading, presents composition.related language practice tasks, and defines several more extensive writing activities (2-3 pages) for the unit.

Grammar Appendix

The Appendix is a reference section designed to give a coherent functional overview of the Spanish language which supports the language oriented activities defined in the units.

ACKNOWLEDGMENTS

The authors would like to thank the following reviewers for their helpful comments in guiding the development of the second edition of **De lector a escritor.** My dear friend and colleague Paula Kempchinksy, who tested every component of the first edition thoroughly in her own Spanish composition courses, suggested a wide range of insightful improvements for the second edition, and generously permitted the authors to use or adapt some specific activities she developed for the text.

We also wish to thank the reviewers of the second edition for giving of their time and energies to provide essential feedback.

David C. Alley, *Georgia Southern University*
Susan Bacon, *University of Cincinnati*
Michael Brookshaw, *Winston-Salem State University*
John Chaston, *University of New Hampshire*
Malcolm Compitello, *Michigan State University*
Nicolás Hernández, *Georgia Institute of Technology*
Mary Ellen Kiddle, *Boston College*
Catherine Larson, *Indiana University*
Esther Levine, *College of the Holy Cross*
Pat Lunn, *Michigan State University*
Laura Lyszcynska, *University of Maine, Orono*
Terell Morgan, *Ohio State University*
Douglas Morganstern, *Massachusetts Institute of Technology*
Antonio Simoes, *University of Kansas*
Flint Smith, *Purdue University*
Dolly Young, *University of Tennessee*

The authors would also like to express their appreciation to the professionals at Heinle & Heinle Publishers for their encouragement, guidance, and technical support. Specific thanks go to Wendy Nelson, Publisher; Michael Burggren, Senior Production Editor; and native reader, Ana Ras. Wendy, for her faith in the project and obvious experience in managing "academic" authors; Michael, for keeping the project production on course; and Ana for saving Mike Finnemann from all linguistic embarrassment.

Mike Finnemann wishes to declare his deepest love and appreciation for his wife and best friend, Anne Bollati, for her unconditional support, encouragement and wisdom in all matters of work and life —and for his kids, Laura and Joey, for the sustaining joy they provide daily.

Both authors thank the many students who have endured their efforts to teach Spanish composition and whose efforts to learn have provided the insight and inspiration for anything in this book that might be found useful.

Unidad *Preliminar*

Para Prepararse
A Escribir

OBJETIVOS

Después de terminar esta unidad, el estudiante podrá:

- apreciar el proceso de la composición

- reconocer los criterios básicos de una buena composición

- reconocer las mayores diferencias ortográficas entre el inglés y el español.

- identificar las partes principales del diccionario.

- reconocer la estructura y las abreviaturas de un artículo del diccionario.

- analizar las formas y los significados de un concepto inglés para buscar su equivalente en el diccionario.

- emplear estrategias para averiguar la selección de palabra.

Introducción General

Para comunicarse en forma escrita al nivel avanzado, es importante que el estudiante del español: 1) aprecie la naturaleza del proceso de composición y reconozca los elementos de una composición bien hecha, 2) llegue a dominar los detalles de la ortografía y 3) aprenda a manejar bien el diccionario. Estos son los tres propósitos esta *Unidad Preliminar.*

El Proceso De Composición

Este programa va a enfocarse en cinco formas de expresión escrita: la descripción, la narración, el reportaje, la expresión de opinión y la exposición formal. Toda escritura coherente, sea lo que sea la forma, tiene una estructura (organización y presentación del contenido) determinada por los cuatro elementos siguientes:

1. *El lector:* ¿Para quién se ha escrito la composición? Hay varias posibilidades: 1) para uno mismo (un diario de pensamientos privados, por ejemplo), 2) para otra(s) persona(s) conocida(s) (un carta que presume información compartida), 3) para otros(s) desconocido(s) (un informe o un ensayo que se dirige a un público más o menos definido; las características, las necesidades y los valores de este público tienen que tomarse en cuenta.

2. *El propósito de la composición:* ¿Por qué se escribe? Algunos objetivos comunes son: recordar hechos, aclarar el propio pensamiento, informar, entretener, persuadir, o motivar al lector a actuar o a tomar una decisión, etc.

3. *El mensaje:* ¿Qué se quiere comunicar al lector? El mensaje normalmente puede resumirse en una oración. El sujeto de la oración sumaria es *el tópico* o *el tema* de la composición; es decir ¿de qué se trata la composición? El predicado de la oración sumaria es *la tésis*, o sea, ¿qué es lo que el autor quiere decir acerca del tópico/tema. El autor tiene que cumplir con la tesis en la composición. La tésis puede ser o explícita (se declara abiertamente en el texto) o implícita (el lector tiene que deducirla por medio del proceso de leer). Además, la tesis puede desarrollarse de forma *deductiva* (la tesis se declara temprano y sirve de guía para el lector) o de forma *inductiva* (la tesis aparece tarde o al final y sirve para resumir la idea central y confirmar el entendimiento del lector).

4. *El lenguaje/El estilo:* ¿Cómo debe expresarse el escritor? De acuerdo con el propósito, el público y el mensaje; el lenguaje y el estilo de la comunicación escrita se acercará o al modelo de la expresión oral informal espontánea o al de la expresión escrita formal pulida. Estas variantes polares del contínuo se difieren mucho en términos lingüísticos y estilísticos. Para indicar algunas diferencias principales, en la expresión escrita formal: las oraciones son más largas y más complejas, abundan tanto sintagmas descriptivos (adjetivales y adverbiales) como cláusulas coordinadas y subordinadas; se emplea un vocabulario más variado, preciso y formal; se busca eliminar la redundancia a través de la variación de vocabulario, el uso de formas pronominales, y la elipsis; se trata de lograr la mayor coherencia posible mediante el uso de vocabulario, pronombres, conjunciones y expresiones adverbiales de transición entre ideas.

El proceso: Una composición coherente no se hace a la ligera; no se la escribe de una vez para todas. Es un proceso que requiere una serie de pasos, entre los cuales son: decidir en *un tema* y reducirlo a términos apropiados y manejables, hacer *una investigación* o una recopilación de datos e información, formular *un bosquejo,* escribir *un borrador,* hacer por lo menos *una revisión* (cambiar o ajustar las tesis, el contenido, la estructura, el lenguaje para lograr mayor coherencia), y hacer *la redacción* de la versión final (corregir le ortografía, la gramática y el vocabulario, etc.). El proceso de composición tiene como objetivo principal expresar y desarrollar *una tesis* (o sea, una idea principal) de una forma coherente. La tesis a veces rige el proceso desde el principio; en otros casos, la tesis emerge del proceso de investigación o de reformulación de ideas. Se va a enfatizar en este programa la importancia de desarrollar y de hacer destacar una idea central (*una tesis*) en cualquier clase de composición.

El párrafo: La base esencial de la buena escritura es el párrafo bien hecho. Cada párrafo de una composición tiene un propósito particular que lo distingue de los demás párrafos. El párrafo se introduce con *una frase temática* que presenta el tópico que se desarrolla en él. Además, la primera oración del párrafo puede ser introducida con una expresión adverbial que sirve de vínculo con el contenido anterior. *El cuerpo* del párrafo elabora el tópico. *La oración final* del párrafo concluye la discusión del tópico y/o forma una transición al párrafo siguiente.

La composición extendida: Una composición formal mayor tiene, por extensión, componentes análogos a los del párrafo. *La introducción* presenta y limita el tema que se va a exponer y a menudo se declara la tesis (la idea principal, relacionada al tema) que se va a desarrollar. *El cuerpo* elabora la tesis a base de datos, ejemplos, argumentos, etc. Cada párrafo del cuerpo tiene un propósito específico y distinguible. *La conclusión* resume lo esencial de la composición de una forma elegante y sin repetición de texto o la concluye de una forma definitiva. No hay que olvidar *el título*, que debe de una manera consisa aludir al tema (y o la tesis) y llamarle la atención al lector.

La economía de expresión: Una característica sumamente importante de cualquier clase de composición es la *economía de expresión*. Por una parte el escritor trata de evitar la redundancia de información o de expresión. Por otra, el escritor se limita lo necesario para cumplir con los requisitos su propósito, del lector, y de la tesis de la composición. Se evita toda expresión vacua, frívola, o gratuita. Todo lo que se dice tiene que "contar" de algún modo importante en la composición.

La Ortografía

El término "ortografía" se refiere a los aspectos mecánicos de la composición: o sea, el deletreo (lo que incluye el uso del acento ortográfico) y la puntuación. La Unidad Preliminar se enfoca en las diferencias mayores entre los sistemas ortográficos del inglés y del español. Al final del *Apéndice Gramatical* se encuentra una lista de los mayores signos de puntuación con ejemplos. Se hace referencia a la lista en una que otra unidad del texto.

Las principales diferencias ortográficas se encuentran en: la silabificación y el uso del acento escrito, el deletreo (el uso de la letra mayúscula y minúscula, combinaciones consonantales, el efecto del cambio de vocal en el deletreo) y la puntuación (el uso de signos de interrogación y admiración invertidos [¿¡], el uso del coma y del punto en números, y el uso del guión para marcar el diálogo.).

Para hacer las prácticas siguientes vale la pena repasar la sección ortográfica del *Apéndice Gramatical* (pp. 175-242).

A. *La silabificación y el acento escrito*
Indique los divisorios de sílaba con [/] y pongan los acentos ortográficos donde se requieran. La vocal en letra de molde bastardilla es la que recibe acento tónico. Siga el modelo:

Modelo: o b / s t *á* / c u / l o

1. d i f *i* c i l
2. g e o g r a f *i* a
3. h i s t *o* r i a
4. e l *e* c t r i c o
5. c i u d a d *a* n o
6. c o n t *i* n u o [adjetivo]
7. p e r i *o* d i c o
8. a l m a c *e* n
9. a l f *o* m b r a
10. d i n *a* m i c o
11. p a *i* s   -> p a *i* s e s

12. n a c i **o** n   ->   n a c i **o** n e s

13. f **a** c i l   ->   f **a** c i l e s

14. r e l **o** j   ->   r e l **o** j e s

15. D **a** m e   (el libro)   ->   D **a** m e l o

Algunas oraciones que faltan acento ortográfico

1. Si, yo le presto el dinero a el si el me paga interes.

2. Esta novela es mas interesante que esa que tienes alli.

3. Tu debes apoyar a tu familia, eso es importantisimo.

4. Solo un ermitaño quiere vivir solo. No me gustaria a mi.

5. ¿Cuando llego Hector? Yo queria que me llamara antes.

6. Salvador nos llamara mañana cuando llegue a casa.

7. Yo llegue a mi oficina, llame a un cliente, e hice otras tareas.

8. ¿Por que no me dijo Ud. porque hizo eso ayer?

B. *El deletreo*

1. ***Algunas diferencias entre el inglés y el español:*** Las palabras siguientes tienen equivalentes más o menos afines en el español? ¿Qué observa Ud. con relación al deletreo del equivalente español de las palabras siguientes?

   a. abbreviate / accent / addiction / affirm / aggressive / colleague

   b. comment / annual / appropriate / associate / attention

   c. action / friction / fiction / dictionary / punctual / instinct / distinct / extinct

   d. prophet / epitaph / metaphor / philosopher / theater / author / ether / thesis

   e. scheme / scale / school / special / specific / Spain / state / stove / Steven

   f. type / style / cynical / cycle / cylinder / cybernetic / system

2. ***Los cambios de raíz:*** Repase los verbos que cambian de vocal en la raíz. En el tiempo presente, los cambios son (*e->i, e->ie, o->ue*). En el pretérito los cambios son (*e->i,* y *o->u*). ¡Cuidado! Un verbo que sufre el cambio en el tiempo presente no necesariamente lo hace en el pretérito, y vice versa.

	Infinitivo / sujeto	El tiempo presente	El pretérito
a.	dormir / Uds.	_____	_____
b.	dormir / nosotros	_____	_____
c.	pedir / Pedro	_____	_____
d.	pedir / vosotros	_____	_____
e.	recomendar / yo	_____	_____

f. recomendar / ellos _____ _____

g. seguir / tú _____ _____

h. seguir / Uds. _____ _____

3. *El efecto de las vocales [a, o, u] vs. [e, I] en la consonante anterior* Dé las formas pedidas en los ejemplos que siguen:

#. Infinitivo	Presente/yo	Pretérito/yo	Subjuntivo/yo
a. conducir	_____	_____	_____
b. sacar	_____	_____	_____
c. elegir	_____	_____	_____
d. obligar	_____	_____	_____
e. abrazar	_____	_____	_____

4. *Varios cambios:* Fíjese en los cambios siguientes. ¿Qué pasa?

Infinitivo	Presente/yo	Imperfecto/yo	Participio presente
a. leer	_____	_____	_____
b. creer	_____	_____	_____
c. proveer	_____	_____	_____
d. contribuir	_____	_____	_____
e. y [*and*]:	amable _____ inteligente,	Pedro _____ Ignacio	
f. o [*or*]:	uno _____ otro,	Antonio _____ Horacio	

C. *La puntuación (etc.)*

Repase en el Apéndice Gramatical (pp. 175-242) el uso de la letra mayúscula y minúscula de los signos de interrogación y de admiración, del punto, y de la coma. Entonces, en hoja aparte, corrija las frases siguientes. No se olvide de poner los acentos escritos y los tildes (~) donde se requieran:

1. el senor gonzalez es de centroamerica es muy rico tiene $1528639.78

2. la dra sanchez es una medica centroamericana de nicaragua

3. no todos los norteamericanos son de los estados unidos hay los mexicanos

4. como esta usted profesora sanchez hace mucho tiempo que no la veo

5. como esta Ud dr morales que placer verle otra vez

6. si todo va bien la senorita ramirez llega el lunes el 17 de Mayo

7. el titulo del libro que leimos en clase fue *El Laberinto De La Soledad*

8. antonio me pregunto adonde nosotros ibamos ayer pero no le dije nada

9. que horror mi companero tuvo un accidente cuando salio del parqueadero

10. si el pregunta cuanto cuesta el carro digaselo

El Diccionario

Para hablar y escribir bien se necesita tener tanto *un diccionario* como *un tesauro* de buena calidad. Además del significado, un buen diccionario puede dar la siguiente información acerca de una palabra: la pronunciación, la silabificación, la etimología, la parte gramatical, los sintagmas y modismos relacionados, las variantes dialectales, los contextos de uso (el teatro, el militar, etc.), el registro y nivel de formalidad (la jerga, las voces coloquiales, tabúes, etc.). El tesauro provee un compendio de sinónimos y antónimos para enriquecer la expresión.

El diccionario es una herramienta sumamente peligrosa si no se utiliza sabiamente. Hay diccionarios de toda clase, lo cuales se difieren mucho en el contenido, la calidad y la organización de los artículos. El estudiante tiene que conocer a fondo el diccionario que usa; es decir, reconocer tanto los componentes principales del diccionario como la estructura de un artículo específico con las abreviaturas que se emplean en él. Además necesita emplear estrategias de búsqueda que ayuden a encontrar el término más adecuado. Como se verá a continuación, una búsqueda exitosa requiere un análisis inteligente del concepto que se quiere expresar.

A. Los componentes del diccionario

Los diccionarios varían mucho entre sí. Como actividad grupal, comparen Uds. una variedad de diccionarios de distintos tamaños:

1. ¿Cuáles son las secciones principales de cada uno?

2. ¿Se explica en algún lugar la estructura de un artículo?

3. ¿Hay una lista de abreviaturas que se usan?

4. ¿Hay una sección o un cuadro de información sobre las terminaciones de los verbos? ¿Se encuentra una sección que explique la ortografía? ¿la pronunciación? ¿la gramática?

5. ¿Qué otros apéndices o componentes especiales tiene cada diccionario?

6. ¿Cuál es el mejor diccionario? ¿Por qué?

B. *La estructura de un articulo*

A continuación se presenta un artículo típico encontrado en un diccionario íntegro como el de la Real Academia Española:

> **parecer** m. *opinion; look, mien, countenance* II v. *§22* intr. *to appear; show up; look, seem; me parece que I think that... II* ref *to look like, resemble each other; parecerse a to look like.*

Como se ve en el artículo **parecer,** la información se presenta en un órden definido. Primero aparecen las formas nominales y después las formas verbales. En este artículo, los significados intransitivos del verbo se presentan antes de los significados reflexivos.¿Cómo se separan sinónimos en el ejemplo de arriba? ¿Cómo se separan significados totalmente distintos?

C. *Las abreviaturas*

1. Cada diccionario emplea su propio sistema de abreviaturas. Abajo se presentan algunas abreviaturas típicas. ¿Pueden Uds. aparear los siguientes elementos?

a.	*msg.*	**1.**	reflexivo
b.	v.	**2.**	verbo auxiliar
c.	§22	**3.**	masculino
d.	*intr.*	**4.**	adjetivo
e.	*ref*	**5.**	ver sección 22 en el apéndice
f.	*obs.*	**6.**	Colombia
g.	*Lat.*	**7.**	sustantivo (nombre)
h.	*s.*	**8.**	coloquial
i.	*mpl.*	**9.**	verbo
j.	*C.R.*	**10.**	del latín
k.	v. *aux.*	**11.**	Centro América
l.	*adj.*	**12.**	masculino, singular
m.	*coll.*	**13.**	Costa Rica
n.	*C. Am.*	**14.**	verbo intransitivo
o.	*Col.*	**15.**	obsoleto, anticuado

2. Es muy importante prestar atención a las abreviaturas que indican la clase de verbo: el verbo *intransitivo* (intr) se usa sin objeto directo [Mario *llegó* temprano.], el verbo *transitivo* (tr.) requiere un objeto directo [Mario *trajo* flores.], y el verbo *reflexivo* es requiere un pronombre reflexivo [Mario *se fue* pronto.]. Busquen los verbos siguientes en varios diccionarios para encontrar el mejor equivalente para las formas en bastardilla. Presten atención a las abreviaturas verbales:

   a. I *left* in a hurry and I *left* my jacket. So, I'm *left* here shivering.
   b. I got *hurt*. I *hurt* my arm and my head *hurts*.
   c. I *returned* the book to the library and then I *returned* home.

3. En grupo, hagan una lista comparativa de las abreviaturas importantes que emplean sus diccionarios. ¿Qué semejanzas y diferencias notan? ¿Cómo se indican los verbos intransitivos, transitivos y reflexivos?

D. *Prácticas de búsqueda*

1. *Usando el diccionario del inglés al español*

Busque en el diccionario el significado en español de las siguientes palabras y expresiones y escriba las palabras españolas equivalentes en una hoja aparte. ¡Ojo con las abreviaturas!

    a. bolt *intr.*
    b. countenance *tr.*
    c. fit *m.* (in medical terms)
    d. high *adj.* (river)
    e. hum *s.* (of machine)
    f. inside *s.*
    g. mess *(coll.)*.
    h. off *tr.* (slang)
    i. performance *s.* (theatre)
    j. pave the way (idiomatic expression)
    k. resort *s.* (for help)
    l. value *tr.* (to think highly of)

2. *Usando el diccionario del español al inglés*

Trate de encontrar en el diccionario el significado en inglés de estas palabras o frases. ¡Ojo con las partes de la oración!

    a. aferrar *(ref)*
    b. cantar *(s.)*
    c. bote *(Méx.)*
    d. carpeta *(Col.)*
    e. derrumbado *(tr.)*
    f. doctorando *(mf)*
    g. enredar *(intr.)*.
    h. gallina *(adj.)*.
    i. lisonjero
    j. a las once y pico
    k. naturaleza muerta (s.)
    l. correr pareja

E. *El Análisis de Conceptos / Estrategias de Averiguación*

Como ya han visto, para utilizar el diccionario eficazmente, es imprescindible entender el contenido y la estructura de un artículo, además de las abreviaturas que se emplean. Asimismo, es muy importante analizar de antemano el concepto que se busca para poder elegir entre las opciones. Además, hay que aprovecharse de estrategias para averiguar la selección de palabra.

Para analizar un concepto inglés, primero se hace una lista de todos los casos posibles de uso del dicho concepto. Segundo, se organiza la lista de acuerdo con la función gramatical (nombre, verbo, adjetivo, etc.) representada por cada caso. Tercero, se identifican los distintos significados abarcados por el concepto y se clarifican las varias acepciones con una serie de sinónimos. A lo mejor, cada significado va a tener un distinto equivalente en español.

Una estrategia muy valiosa para averiguar su selección de palabra o expresión es hacer una lista de sinónimos del término inglés y buscar sus equivalentes en el diccionario. Un tesauro puede proveer sinónimos y antónimos para hacer este paso. Si varios sinónimos producen la misma palabra en español, entonces es probable que su selección sea apropiada. Otra estrategia útil es buscar los equivalentes de las posibles opciones en el lado español-inglés del diccionario para ver cuáles rinden el concepto que se busca.

1. *Un Ejemplo de Análisis:* *Yo lata mosca*

Como ejemplo de análisis conceptual, varios significados de la palabra *fly* pueden organizarse de la manera siguiente:

Nombres:
- *bug*
- *zipper on pants*
- *theatre backdrop*
- *fishing lure*

Verbos: intransitivos	*to fly*	*(like a bird)*
	to fly	*(to escape)*
	to fly	*(to rush off in a hurry)*
transitivo activo	*to fly*	*(to pilot a plane)*
transitivo pasivo	*to fly*	*(a kite, a flag, etc.)*

Consulte varios diccionarios bilingües para encontrar los equivalentes más apropiados de los significados dados en la lista. Verifique sus selecciones mediante las estrategias de confirmación señaladas arriba.

2. *Una Práctica de Análisis:* *Deme un «break»:*

Siguiendo el modelo de "fly", analicen en grupo el concepto inglés "break". Entonces, empleando una variedad de diccionarios, decidan el equivalente español más adecuado del concepto en bastadilla en las oraciones siguientes.

- **a.** The window *broke*.
- **b.** I need to take a *break*.
- **c.** You've had some bad *breaks*.
- **d.** The wrangler *broke* the horse.
- **e.** The politician *broke* his word.
- **f.** Could you *break* this $50 bill for me?
- **g.** The meeting *broke up*.
- **h.** My car *broke down*.
- **i.** The epidemic *broke out*.
- **j.** I'm *breaking up* with my girlfriend.

F. *El Manejo del Diccionario: Práctica General*

Vocabulario escolar: El vocabulario de la educación ofrece buena práctica para el manejo del diccionario porque hay conceptos complejos que requieren el análisis, y "amigos falsos", o sea palabras que se parecen en los dos idiomas pero no significan lo mismo. Con la ayuda de un buen diccionario, traduzca las oraciones siguientes. Preste atención a las expresiones en bastardilla.

1. I was not a good *pupil* in *grade school*. I failed *the third grade*.

2. But after *graduating* from *high school* I *enrolled* in *college*.

3. I am now a good *student* because I want to be an *educated* person.

4. I have to show *scholarship* to keep my *scholarship*.

5. I need the money to pay *tuition* and buy books at the *bookstore*.

6. The window of my *bedroom* in the *dormitory* faces the *library*.

7. The *faculty* of medical *school* at the *school* is excellent.

8. My *minor* is Spanish and my *major* is political science.

9. I have *learned* alot in all of my *subjects*.

10. I *learned* that you should *attend* the *lectures* and do the *reading*.

11. The *assignments* in all my *courses* are hard and the professors *grade* hard.

12. You have to take good *notes* to get good *grades*.

13. I will complete my *program (of studies)* in four years and get a *B.A.*

14. Later, I want to study *law* to help make better *laws* in the future.

15. *Universities* are *educational* institutions that give advanced *degrees*.

Unidad 1
La Descripción

OBJETIVOS

Después de terminar este capítulo, el estudiante podrá:

- definir los elementos básicos de una descripción.

- identificar los elementos descriptivos de cada lectura.

- distinguir las características que se utilizan para describir personas, lugares y situaciones.

- discutir el punto de vista o perspectiva de cada lectura.

- escribir una breve composición bien organizada que demuestre el uso de los elementos básicos de una descripción.

OBJETIVOS LINGÜÍSTICOS

Después de terminar este capítulo, el estudiante podrá:

- utilizar los verbos **ser/estar** y otros predicados relacionados.

- reconocer y aplicar estructuras de modificación, adjetivos, frases y cláusulas relativas.

- utilizar estructuras comparativas.

Introducción General

Rasgos De La Descripción

Un propósito común de la escritura es hacer descripciones del mundo que nos rodea: objetos, personas, lugares, ambientes, procesos, acciones, situaciones, y más. La descripción se basa principalmente en los cinco sentidos: la vista, el oído, el olor, el sabor y el tacto. La descripción puede tender a lo objetivo o a lo subjetivo. En el primer extremo del continuo se describe de una forma totalmente empírica, dando detalles que todos pueden observar o comprobar. En el segundo, la descripción además revela en téminos personales la reacción psicológica del observador a lo descrito.

Como cualquier otra clase de texto escrito, la descripción requiere la elección y organización coherente de datos y observaciones. No es posible describir nada en términos exhaustivos; es imprescindible escoger los datos que se van a incluir en la descripción. Los criterios que se utilizan para tomar estas decisiones son: *el propósito* general del autor (informar, divertir, persuadir, etc.) y *el lector/el público* (sus características, sus conocimientos, sus valores y sus expectativas). Desde luego, una descripción buena también debe encerrar *una tesis* (la idea principal de la descripción). La interacción de estos factores es lo que va a determinar el contenido y la estructura apropiada de la composición.

Una técnica de descripción prevalente es hacer comparacines y contrastes entre lo descrito y otros aspectos de la experiencia del lector. Las analogías, los similes y las metáforas, por ejemplo, son formas de expresión que se basan en la comparación.

Los obvios elementos linguísticos relacionados a la expresión descriptiva son: la *cópula* (**ser, estar**) y otros verbos relacionados, *estructuras adjetivales* (el adjetivo, participio pasado, la frase preposicional, la cláusula relativa), *estructuras adverbiales* (el adverbio, el participio presente, la frase preposicional, la cláusula adverbial), y *estructuras comparativas*. Se debe estudiar la información correspondiente en el **Apéndice gramatical** para hacer las prácticas de esta unidad.

Actividad Preliminar

Abajo se presenta una composición estudiantil auténtica que describe un lugar, sólo se han corregido los errores gramaticales. Aunque se puede mejorar bastante, ésta es una composición prometedora que ofrece muchas posibilidades. En grupo, lean y comenten la composición. ¿Qué sugerencias le harían Uds. al escritor? Piensen en las preguntas siguientes:

1. ¿Cuál es el tema de la composición?
2. ¿Hay una tesis (una idea central) que informe la composición? Si lo hay, ¿es explícita o implícita? Si la tesis se declara en el texto, ¿dónde se encuentra?
3. ¿Tiene la composición una organización clara y coherente?
   a. ¿Se puede distinguir la idea central/el tema de cada párrafo? ¿Se mezclan temas? ¿Se ordena bien la información dentro del párrafo?
   b. ¿Hay un párrafo introductorio claro y conciso? ¿Alude al tema o a la tesis?
   c. ¿Hay un cuerpo de párrafos (por lo menos uno) que elaboren el tema y la tesis?
   d. ¿Hay una conclusión que resuma o que cierre bien la composición?
4. El título, ¿es llamativo? ¿concuerda con el tema o con la tesis?
5. ¿Se utiliza un lenguaje conciso, exacto, y óptimo?

Un lugar divertido

Mi lugar favorito de recreo no es normal. Es un lugar que a mucha gente no le gusta. Se dice que es un lugar malo, y a veces es peligroso. Es un bar en esta ciudad que se llama "La Caverna". El olor es terrible y siempre es humoso. Me gusta ir allí porque hay gente diferente a la que asiste a mi escuela. La gente no es educada, pero ellos se divierten cada noche. Al lado hay un bar donde la chicas bailan sin ropa. Muchas personas piensan que esto es malo, pero a mí no me importa. Mi novio trabaja en "La Caverna" muchas veces porque tiene un conjunto musical.

Otro group que se puede encontrar, es un grupo de hombres que tienen motocicletas. No tengo miedo de ellos porque mi novio tiene un "Harley" también. No creo que otros estudiantes entiendan por qué me gusta ir allí, pero no me importa. Tengo una vida diferente que la de ellos. A veces hay argumentos violentos, pero hay policía afuera para controlarlos.

Otras características de "La Caverna" son: las chicas llevan faldas cortas, unas personas tienen tatuajes, y todos son diferentes cuando están borrachos. Algunos de mis amigos no beben el alcohol, pero todavía nos divertimos porque tocan nuestro tipo de música.

Lectura 1

El Correo Del Amor
Por Dick Syatt

Introducción A La Lectura

La primera lectura es parte de una columna regular titulada "Correo del amor" de *El Mundo*, un periódico hispánico publicado en Boston. La columna sirve tanto como foro de anuncios personales como columna de consejo. Como es de esperar, los anuncios que se presentan a continuación abundan en lenguaje descriptivo de las personas. Los anuncios personales, al igual que cualquier clase de anuncio, se dirigen a un público determinado e intentan convencer a ese público de algo. En el caso de los anuncios personales, el escritor busca compañero/a deseable. La búsqueda de amistades mediante un foro público es un poco arriesgada; por consiguiente, la descripción tiene que componerse de tal modo que el escritor identifique y apele al lector/compañero apropiado. El escritor tiene que representarse a sí mismo y describir al compañero deseado en términos adecuados a sus deseos e intenciones. Ademaás, para ahorrar espacio y dinero el escritor tiene que ahorrar palabras.

Antes de leer

A. Personajes y perspectivas

1. Con la clase entera, escojan a un personaje conocido de todos.

2. Cada estudiante, por separado, apunta lo que considera el rasgo sobresaliente en cada una de las tres categorías siguientes: rasgos físicos, sociales y personales.

3. La clase compara las listas para ver el grado de acuerdo, desacuerdo o variedad que hay entre los estudiantes de la clase.

4. La clase discute las descripciones y compone una breve descripción final (máximo de 50 palabras) del personaje.

B. ¿Cómo soy yo?

1. Descríbase a sí mismo, dando todos los detalles que Ud. considera escenciales para que alguien le conozca bien. Incluya las características físcias, psicológicas, sociales, los intereses que tiene, los talentos, los gustos y disgustos, etc.

2. ¿Hay diferencias entre su cara pública y su cara privada? ¿Cómo cree que los demás lo describirían a Ud? ¿Tendrían razón?

3. ¿Hay diferencias entre cómo usted quiere ser y cómo usted es en realidad?

4. Describa a su compañero/a ideal. ¿En qué aspectos tiene que parecerse a usted? ¿diferenciarse de usted?

C. Los anuncios personales

1. Haga una lista de las categorías de información que normalmente se dan y se piden en un anuncio personal. Discuta la importancia relativo de los varios datos para propósitos de un anuncio personal (considere la edad o la altura, por ejemplo).

2. Haga una lista de prioridades de los datos que le importan más a Ud. ¿Qué revela su lista acerca de Ud. y sus valores? Compare su lista con la de otro estudiante.

3. ¿Cómo se organiza la información en un anuncio personal? ¿En qué orden se presentan los datos? ¿Cuáles factores cree Ud. deben determinar el orden de los datos en un anuncio de esta clase? ¿Por qué?

4. Cuando se trata de anuncios personales, es muy importante que el lector lea entre líneas porque las descripciones pueden contener un mensaje implícito. Discutan cómo estos anuncios representan un mensaje codificado.

5. ¿Pondría Ud. un anuncio personal en el periódico? Discuta sus razones por qué sí o por qué no. Ud. verá que en "El correo del amor" anuncian once hombres y dos mujeres. ¿Cree Ud. que es significativo este dato? ¿En qué sentido?

A leer

El Correo Del Amor

por Dick Syatt

P1 Centroamericano, divorciado, 5'8" estatura. 170 libras de peso, pelo negro medio ondulado, uso bigote. 43 años de edad, trabajo estable. Hogareño, romántico, sincero, he practicado y me gusta el deporte, las diversiones sanas, la música de toda clase, el baile. Me considero de buen carácter, y de sentimientos nobles. Gustaría conocer damita de 23 a 40 años, de buenos sentimientos con aspiraciones, no pasada de libras, fines matrimoniales. Escríbeme, quizás nos hemos buscado, sin habernos encontrado. Esta es la oportunidad. 2009.

P2 Joven varón de 30 años, desearía conocer damitas de cualquier edad, color o peso, con fines amistosos. Cariñoso y comprensivo. Si eres igual escribe. Estoy encarcelado, salgo dentro de 18 meses. Contestación garantizada. 2013.

P3 Caballero de 45 años, trabajador y cariñoso, que no fuma ni bebe, desea conocer dama entre los 40 y 48 años, que busque comenzar una amistad sincera y duradera. Me gusta la tranquilidad, la comprensión y el amor, que es la única forma de dos personas ser felices, si usted es esa dama y quiere conocer un caballero que la comprenda, escríbame hoy mismo. EM-2002.

P4 Centroamericano, 38 años, soltero, trabajador, bien remunerado, romántico. Mis gustos: música suave, literatura, el cine, el arte del vídeo y la pintura. Busco damita 25-38 años sincera, honrada de nobles sentimientos, fines matrimoniales. EM-2004.

P5 Centroamericano de 32 años. No fuma, muy trabajador, le gusta el cine. Pelo color castaño. Le agrada la música hispana. 5'7" de estatura, peso 149 lbs. Busca damita entre los 25-35 años, que tenga los mismos intereses y no tenga compromiso. Preferible que resida cerca de Boston. EM 2005.

P6 Caballero con excelente apariencia física (40 años) comerciante, educado, cariñoso, amable y soltero. Gusta de actividades sociales. No fuma y bebe limitadamente. Busca dama para relación seria con buena apariencia física con no más de 35 años, y que comparta los mismos intereses. EM 2006.

P7 Caballero de 30 años. 5'7" estatura, peso 147 lbs. Soltero, trabajador y cariñoso. No tengo compromisos de ninguna índole. Interesado en conocer damita de 25 a 30 años, con fines serios, alguien con quien compartir los buenos momentos que la vida puede brindarnos. Quiero una esposa que sepa corresponder mi cariño, y a quien saludar todos los días con frases amables y tiernas. 2007.

P8 Caballero divorciado, 40 años, 5'6", 150 lbs. Centroamericano, serio, noble, decente, muy limpio, trabajador, discreto, honesto, tranquilo, educación y ocupación a nivel semiprofesional. Gustaría relacionarse con damita de buenas costumbres y seria. Si está interesada podemos reunirnos para cenar informalmente o tomar un refresco, conversar, conocernos, y ver si tenemos algo en común. Me gusta la música hispana, la cultura, la religión, viajar, trabajar, leer y aprovechar en forma positiva el tiempo. Me gustaría salir a bailar, no frecuento bares ni discotecas. EM 2008.

P9 Hombre divorciado de 29 años de edad, profesional, buena apariencia física, y honesto, busca dama entre los 20 y 30 años de edad. Soy hogareño y, romántico. Me gusta el cine, la música, y la lectura. Busco una muchacha con los mismos gustos, que le guste cocinar y que sea atractiva e inteligente. Por favor, envíe foto que yo haré lo mismo. 2010.

P10 Soy una dama de 50 años de edad, divorciada, sin problemas familiares. Me mantengo activa; me gusta la música latina, viajar, ir al cine, cenar, y conversar sobre diferentes temas. Busco un caballero de edad apropiada, que tenga los mismos gustos, y solvencia económica. Prefiero que resida en el área de Boston, y que esté dispuesto a enviar foto. 2011.

P11 Joven americano de 21 años de edad desea conocer a muchachas hispanas. Alto, pelo negro con ojos verdes, bien parecido y con buena personalidad. Interesado en aprender a bailar merengue y salir con hispanos. No habla mucho español, pero intentará comunicarse lo mejor posible. Quiere conocer joven hispana que sea cariñosa pero no muy celosa. Prefiero que resida cerca de Boston y que tenga buena figura latina. Enviar foto si es posible. 2012.

P12 Caballero hispano, soltero, 47 años, sin compromisos. Canasado de vivir solo, desea relacionarse con damita centroamericana honrada de 35 a 36 años. No me importa su pasado. Fines serios. Preferible que sepa manejar. Soy hogareño, sano y me gusta la música y los deportes. Deseo formar un hogar donde reine el respeto mutuo. EM 2014.

P13 Soy joven dominicana de 21 años, color indio y de estatura pequeña. Deseo tener amigos de los dos sexos. Soy sincera, buena amiga y trabajadora. EM 2015.

Tomado de El Mundo, *febrero/marzo, 1988*

PREGUNTAS DE COMPRENSION

1. ¿Cuántos de los anunciantes son hombres? ¿Cuántas son mujeres?
2. ¿Cuántos anunciantes indican de qué país hispano son? ¿Cuál(es) anunciante(s) es (son)?
3. Uno de los anunciantes no es hispano. ¿Cuál es?
4. ¿Cuántos son hombres de negocios? ¿Cuál(es)?
5. ¿Dónde está el anunciante #2 en este momento?
6. ¿Cuántos utilizan un "pitch" romántico? ¿Cuál(es)?
7. ¿Cuántos indican claramente que quieren casarse? ¿Cuál(es)?
8. ¿Cuántos piden fotos? ¿Cuál(es)?

ENFOQUE EN EL CONTENIDO Y LA ESTRUCTURA

A. Anatomía de un anuncio personal

Compare los anuncios desde el punto de vista de su contenido y estructura. ¿Cuáles son los rasgos comunes de esta clase de texto? Si Ud. fuera a preparar un esquema general (basado en los ejemplos del texto) como modelo a seguir al componer un anuncio personal, ¿cuál sería?

B. Clasificando a los anunciantes

Compare y trate de agrupar a los anunciantes en términos de cada una de las categorías siguientes:

1. **propósito del anuncio:** relación pasajera, amistad seria, matrimonio.

2. compañero/a buscado/a: ¿se busca un compañero con rasgos específicos o generales?

3. **aspecto más importante:** apariencia, personalidad, nivel socio-económico.

C. Psiconanálisis de un anunciante

Escoja uno de los anuncios y trate de analizar en más detalle la personalidad, el carácter, los deseos y las intenciones del anunciante. Discuta cómo todo esto influye en el contenido y en la estructura del anuncio. Piense en las preguntas siguientes:

1. ¿Cómo se describe el anunciante? ¿Cree Ud. que es una descripción sincera? ¿Cree que el anunciante dejó de incluir algún dato importante? Note si se describió en términos físicos o en términos psicológicos. ¿Qué clase de persona es, en su opinión?

2. ¿Qué clase de persona busca el anunciante? ¿Se interesa mucho por las características físicas del compañero/a? ¿Cuáles son sus intenciones en cuanto a las relaciones personales (si las menciona)? Cree Ud. que son sus intenciones verdaderas?

3. ¿Tiene el escritor una estrategia obvia? ¿Apela a los deseos románticos? ¿a los deseos de seguridad? ¿Cómo?

4. ¿Cuáles son los valores y prioridades en la vida del anunciante? ¿Cómo lo sabe Ud.?

5. ¿Cree Ud. que podría llevarse bien con esta persona? ¿Por qué (no)?

ENFOQUE EN EL LENGUAJE

Para más información sobre los temas gramaticales tratados en estas actividades, consúltese el **Apéndice gramatical.**

A. Damas y caballeros

Ud. se dará cuenta de que se usa la palabra "mujer" en estos anuncios. ¿Cuáles términos se usan para referirse al hombre y a la mujer en la lectura? ¿Por qué sería esto? ¿Cómo nos afecta como lectores esta elección de vocabulario?

B. Unos términos descriptivos

Habrá notado también términos frecuentes en estos anuncios, como por ejemplo, "hogareño", "honesto" y "honrado". ¿Qué significan estos términos? ¿Por qué cree Ud. que aparecen con tanta frecuencia en estos anuncios?

C. Inventario de términos descriptivos

Esta lectura presenta un rico vocabulario descriptivo de personas. La mayoría de las expresiones descriptivas caen dentro de las siguientes categorías. Vale la pena juntar y aprender ese vocabulario. En otro papel, apunte todas las palabras, frases y expresiones que se relacionen con estas categorías:

situación social:
situación económica:
atributos físicos:
apariencia general:
personalidad (rasgos sociales):
carácter (rasgos profundos que demuestran un sistema de valores):
costumbres/actividades/gustos:
deseos/motivos/intenciones:

D. Inventario personal

Utilizando las categorías dadas arriba como punto de partida, haga una lista personal de vocabulario descriptivo de personas que más refleje sus propias necesidades e intereses. Trate de ampliar la lista de arriba para producir un vocabulario útil para Ud. Agregue categorías si quiere.

E. Verbos esenciales para la descripción

Las prácticas que siguen se basan estrechamente en los textos que acaba de leer. Llene los espacios con la forma apropiada del verbo indicado por el contexto: **ser, estar, haber o tener.** Esté listo a explicar su elección de verbo.

1. Anuncio #1:

   _____ centroamericano. _____ divorciado. _____ 5'8" de estatura. _____ 170 libras de peso. _____ pelo negro ondulado. Uso bigote. _____ 43 años de edad. _____ trabajo estable. _____ hogareño, romántico y sincero.

2. Anuncio #4

   _____ centroamericano. _____ 38 años. _____ soltero, trabajador, bien remunerado y romántico. Mis gustos _____ la música suave, la literatura, el cine, el arte del vídeo y la pintura. Busco una damita de 25-38 años que _____ sincera, honrada, de nobles sentimientos con fines matrimoniales.

3. Anuncio # 11

   _____ un joven americano de 21 años de edad desea conocer a muchachas hispanas. _____ alto. _____ pelo negro con ojos verdes. _____ bien parecido y con buena personalidad. _____ interesado en aprender a bailar merengue y salir con hispanos.

F. Estructuras comparativas

Empleando cada una de las expresiones descriptivas que Ud. encuentra abajo por lo menos una vez, haga mínimo 10 comparaciones válidas entre los anunciantes. Trate de utilizar una variedad de estructuras: de igualdad—**tan(to),** de desigualdad—**más/menos,** y superlativas—**el más/menos.** Haga por lo menos una comparación entre las dos damas.

hogareño	*pesar* = to weight
romántico	*medir* = to measure, be tall
serio	*buen compañero*
edad	

Ejemplos: *El Caballero #8* **es más alto que** *el Caballero #7.*

El Caballero #7 no **es tan alto como** *el Caballero #8.*

El Caballero #1 **es el más alto** *de los tres.*

Actividades de escritura

A. Un anuncio para compañero de casa

Ud. y un/a amigo/a acaban de alquilar una casa. Les sobra un dormitorio, y quieren contratar a un compañero más para compartir los gastos de la casa. Es importante que tomen en cuenta sus propias personalidades y gustos y que discutan entre sí el tipo de persona que buscan. Juntos compongan un anuncio que sirva para atraer a un compañero apropiado. Deben describir las circunstancias de vivienda e indicar precisamente lo que está buscando en cuanto a compañero. Primero, compongan el anuncio en oraciones completas. Después, abrevien el anuncio, quitando unas cuantas palabras para ahorrar el máximo espacio y dinero.

B. Una comparación

Dos de los anunciantes de la lectura son damas de distintas situaciones sociales. Basándose en la información de los dos anuncios, escriba una descripción corta pero bien organizada contrastándolas y comparándolas en términos de edad, situación social, situación económica, apariencia, personalidad, carácter, costumbres y de deseos y motivos.

Primero, vale la pena repasar la información sobre estructuras comparativas en el **Apéndice.** Otras palabras y estructuras útiles que se debe tomar en cuenta son: **mientras, en cambio, también/tampoco, pero/sino, ser igual.**

C. Querido Sr. Syatt

El redactor de la columna "El correo del amor", el Sr. Dick Syatt, también contesta cartas de las personas que le piden consejos. Resulta que la "joven dominicana" del anuncio #14 acaba de recibir una respuesta del "joven norteamericano" del anuncio #12. No está segura si debe salir con el joven o no, y le escribe al Sr. Syatt pidiéndole consejos. Haga Ud. el papel del Sr. Syatt y contéstele la carta. Incluya sus opiniones "profesionales" sobre la situación y dé razones por sus consejos.

Lectura 2 — Preámbulo A Las Instrucciones Para Dar Cuerda Al Reloj
Por Julio Cortázar

Introducción a La Lectura

La siguiente es una lectura literaria de Julio Cortázar, un escritor argentino nacido en 1916. El tema de la lectura es un objeto, el reloj. A través de la descripción del reloj, Cortázar va mucho más allá del objeto mismo para explorar de modo irónico las implicaciones de recibir un reloj como regalo. Vamos a ver cómo funciona la ironía como principio organizador de una composición.

Antes de leer

A. Los regalos: los buenos, los malos y los feos

Ud. ha recibido muchos regalos en su vida, para la Navidad o para el día de su cumpleaños o simplemente porque alguien pensó que ese regalo en particular era algo muy apropiado para Ud. Haga dos listas: una de lo que Ud. considera los tres mejores regalos que haya recibido, y otra de los tres peores. Dé tres términos descriptivos de cada uno.

Regalos mejores	Término descriptivo	Término descriptivo	Término descriptivo
1. _____	_____	_____	_____
2. _____	_____	_____	_____
3. _____	_____	_____	_____

Regalos mejores	Término descriptivo	Término descriptivo	Término descriptivo
1. _____	_____	_____	_____
2. _____	_____	_____	_____
3. _____	_____	_____	_____

Compare sus listas con las de un compañero. Piense en lo que revelan estas dos listas acerca de Uds. y sus personalidades respectivas. Basándose en las listas, ¿cómo describiría Ud. a su compañero y a Ud. mismo? ¿En qué aspectos se asemejan y difieren Uds. dos?

B. Regalos que comprar

Piense en los familiares y amigos que van a celebrar días especiales este año y para quienes Ud. tendrá que comprar un regalo. ¿Cómo describiría a cada uno? ¿Qué le piensa regalar a cada uno y por qué? ¿Es una razón funcional, ¿sentimental?, ¿social? En una hoja aparte, escriba unas respuestas breves a las preguntas.

C. Unas preguntas preparatorias

1. ¿Qué es un preámbulo? Si la lectura es un "preámbulo a las instrucciones" y no las instrucciones de por sí, ¿de qué se trataría la lectura?

2. ¿Cómo definiría Ud. la ironía y la metáfora? Busque las definiciones en el diccionario. ¿Tenía Ud. razón? Piense en las definiciones al hacer la lectura.

A leer

Preámbulo a Las Instrucciones Para Dar Cuerda Al Reloj
Por Julio Cortázar

Piensa en esto: cuando te regalan un reloj te regalan un pequeño infierno florido, una cadena de rosas, un calabozo de aire. No te dan solamente el reloj, que los cumplas muy felices y esperamos que te dure porque es de buena marca, suizo con áncora de rubíes; no te regalan solamente ese menudo picapedrero que atarás a la muñeca y pasearás contigo. Te regalan—no lo saben, lo terrible es que no lo saben—, te regalan un nuevo pedazo frágil y precario de ti mismo, algo que es tuyo pero no es tu cuerpo, que hay que atar a tu cuerpo con su correa como un bracito desesperado colgándose de tu muñeca. Te regalan la necesidad de darle cuerda todos los días, la obligación de darle cuerda para que siga siendo un reloj; te regalan la obsesión de atender a la hora exacta en las vitrinas de las joyerías, en el anuncio por la radio, en el servicio telefónico. Te regalan el miedo de perderlo, de que te lo roben, de que se te caiga al suelo y se rompa. Te regalan su marca, y la seguridad de que es una marca mejor que las otras, te regalan la tendencia a comparar tu reloj con los demás relojes. No te regalan un reloj, tú eres el regalado, a ti te ofrecen para el cumpleaños del reloj.

Tomado de Historia de cronopios y de famas, *Buenos Aires 1966.*

Después de leer PREGUNTAS DE COMPRENSION

1. ¿Cuáles son algunas expresiones que se usan para describir el reloj hipotético de esta lectura?
2. ¿De qué marca es el reloj?
3. ¿Qué es lo que no saben los que dan de regalo un reloj?
4. Según las lectura, ¿cuáles son tres maneras de enterarse de la hora?
5. ¿Cuáles son tres cosas que le pueden pasar a un reloj?

ENFOQUE EN EL CONTENIDO Y LA ESTRUCTURA

A. Tema y tesis

El tema de esta lectura de Cortázar es "el reloj como regalo". La tesis sería lo que el autor quiere decir respecto al reloj. Trate de resumir en una sola frase la tesis o idea básica de la lectura.

Si uno recibe un reloj de regalo, _____

_____

B. La ironía

1. ¿En qué sentido se puede decir que la tesis de la lectura es irónica? Piense en las preguntas siguientes:
    • ¿Cómo debe uno reaccionar al recibir un reloj de regalo?
    • ¿Cómo reaccionaría el autor, según las implicaciones del "Preámbulo"?
2. Irónicamente, en vez de mencionar lo bueno de poseer un reloj, el autor señala toda una serie de problemas asociados con llevar un reloj. Haga un resumen corto de ellos.

3. La última frase de la lectura resume la ironía de la descripción. En cierto sentido es un juego de palabras. Discuta. ¿Qué quiere decir el autor?

ENFOQUE EN EL LENGUAJE

Para más información sobre los temas gramaticales tratados en estas actividades consúltese el **Apéndice** gramatical.

A. Una rosa por otro nombre huele igual

El autor describe el reloj a través de una serie de nombres metafóricos que apoyan la ironía del texto. Traduzcan las metáfolas siguientes al inglés. ¿En qué sentido son metafóricas? ¿Cómo se ve la ironía en la estructura de las metáforas?

1. un pequeño infierno florido _____

2. una cadena de rosas _____

3. un calabozo de aire _____

4. ese picapedrero menudo _____

5. un pedazo nuevo, frágil y precario de ti mismo _____

6. algo que es tuyo pero no es tu cuerpo _____

7. bracito desesperado colgándose de tu muñeca _____

B. Verbos escenciales para la descripción

Complete las frases con la forma apropiada del verbo indicado por el contexto: **ser, estar, haber y tener.** Esté listo a explicar su elección de verbo.

El reloj que _____ colgado de tu muñeca y que te _____ regalado por tus amigos _____ una cadena de rosas. Ahora tú _____ obligado a darle cuerda todos los días y atender a la hora exacta. El reloj _____ suizo y por eso puedes _____ seguro de que _____ una marca mejor. Pero vas a comparar el tuyo con los demás relojes de todos modos. El reloj no _____ un regalo. Tú _____ el regalado.

C. Estructuras comparativas

Llene los espacios con las expresiones comparativas indicadas por el contexto de la frase. Trate de utilizar una variedad de estructuras: de igualdad—**tan(to),** de desigualdad—**más/menos,** superlativas—**el más/menos,** absolutas— **adjetivo + isimo.**

1. El autor parece opinar que el reloj es el _____ regalo _____ todos.

2. Según el autor, el que recibe un reloj de regalo está _____ contento _____ antes.

3. Tiene _____ preocupaciones _____ antes.

4. No goza de la vida _____ antes.

5. Pero dudo que recibir un reloj sea _____ malo _____ dice el autor.

6. Un reloj suizo es _____ un Timex.

7. Un Timex no cuesta _____ un Rolex.

8. El Rolex es muy, pero muy, caro, es _____ .

9. Creo que el Rolex es el reloj _____ caro _____ mundo.

10. Cuesta mucho _____ dinero _____ yo tengo.

D. Las funciones pronominales

Estudie la información sobre pronombres funcionales en el **Apéndice gramatical** (pp. 175-242). Preste atención especial al análisis de los varios significados del complemento indirecto. Identifique la función del pronombre en bastardilla en las siguientes oraciones tomadas del texto. ¿Cuántos significados distintos del complemento indirecto se observan en estos casos?

1. No *te* dan solamente el reloj...y esperamos que *te* dure porque ...

2. ...te regalan un nuevo pedazo frágil y precario de *ti* mismo...

3. *Te* regalan el miedo de perder*lo*, el miedo de que *te* lo roben, de que *se te* caiga al suelo...

4. ...*tú* eres el regalado, *a ti te* ofrecen para el cumpleaños del reloj.

E. Observaciones ortográficas

Busquen los siguientes signos de puntuación en el texto [la coma, el punto y coma, los dos puntos, el guión]. Discuta su función en el texto de acuerdo con las reglas de uso. Ver el **Apéndice gramatical,** pp. 175-242.

F. El manejo del diccionario: La descripción personal

Con la ayuda de un buen diccionario, traduzca las oraciones siguientes. ¡Ojo! Preste atención especial a los conceptos en bastardilla.

1. The boss is a *short* man with a *short* temper.

2. He doesn't hold *short* meetings; they ae very *long*.

3. He has a *odd sense of humor.* But the *funny* thing is that he is not *funny*.

4. He tells stupid *jokes* and *plays jokes* on people. They feel *embarrassed*.

5. It is a *disgrace* how he treats those *wretched* people. He is not *gracious*.

6. He should be *sensible* because some people are very *sensitive*.

7. He holds *wild* parties out in the forest among *wild* plants and *wild* animals.

8. He is *sane*, but not entirely *healthy* in psychological terms.

9. He is *different*, and he can't really get along with *different* people.

10. He is a *private* person but he doesn't have a *private* car, he takes the bus.

11. He is the *only* person at the firm who lives *alone*. He *only* has a cat.

12. He lives *close* to his parents, but I don't think they are a *close* family.

13. Sometimes he is *nice*, and then it is *nice* to work with him.

14. The *last* time I talked to him was *last* Monday.

15. He gave me a *free* ticket to the ballgame. I hope I am *free* on Saturday.

Actividades de escritura

A. El regalo que yo jamás olvidaré

Escriba una composición breve en la que describe un regalo que se destaca en su memoria por ser muy apreciado, muy extraño, muy chistoso, etc. Además de describir el regalo, trate de describir sus reacciones hacia él.

B. Para el hombre/la mujer que tenga todo

En la vida de cada uno hay alguien para quien es muy difícil comprar un regalo apropiado. Escriba una breve composición describiendo a tal persona. ¿Quién es? ¿Por qué es tan difícil buscarle un regalo? ¿Cómo ha solucionado el problema en el pasado o piensa solucionarlo en el futuro? ¿Por qué es esta la mejor solución?

C. Las cosas tienen una vida propia

Cortázar ha hecho una descripción de un objeto, pero en términos de la relación que existe entre el objeto y el dueño. Escoja un objeto (el coche, la televisión, la ropa, por ejemplo) que Ud. posee y escriba una descripción de él mostrando no sólo el papel funcional sino también social y psicológico que juega en su vida.

Lectura 3

Canning y Rivera
Fragmento De "Aguafuertes porteñas" por Roberto Arlt

Introducción a La Lectura

El texto siguiente describe un ambiente urbano de Buenos Aires formado por la intersección de dos calles importantes. El autor Roberto Arlt, es un escritor/periodista argentino. La descripción se trata más del ambiente social del lugar que de la apariencia física de la bocacalle. Arlt desarrolla la descripción del ambiente a través de un contraste de los lugares que forman parte del ambiente. Además, Arlt muestra el uso de la metáfora como elemento descriptivo.

Antes de leer

A. Ambientes urbanos
Casi todas las ciudades tienen un centro, una sección, una plaza o hasta una intersección que es el pulso dinámico de la vida urbana, y que tiene un ambiente particular.

1. ¿Reconocen algunos de los sitios siguientes?: Soho, Bourbon Street, The Left Bank, Picadilly Circus, Las Ramblas, Rodeo Drive, Hollywood and Vine, Burbon Street, La Gran Vía, Les Champs Elysées, El Paseo de la Reforma.

2. ¿Dónde se encuentra cada uno? ¿Por qué es famoso?

3. ¿Por qué atraen estos lugares a la gente? ¿A qué clase de persona atraen? ¿Por qué? ¿Cómo es el ambiente? ¿Qué espera la gente ver allí?

B. Mi ciudad
Piense ahora concretamente en su propio pueblo o ciudad.

1. Identifique un lugar vital de la ciudad (una calle, una intersección, una plaza, un parque, etc.). Haga una lista de los adjetivos que describen esa intersección.

2. Divida su ciudad en varias secciones como el centro comercial, la zona residencial, la zona escolar, la zona industrial, etc. ¿Qué clase de personas suele verse andando por las calles de cada una de esas secciones?

C. Lectura a la Evelyn Woods
Antes de leer un texto complejo, a veces ayuda dar un vistazo rápido leyendo títulos (y subtítulos) y la primera frase de cada párrafo. Para facilitar la lectura, a continuación se encuentra el texto reducido de la manera indicada arriba. Lea el esquema buscando en el diccionario sólo el vocabulario necesario para formar una impresión general de la estructura y contenido del texto. Discuta las preguntas siguientes:

1. El texto se divide en tres segmentos titulados. Además se puede notar que los segmentos tienen cada vez más párrafos. ¿Qué podría sugerir esto en cuanto a la estructura del texto y la posible función y contenido de cada segmento?

2. Basado solamente en la información del esquema, haga un resumen de lo que Ud. cree ser el contenido de cada segmento. Haga también una lista de preguntas que se le surgieren. Estas preguntas le van a guiar la lectura. ¿Se contestan estas preguntas o no en la lectura?

3. Texto reducido:

Canning y Rivera

P1 Canning y Rivera, intersección sentimental de Villa Crespo, refugio de vagos y filósofos baratos; pasaje obligado de fabriqueras, gorreros judíos y carniceros turquescos...

El café

P2 Si usted tiene aficiones a la atorrancia,... múdese a las inmediaciones de Canning y Rivera.

P3 Y le digo que se mude... porque... encontrará todo lo que el alma de un vago necesita...

P4 Y es que en una esquina así se pasa, sin vuelta. En cuanto un ciudadano entra al café, se siente contagiado de la pereza colectiva.

Hormiguero humano

P5 Triunvirato y Canning, Rivera y Canning, verdaderos cruces de hormiguero en plena efervescenia.

P6 Pasan las fabriqueras, pantaloneras, chalequeras...

P7 Los zánganos la gozan; la gozan y la miran, que otra cosa no hacen.

P8 Desfile humano interminable. Babel de toda las razas.

D. Adivinando el significado de palabras: el sufijo *-ero*

Esta lectura abunda en los sufijos **-ero/a** y **-or/ora** que se agregan a otras clases de palabras para crear una palabra relacionada. En la mayoría de los casos en esta lectura se agrega a un nombre para producir otro nombre que significa "persona/cosa relacionada al objeto implícito" *(flor → florero = flowerpot o florist)*. A veces convierte un nombre en adjetivo *(calle → callejero = de la calle)*. ¿Cuál es la palabra que sirve de base para las siguientes palabras derivadas? Al leer el texto, trate de determinar el significado de la palabra derivada.

> **Modelo:** **P1:** gorrero
> **Palabra base:** gorra *[hat/cap]*
> **Significado en el texto:** *cap maker/haberdasher*

P1 fabriquera, carnicero
P3 redoblonero, esquinero
P5 verdadero, hormiguero
P6 pantaloneras, chalequeras, alpargateras, tejedoras, cosedoras
P8 despensero

Canning y Rivera

Fragmento de "Aguafuertes porteñas" por Roberto Arlt

Canning y Rivera

1. la pereza
2. una cama dura
3. serán completamente satisfechas
4. además
5. pereza; persona perezosa
6. organizadores de una loto/loteria
7. gente que hace apuestas
8. donjuanes (de Don Juan), galanes
9. "tips" en las carreras de caballos
10. instrumento que aumenta la voz
11. descansar, relajarse, no preocuparse
12. exclamación como ¡Caramba! ¡Caray!
13. organismo biológico
14. bebida parecida al café
15. se recuesta
16. engañar al mozo
17. acostumbrados, mutuamente entendidos

P1 Canning y Rivera, intersección sentimental de Villa Crespo, refugio de vagos y filósofos baratos; pasaje obligado de fabriqueras, gorreros judíos y carniceros turquescos; Canning y Rivera, camino de Palermo, esquina con historia de un suicidio (una muchacha hace un año se tiró de un tercer piso y quedó enganchada en los alambres que sostienen el toldo del café salvándose de la muerte), y un café que desde la mañana temprano se llena de desocupados con aficiones radiotelefónicas.

El café

P2 Si usted tiene aficiones a la atorrancia[1]; si a usted le gusta estarse ocho horas sentado y otras ocho horas recostado en un catre[2], si usted reconoce que la divina providencia lo ha designado para ser un soberbio "squenun" en la superficie del planeta, múdese a las inmediaciones de Canning y Rivera. Todas sus ambiciones serán colmadas[3]... y el reino de los inocentes le será dado, por añadidura[4].

P3 Y le digo que se mude en las proximidades de esas alles porque en ese paraje encontrará todo lo que el alma de un vago necesita para consolación y regocijo de su fiaca[5]. Encontrará allí toda la variedad: levantadores de quinielas[6] y redobloneros[7], anarquistas en embrión, si usted es aficionado a la sociología; tenorios[8] y damas, música (de radio) y típica por la noche, y muchas mozas. El refugio es el café esquinero, parece una iglesia; pero una iglesia donde se hable de figas[9] y se trata de temas "profanos o del siglo" como dicen los teólogos. El altoparlante[10] suministra música nacional desde las diez de la mañana. Las ventanas abiertas a la calle invitan a dejarse estar[11]. Las fabriqueras que pasan, incitan a mirar. Los desdichados pintorescos que transitan invitan a meditar. Y con tanta ocupación inútil, pero espiritual, no hay fiaca que al dar las doce del día no exclame:—Pero, ¡la gran siete![12] ¡Cómo se pasa la mañana!

P4 Y es que en una esquina así se pasa, sin vuelta. En cuanto un ciudadano entra al café, se siente contagiado de la pereza colectiva. Los brazos le empiezan a pesar como si fueran de plomo y la mirada se le llena de neblina. El mozo que está acostumbrado a la clientala, es un plantígrado[13] resignado. No protesta. Sirve el achicoria[14] "express" con la misma sencillez de un mártir. Cinco de propina, y la mesa ocupada tres horas.

Hormiguero humano

P5 Triunvirato y Canning, Rivera y Canning, verdaderos cruces de hormiguero en plena efervescencia. Desde la mañana los cafés se llenan de gente. Desde temprano, bajo los toldos una humanidad de jóvenes fiacas se despatarra[15] en las sillas, y en mangas de camiseta goza del viento y del sol. ¿De qué viven?

18. dinero, monedas, pesos
19. hombres perezosos; abejas (drones)
20. hacen comentario de coqueteo a una mujer que pasa
21. reír fuertemente

Para mí es un misterio. El caso es que nadie le mete la mula al mozo[16], todos tienen los consabidos[17] veinte guitas[18] y una infinita ansiedad de no hacer nada, absolutamente nada.

P6 Pasan las fabriqueras, pantaloneras, chalequeras, alpargateras, gorreras, tejedoras, cosedoras. Son grupos de dos, de tres, de cinco muchachas.

P7 Los zánganos[19] la gozan; la gozan y miran, que otra cosa no hacen. Cuando más largan un piropo[20], alguna atrevida mira y exclama: —¡Andá a trabajar, vago!—Y el grupo se ríe a grandes carcajadas[21].

P8 Desfile humano interminable. Babel de todas las razas. Pasan sefardíes con piezas de tela, judíos con cestos cargados de gorras, turcos cristianos con canastas de carne, checoslovacos de blusa (trabajan en las obras del subte), alemanes con baratijas de venta imposible; italianos amarillos de tierra, españoles con manchas de vino en el delantal despensero, y un zumbido incesante se filtra a través del aire, bajo el dorado cielo azul de la mañana.

Tomado de Obra Completa, *Buenos Aires, 1981*

Después de leer PREGUNTAS DE COMPRENSION

1. ¿En qué parte de Buenos Aires se encuentra la intersección de Canning y Rivera?

2. Según el primer párrafo, ¿a qué clases de gente atrae la intersección?

3. ¿Qué incidente menciona el autor relacionado con la intersección?

4. Según el autor, ¿qué clase de persona debe mudarse a las proximidades de esas calles?

5. ¿Qué se encuentra allí?

6. ¿A qué se refiere el autor con el término "el refugio"?

7. Según el párrafo #4, ¿cómo es el ambiente del café?

8. ¿Cuál es el misterio al que se refiere el autor en el párrafo #5?

9. ¿Qué pasa entre los jóvenes del café y las mujeres que pasan en la calle?

10. ¿Cuántas nacionalidades se mencionan en el último párrafo? ¿Con qué oficio se asocia cada grupo?

ENFOQUE EN EL CONTENIDO Y LA ESTRUCTURA

A. Tema y tesis

La lectura está dividida en tres segmentos. El primero es el más resumido y presenta los temas (dos lugares) que se van a desarrollar en los otros dos segmentos de la lectura. ¿Cuáles son estos temas? ¿Dónde se desarrollan en el texto?

B. Análisis de un párrafo

La estructura básica de un párrafo contiene tres segmentos: 1) una frase temática que declara la idea central del párrafo; 2) el cuerpo del párrafo que desarrolla la idea central a través de datos, ejemplos, argumentos, etc. y 3) una frase de conclusión que resume el contenido del párrafo sin repetir palabras. El párrafo #3 es buen ejemplo de tal estructura.

1. A continuación se da el bosquejo del párrafo omitiendo elementos claves. Vuelva a leer el párrafo y complete el esquema según el contenido. Discuta el bosquejo: ¿representa bien, en su opinión, la estructura del párrafo? ¿Por qué (no)?

2. Haga un bosquejo del párrafo #4 (Y es que una esquina así...). Compare su bosquejo con el de otro estudiante y discutan las semejanzas y diferencias entre los bosquejos.

I. Frase temática

Y le digo que se mude en las proximidades de esas calles porque...

II. Desarrollo de la idea central con ejemplos:

A. Encontrará allí toda _____

   1. _____ de quinielas y redobloneros,

   2. _____ en embrión,

   3. si usted as aficionado a la sociología;

      a. _____

      b. _____ (de radio) y típica por la noche,

      c. y muchas _____

B. _____ es el café esquinero,

   1. parece _____ .

   2. El altoparlante suministra _____ nacional.

   3. Las ventanas abiertas a la calle invitan a _____ .

   4. Las fabriqueras que pasan, incitan a _____ .

   5. Los deshichados pintorescos que transitan invitan a

   _____ .

III. Conclusión/resumen:

_____ , no hay fiaca que al dar las doce del día no exclame:—Pero, ¡la gran siete!

¡ _____ !

C. Metáforas y un contraste social

Un elemento estructural de la lectura es la oposición de lugares: el café vs. la calle. ¿Qué representan los dos lugares? Piense en lo siguiente:

1. ¿Qué clase de persona frecuenta el café? ¿Qué clase de persona pasa por la calle? ¿Por qué pasa esa gente por la intersección? ¿Qué tipo de interacción hay entre las dos clases?

2. ¿Cuáles son los términos que el autor utiliza para referise al café? ¿Con qué lugar se compara el café metafóricamente? ¿Qué quiere decir el autor mediante la metáfora?

3. ¿Cuáles son los términos que utiliza el autor para referirse a la intersección? ¿Cuáles son las metáforas que utiliza? ¿Sirven bien para hacer la descripción del ambiente?

D. Buenos Aires en pequeño

1. El autor representa los dos lugares (la intersección y el café) como un microcosmos de la sociedad urbana de Argentina (o por lo menos de la región). Discuta. Piense en la tipología de gente que presenta el autor. Por ejemplo, la gente de las distintas razas y nacionalidades se identifican con oficios tipicos. ¿Cuáles son?

2. ¿Se puede entrever la actitud del autor hacia el sitio y la gente? ¿Le gusta el lugar? ¿Le gustan los tipos de personas que lo frecuentan? Piense en estas preguntas:
   • ¿Qué se pregunta el autor acerca de los jóvenes del café?
   • ¿Cómo describe al mozo que sirve en el café?
   • Según insinúa el autor, ¿por qué pasan por allí las mujeres trabajadoras (sobre todo las fabriqueras)?

E. El suicidio fracasado

Volviendo a la anécdota del suicidio en el primer segmento de la lectura, ¿es un dato extraño que presenta el autor o tiene algún significado relacionado con la tesis del texto?

ENFOQUE EN EL LENGUAJE

Para más información sobre los temas gramaticales tratados en estas actividades, consúltese el **Apéndice** gramatical.

A. El ocio

Las primeras dos partes de esta lectura abundan en el vocabulario del ocio y de la vida tranquila.

1. Reúna cuantas palabras y expresiones posibles emplea el autor para evocar estos conceptos. Trate de clasificar los términos por clase de palabra **(nombre, adjetivo, verbo, modismo, expresión idiomática, etc.)**

2. Según el contexto del párrafo #2, ¿puede pertenecer a esta clase la palabra misteriosa "squenun"?

B. Verbos esenciales para la descripción

Llene los espacios con la forma apropiada del verbo indicado por el contexto: **ser, estar, haber y tener.** Esté listo a explicar su elección de verbo.

I. Utilice el tiempo presente de los verbos.

El café esquinero parece una iglesia pero no _____ iglesia. El ciudadano _____ contagiado de la pereza colectiva. En ese paraje _____ todo lo que el alma de un vago necesita. _____ una gran variedad de gente. Las ventanas _____ abiertas a la calle y el altoparlante _____ tocando música nacional. Las mesas _____ ocupadas durante largas horas, por eso el mozo no gana mucho dinero en propinas. Pero él _____ acostumbrado a la clientela.

2. Utilice el tiempo pasado de los verbos.

Triunvirato y Canning, Rivera y Cannning _____ verdaderos cruces de hormiguero. Las bocacalles parecían un hormiguero que _____ en plena efeverscencia. Los cafés _____ llenos de gente desocupada. _____ muchos jóvenes en los cafés. _____ muy perezosos. _____ en mangas de camiseta gozando del tiempo. _____ viento y sol. ¿De qué vivían los jóvenes? _____ un misterio. Afuera _____ un desfile humano interminable. _____ Babel de todas las razas.

C. Estructuras comparativas

Llene los espacios con las expresiones comparativas indicadas por el contexto de la frase. Trate de utilizar una variedad de estructuras: de igualdad—**tan(to),** de desigualdad—**más/menos,** superlativas—**el más/menos,** absolutas— **adjetivo + ísimo,** expresiones varias **como, igual que.** En algunos casos se puede usar más de una estructura.

1. Por la intersección de Canning y Rivera pasan _____ vagos _____ filósofos baratos.

2. La gente de la calle no es _____ perezosa _____ la de los cafés..

3. Los temas que se discuten en los cafés son _____ profanos _____ los que se discuten en las iglesias.

4. El mozo nuevo está _____ acostumbrado a la clientela _____ el viejo.

5. La clientela siempre deja _____ propina _____ el mozo quiere recibir.

6. Los jóvenes fiacas tienen _____ tiempo _____ dinero.

7. Es un día bonito, hace _____ sol _____ un viento ligero.

8. Al entrar al café, los brazos del ciudadano empiezan a pesar _____ plomo.

9. Se oye un zumbido incesante _____ en un hormiguero.

D. Observaciones ortográficas

Busquen los siguientes signos de puntuación en el texto [la coma, el punto y coma, los dos puntos, la raya]. Discuta su función en el texto de acuerdo con las reglas de uso. Ver el **Apéndice gramatical,** pp. 175-242.

E. Los gentilicios

En el último párrafo de "Canning y Rivera" aparecen varios gentilicios, nombres y adjetivos referentes al pueblo de una región o sitio geográfico (de Italia → italiano). Busquen en un diccionario bueno los siguientes gentilicios: de Bogotá, de Buenos Aires, de Caracas, de Costa Rica, de Guatemala, de Honduras, de Nicaragua, de Lima, de Madrid, de Panamá, de Puerto Rico, de El Salvador, de Uruguay, de Venezuela

Actividades de escritura

A. Mi cuarto

Todo el mundo organiza su ambiente personal de modo que éste refleje la personalidad y los gustos que tiene. Escriba una corta descripción de su habitación, mostrando quién es Ud. a través de la expresión descriptiva. Haga la descripción de una forma organizada: es decir, siga un plan espacial o escoja un elemento central que pueda servir como foco de las composición.

B. Un lugar con ambiente

Haga una descripción de un lugar que tenga "ambiente" social. A lo mejor Ud. tiene un lugar favorito adonde se escapa para relajarse y divertirse. Haga una lista de expresiones descriptivas que utilizaría para describirlo. Piense en términos tanto subjetivos (impresiones, sensaciones, reacciones personales) como objetivos (descripción físca y concreta). Con base en la lista componga una corta descripción (de un párrafo) de él de modo que se revele por qué le gusta tanto el sitio. Siga un plan organizado.

C. Un bestiario estudiantil

Si Ud. fuera a clasificar a los estudiantes universitarios según tipos sociales, ¿cuáles son las categorías que identificaría? ¿Cuáles son los rasgos distintivos de cada categoría? ¿Cómo se reconocen estos rasgos? ¿Qué clase de reacciones provocan las distintas clases? Primero, apunte brevemente los tipos que Ud. ha identificado y los rasgos característicos de cada uno. Después, escriba un párrafo corto describiendo el tipo que más le interese.

Resumen de elementos de la composición descriptiva

En esta unidad, Ud. ha estudiado tres lecturas basadas en principios y mecanismos descriptivos. El estudio de "El correo del amor" muestra que la estructura y el contenido se rigen hasta cierto punto por la interacción entre el propósito del autor y su concepción del público hacia el cual está dirigido el anuncio personal. Por una parte, el contenido descriptivo de un anuncio refleja los valores y las necesidades de los individuos anunciantes; por otra parte, el esquema del anuncio personal es tan bien conocido que todo el mundo puede anticipar hasta cierto punto su contenido y estructura.

El texto "Preámbulo a las instrucciones para dar cuerda al reloj" ejemplifica el uso de una tesis irónica como principio de organización de una descripción. La ironía se expresa de varias maneras: 1) por la enumeración de consecuencias negativas que acompañan el regalo; 2) mediante los varios nombres con significados contradictorios que el autor inventa para describir y referirse al reloj; y 3) en la última frase del texto, que resume la tesis irónica claramente, cambiando el referente del término "regalado".

"Canning y Rivera" es un buen ejemplo de la descripción de un lugar o ambiente. Se rige por una tesis que se expresa inmediatamente en la primera frase: Canning y Rivera es una intersección especial en tres sentidos: es un ambiente sentimental, es un refugio de vagos y es pasaje obligado de la clase trabajadora. Los elementos de la tesis imponen una organización espacial. Los espacios claves de la tesis (el café y la intersección) corresponden a distintos mundos o estilos de vida (ocio vs. trabajo). La descripción de cada espacio estriba en una metáfora (el café = refugio como una iglesia/la intersección = un hormiguero). Los espacios principales se relacionan mediante un tercer espacio, la ventana del café. El movimiento del texto forma una progresión desde el espacio interior del café a través de la ventana, que marca el punto de interacción transitoria entre los dos mundos, hacia el mundo exterior de la intersección y, por último, hasta "el dorado cielo azul de la mañana."

Actividades de escritura extendida

A. El/la agente matrimonial

Ud. es un/una agente matrimonial, y una de las dos damas anunciantes de la lectura son sus clientes. Busque entre los anunciantes la mejor pareja para ella. Como no se le paga a Ud. sino hasta que la pareja salga por lo menos una vez,

Ud. tiene que proponerle una cita con uno de los caballeros a la dama y convencerla de que es una pareja perfecta.

B. Un anuncio comercial

Ud. prepara un anuncio comercial (de una a dos páginas) en el que describe su lugar favorito de recreo o de vacaciones. Además de enumerar las posibilidades de recreo, trate de captar el ambiente del sitio haciendo lo siguiente:

1. pintando el lugar con vocabulario descriptivo de los varios sentidos (no sólo en términos visuales) y de las reacciones psicológicas y emocionales que uno experimenta, y

2. caracterizando a los tipos genéricos de gente que acude al lugar.

C. El hombre y el tiempo

Todo el mundo se relaciona psicológicamente con el tiempo. Algunos no se preocupan mucho por la hora; otros son muy puntuales. Algunos hacen horarios detallados llenos de actividades; otros prefieren el tiempo no estructurado. Algunas personas viven el presente, otras se preocupan por el futuro y aún otras se orientan hacia el pasado. Como preparación a una futura biografía, escriba una propuesta bien estructurada en la que describe a alguien que ya conoce en términos de su sentido del tiempo. Siga, si quiere, el esquema siguiente:

Tesis: Haga una observación interesante acerca de la gente y del tiempo.

Ejemplo: Introduzca a la persona que sirve de ejemplo.

Desarrollo: Escriba por lo menos tres párrafos, estructurados entre sí, que desarrollan la tesis a través de una descripción de la persona, su apariencia, lo que dice y lo que hace.

Conclusión: Resuma de alguna forma (sin repetir lo ya dicho) el tema y la tesis de su composición.

Título: Trate de inventar un título interesante y apropiado.

Unidad 2 La Narración

OBJETIVOS

Después de terminar este capítulo, el estudiante podrá:

- definir los elementos básicos de una narración.

- identificar los elementos narrativos de cada tipo de lectura.

- distinguir las características que se utilizan para organizar una narración.

- interpretar el punto de vista de una lectura y discutir su eficacia.

- evaluar la importancia del primer plano y del fondo de un cuento.

- escribir un relato que demuestre el uso de los elementos básicos de una narración.

OBJETIVOS LINGÜÍSTICOS

Después de terminar este capítulo, el estudiante podrá:

- utilizar el aspecto verbal en la narración.

- modificar las acciones.

Introducción General

Rasgos de la Narrativa

Todo el mundo narra o relata informalmente los incidentes de la vida casi a diario. A diferencia de un relato extemporáneo informal, una narrativa formal, como un cuento, debe exhibir un alto grado de organización y cohesión. La buena narración tiene los elementos siguientes: ambiente, personajes, una situación, una secuencia de acción y, en muchos casos, el diálogo.

El narrador tiene que establecer el ambiente del relato; es decir, orientar al lector según el tiempo, el lugar, los personajes y la situación. Como se puede apreciar, la narración se vale mucho de la descripción para crear el ambiente y para dar contexto a las acciones e incidentes que constituyen la secuencia de acción. La descripción de lugares, de personajes, y de las circunstancias que subyacen la acción es un elemento imprescindible de la narración.

Todo cuento bueno se basa en una circunstancia problemática interesante que tiene que resolverse de alguna forma a través de la narrativa. La problemática puede ser un dilema, una crisis, o alguna situación provocadora que queda por concluirse. El componente principal de una narrativa es la relación de una secuencia de eventos a través del tiempo. Frecuentemente se relata en forma de episodios que muestran el desenvolvimiento de la problemática y que llevan al momento crítico seguido de un desenlace en el cual se resuelve el problema.

Aunque la acción y los episodios pueden presentarse en orden cronológico, no tiene que ser el caso. En efecto, una de las técnicas narrativas más eficaces es comenzar el relato colocando al lector en el medio de la acción o de un momento crítico. Entonces, la situación se aclara poco a poco a medida que avanza el cuento. Esta estrategia, que se llama **en res media** (término latino), interesa al lector inmediatamente porque éste se encuentra de entrada en una situación que no entiende; le falta al lector información que tiene que buscar mediante la lectura.

El autor puede narrar el cuento desde varios puntos de vista. Puede ser uno de los personajes del cuento, sea principal (el protagonista) o secundario; en tal caso, se dice que el cuento se relata en primera persona. Por otra parte, el autor puede tomar la perspectiva de un observador externo; en este caso, se cuenta la historia en tercera persona. Normalmente el narrador es omnisciente, es decir, sabe y puede reportar todo, incluso los motivos y los pensamientos de los personajes.

Desde luego, las mejores narrativas también plantean una tesis (una idea principal). En la narrativa, la tesis normalmente no se declara abiertamente; es implícita, el lector tiene que deducirla de lo que pasa en el cuento. El propósito del autor de un cuento literario, por ejemplo, no es dictar el pensamiento sino hacer pensar al lector.

Para hacer bien una narración, además de dominar las estructuras descriptivas, es necesario manejar bien las formas verbales de tiempo (el pasado, el presente y el futuro), de aspecto (el imperfecto, el pretérito, y las formas del perfecto (haber + el participio pasado), y en menor grado, de modo (el condicional, el subjuntivo). Será frecuentemente necesario representar el diálogo (una conversación entre personajes o lo que dice un personaje determinado) de una forma directa (apropiadamente puntuada) o indirecta. Se debe estudiar la información correspondiente en el **Apéndice gramatical** para hacer las prácticas de esta unidad.

Actividad Preliminar
Los Chistes

Una forma narrativa muy popular y concisa es el chiste contado. Aunque parezca un poco raro decirlo, para ser verdaderamente "chistoso", el chiste tiene que ser una composición sumamente bien estructurada. Es necesario limitar la información del chiste a lo esencial y presentarla en un orden estrechamente determinado para producir un remate (*punch line*) que produzca la risa. En cierto sentido, el remate sirve como la tesis del chiste, es el momento del relato que determina toda la estructura del chiste. A continuación hay algunos chistes para gozar.

1. ***En el consultorio***
   El doctor le preguntó a su paciente, el Sr. Pacheco:
   —Usted oye voces sin ver a nadie, señor Pacheco?
   —Sí, me pasa muchas veces, Dr. Martínez.
   —¿Y cuándo le ocurre a Ud? —le pregunta el médico.
   —Pues, sobre todo cuando hablo por teléfono.

2. ***Una rosa por cualquier nombre . . .***
   Se encuentran un oso hormiguero y un perro lobo y pregunta el primero:
   —Oye tú, ¿por qué te llamas perro lobo?
   —Porque mi madre es una loba y mi padre es un perro—responde el segundo, —y tú, ¿cómo te llamas?
   —Yo me llamo oso hormiguero —dijo el primero.
   —Anda, ¿ya crees que voy a creerte? —preguntó el perro lobo incrédulo.

3. ***Un curso por telepatía***
   Cierto alumno del colegio había pagado para estudiar un curso especial de telepatía por correspondencia, pero no le llegó el material. Telefoneó a la escuela, en son de protesta.
   —Ese curso no lo enviamos por correo—le explicó una agradable voz femenina—lo trasmitimos por telepatía.

—Aún no lo he recibido—repuso en presunto alumno.

—Ya lo sé. Hasta ahora usted ha venido fallando en la asignatura.

Para Conversar

1. Comente el humor de los chistes presentados arriba. ¿En qué reside el (presunto) humor del chiste?

2. ¿Se pueden traducir estos chistes al inglés sin perder el valor humorístico? ¿Por qué (no)?

3. Todos tenemos distintos sentidos del humor. ¿Cómo es el suyo? ¿Tiene un buen sentido del humor? ¿Se considera una persona chistosa? ¿Es usted una persona sarcástica?

4. ¿Qué le provoca la risa ligera y la risa profunda (una carcajada)? ¿De qué se ríe Ud? ¿del humor físico?, ¿de las estupideces de la gente?, ¿de los juegos de palabras?, ¿de la ironía? ¿Cómo se compara su sentido del humor con los compañeros de la clase o con el de otras personas que conoce?

4. ¿Sabe Ud. contar bien los chistes? ¿Le gustan los chistes verdes? ¿Los cuenta Ud.?

5. ¿Le gustan las tiras cómicas? ¿Cuál es su historieta favorita? ¿Por qué le gusta tanto?

6. Según el diccionario, ¿cuál es la diferencia entre un **chiste** y una **broma?** ¿Le gusta gastar bromas?

Algunas Actividades

1. Piense en un chiste que conoce en inglés. Trate de contarlo en español. ¿Es la clase de chiste que se puede traducir fácilmente a otro idioma como el español? ¿Por qué (no)? ¿Depende de lo visual? ¿Depende de una palabra que no tiene equivalente en español? ¿Hay un elemento cultural que no se puede traducir? Si se puede traducir, ¿cree que pierde hasta cierto punto su valor humorístico? ¿Por qué (no)?

2. Habrá notado que un elemento muy frecuente de un chiste contado es el diálogo. Fíjese en la presentación del diálogo en los chistes de arriba. ¿Qué nota acerca de la puntuación? ¿Cómo difiere del inglés? ¿Dónde se usan los dos puntos [:]? ¿Cómo se marca el cambio de interlocutor? ¿Qué funciones tiene la raya [—]?

3. Para la práctica siguiente, se debe repasar toda la información sobre la ortografía y la puntuación en el **Apéndice gramatical** (pp. 175-242). En hoja aparte, transcriba el chiste siguiente puntuándolo y corrigiendo los muchos errores de ortografía.

La autodefensa

El Professor Martinez estaba en la peluqueria [barbershop] el Sabado por la manana Jose el barbero no era de los mejores de su profesion y al afeitar al Señor Martinez lo cortó dos vezes El cliente se puso muy enojado

Tendras tu por casualidad otra navaja le dijo el sr Martinez al barbero.

Por que dice Usted eso le pregunto el barbero hay algo raro con esta navaja

En realidad no se le contesto el cliente pero me gustaria tener el chance de defenderme contra tu attaque

Lectura **1** Una Carta de Túnez

Introduccion a La Lectura

Otro tipo de narrativa es la carta personal que, aunque es personal, no tiene que carecer de una estructura coherente. La lectura que sigue es una carta en la que la joven autora describe lugares, acontecimientos reacciones personales. Como es normalmente el caso con las cartas personales, ésta presupone un lector conocido e íntimo de la autora. Se trata de un viaje y, aunque es un relato de lugares y hechos presentados más o menos en orden cronológico, el contenido y la forma expresiva de la carta también revelan una tesis interesante que se declara en el quinto párrafo. Es decir que esta carta, además de ser una comunicación personal, también representa una composición estructurada basada en una idea central.

Esta carta no será una lectura fácil porque la autora afecta una actitud descuidada y espontánea empleando una gran cantidad de modismos y expresiones coloquiales, algunas de las cuales sólo valen en España. Además hay muchos casos de *elipsis:* ideas parcialmente expresadas que obligan al lector a completar el significado. El estudiante no tiene que preocuparse demasiado por eso; sólo se le pide entender la carta en términos generales. El estudiante debe, además, tratar de formarse una idea de la personalidad de la autora y buscar la tesis.

Antes de leer A. La expresión personal

1. Desgraciadamente, parece que se está perdiendo el arte de escribir la carta personal. ¿Escribe Ud. cartas con alguna frecuencia? ¿Por qué (no)?

2. ¿Ha escrito Ud. una carta personal? ¿A quién? ¿Con qué propósito? ¿Qué le(s) contó? ¿Cómo organizó el contenido de la carta? ¿Pensó Ud. en la forma de la carta, o la escribió así no más?

3. Lleva Ud. un diario personal? ¿Lo hace consistentemente? ¿De qué se tratan las entradas (entries) que hace?

4. Parece que el mensaje electrónico es una nueva forma de comunicado que para unos se parece a una carta, y para otros tiene más bien las

características de una conversación escrita. ¿Se comunica Ud. mucho por correo electrónico? ¿Con quién(es)? ¿Acerca de qué? ¿Utiliza Ud. un saludo y una despedida? ¿Divide el mensaje en párrafos? ¿Se preocupa Ud. por la ortografía y el estilo al escribir un mensaje electrónico?

B. Saludos y despedidas

1. Si Ud. escribiera cartas personales en inglés, ¿cuál(es) saludos y despedidas usaría para comunicarse con: ¿el novio/la novia?, ¿un padre/un hermano?, ¿un jefe/una jefa?

2. ¿Cuáles de los siguientes saludos y despedidas son informales, ¿formales?:
   a. Saludos:
   Distinguido X, Querido X, Estimado X
   b. Despedidas:
   Abrazos, Atentamente, Un cordial saludo de X, Un cariñoso saludo de, Sin otro particular, Hasta pronto

A leer

Una Carta de Túnez

Túnez

1. tarde
2. entre una cosa y otra
3. artículo de ropa, sweater
4. confusión
5. en busca de
6. ni idea
7. diversión con ruido
8. nos perdimos totalmente
9. sitio lleno de atracadores
10. mañana de mucho sol
11. fascinante
12. paradas poco atractivas, peligrosas

P1   Nos encontramos el jueves en el aeropuerto. A nosotros nos llevó Paco. María José fue con sus padres porque además su madre quería echarle el ojo a Eugenio. Salimos con retraso[1] y entre pitos y flautas[2] llegamos a Túnez a las 8 de la noche del 24 de marzo. Hacía un viento huracanado y helador y no hacía más que pensar que no llevaba nada más que una rebeca[3] gris . . .

P2   Nos entregaron el FIAT-UNO y arrancamos con un despiste de narices[4] a la caza y captura[5] del Hotel. No teníamos ni flores[6] de cómo funcionaba el asunto de las calles y todas eran prohibidas. De casualidad lo encontramos. A mí se me cayó el alma a los pies cuando vi nuestra habitación. Bajamos a cenar y ya empezó el jolgorio[7]. Visitamos Túnez capital y nos pegamos una perdida[8] que acabamos en un **sitio auténtico navajeros**[9] pero muertos de la risa. Al día siguiente abandonamos el hotel y a las 7'30h de la soleadísima mañana[10] del Viernes Santo partimos hacia Monastir. Mi mapa de carreteras era alucinante[11]. Nos perdimos 1,000 veces pero sirvió para conocer parajes inhóspitos[12]. Antes de salir hacia el sur de la costa (o sea, hacia Monastir) subimos un poco al norte para ver Cartago, famosos habitantes los cartagineses por sus guerras púnicas-romanas.

P3   Ya empezábamos a causar FUROR (porque realmente eso ocurría) entre los chicos; sobre todo María José (rubia, ojos verdes . . .) Paramos en Hammamet y un montón de pueblos y por la tarde en Sousse—gran capital. A eso de las 5'30h llegamos a Monastir. Eso fue el lujo. El hotel era una locura de las mil y una noches, de lujo y estrellas. Una pasada[13]. La ciudad tenía un encanto muy especial. Nos duchamos y a visitaria[14]. No veas[15] la revolución «rubia + morena» (María José y Charo) que montamos. Provocábamos a los chicos en plan bestia[16] y se ponían a 100/h[17]. Eugenio se enfadaba y decía que eso era muy peligroso pero la rubia y yo pasábamos un montón[18]. Nos colamos[19], junto con Loli, las 3, en una boda. Allí tuve un flechazo[20] con un chico alucinante. Delgado, super bien vestido, ojos verdes, bigote rubiales[21], alto, y tenía un super-Mercedes blanco... ¡No veas qué tío más bueno! Me hice foto con él y el tío alucinaba por un tubo[22] porque también se quedó prendado de mí[23]. Al final le abandoné entre sonrisas[24]. (Tengo foto acreditativa del momento).

P4   Resultado: Eugenio celosillo y alucinando[25]. La rubia y yo muriéndonos de la risa. El resto del personal hablándonos en moraco[26], supongo que para invitarnos a que nos hiciésemos fotos con ellos [u otras «cosillas»]. Seguimos visitando y haciendo fotos. Fuimos a nuestro super Hotel y cenamos como animales en un bufete de los que yo nunca recuerdo haber visto.

P5   Nos cambiamos y nos reunimos en la 506[27], de la rubia y mía para hablar del día. Nos acostamos tardísimo. A las 7 nos levantamos, desayunamos y abandonamos el hotel. Era un cuadro[28] vernos: FIAT-UNO + 5 personas + 5 equipajes botando por todas las carreteras[29] y pueblos. Tienes que pensar que lo que hicimos nosotros no lo hacía nadie. Normalmente el turista se instala en un super hotel de la costa a tomar el sol y relajarse durante 4 ó 5 días, pero nadie trota por esos caminos de Alá en plan «París-Dahar».[30] Realmente Tunicia es para visitarla como lo hemos hecho nosotros o en plan romántico[31] en la costa con el hombre de tu vida, pero no vale la pena ninguna ciudad, en cuanto que no es un Roma o Londres, sino es un montón de miseria y gente muy agradable; ni siquiera es comparable con Marruecos; nada que ver; no tiene ni siquiera maravillosos palacios árabes o mezquitas increíbles. Lo interesante es el aspecto social o antropológico, la aventura.

P6   Prácticamente te lo he contado todo. Escríbeme y espero que cuando te escriba tenga novedades que contarte aunque seguro que ya no serán 5 hojas de carta.

Hasta pronto,

Charo

Después de leer   PREGUNTAS DE COMPRENSION

1.   ¿Cuántas personas estuvieron en el aeropuerto y quiénes eran?

2.   ¿Qué tiempo hacía?

3.   ¿Cómo era la habitación? ¿Le gustaba a la autora?

4. ¿Dónde viajaron?

5. ¿Qué causó el furor?

6. ¿Quién tuvo el flechazo y con quién? ¿Cómo era esa persona?

7. ¿Qué clase de hotel fue donde se quedaron?

8. La reacción de Eugenio, ¿porqué les pareció cómica a María José y a Charo?

9. Según la autora, ¿cómo se debe hacer un viaje? ¿Cómo lo hacen los turistas normalmente? Según la autora, ¿cómo deben hacerlo?

10. ¿Cuál es el aspecto más importante de un viaje?

ENFOQUE EN EL CONTENIDO Y LA ESTRUCTURA

A. Para organizar

La carta se divide en seis párrafos. Discuta esta división. ¿Cuál es la idea central de cada párrafo?

P1 _____

P2 _____

P3 _____

P4 _____

P5 _____

P6 _____

B. El tema

1. El P5 presenta la tesis que sirve para organizar la carta. En una frase diga cuál es ese tema. Podemos decir que la composición se ha desarrollado de una forma inductiva. Explique.

2. Busque en la carta las ideas y el lenguaje que apoyan esta tesis. Discútanlas.

ENFOQUE EN EL LENGUAJE

Para más información sobre los temas gramaticales tratados en estas actividades, consúltese el Apéndice gramatical.

A. Los tiempos verbales

En la carta, los verbos ocurren en el orden siguiente. En una hoja aparte, marque si el verbo está en el pretérito o en el imperfecto. Discuta por qué seleccionó la autora cada forma.

VERBO	LA FORMA PRET/IMP	POR QUÉ
P1		
nos llevó Paco		
su madre quería		
no hacía más que pensar		
P2		
nos entregaron el Fiat		
cómo funcionaba (las calles)		
se me cayó el alma		
empezó el jolgorio		
abandonamos el hotel		
era alucinante		
P3		
empezábamos a causar furor		
llegamos a Monastir		
eso fue el lujo		
la revolución que montamos		
(los chicos) se ponían a 100/h		
decía que era muy peligroso		
pasábamos un montón		
tuve un flechazo		
P5		
era un cuadro vernos		
no lo hacía nadie		

B. La expresión descriptiva:

1. La autora se vale mucho del *participio pasado* como elemento descriptivo. Busque(n) por lo menos 5–10 ejemplos. Comparen sus listas y compongan un inventario completo. Ver el **Apéndice gramatical,** pp. 175-242.

2. En la carta que acaba de leer, la autora, mediante su forma de expresión descriptiva, crea una impresión fuerte de aventura. ¿Cuáles son los elementos o los rasgos de una aventura? ¿Cómo se expresan estos elementos en la carta? Cada estudiante debe hacer una lista de por lo menos 5–10 conceptos, palabras o expresiones que la joven emplea para transmitir la sensación de aventura. Comparen sus listas y compongan un inventario completo. Organicen la lista en términos de lo que se describe (persona, lugar, acción, reacción, situación, etc.).

C. Preguntas implícitas

Cambie estas categorías de detalles descriptivos en preguntas que se puedan usar para buscar detalles específicos. Por ejemplo:

¿A quién se le ocurrió la idea?

¿Cuál es la historia de la idea?

¿Qué otras ideas se relacionan con ésta?

¿Qué valor tiene esta idea?

Estas listas les ayudarán a desarrollar sus ideas más concretamente. Las preguntas les serán útiles al momento de escribir, porque, al contestarlas, probablemente están contestando las preguntas que se haría el lector de su trabajo. Al momento de organizar sus ideas para escribir, tendrá una lista que incluirá más material de lo que pueda usar, pero esa decisión de optar por ciertos detalles y no otros forma parte del proceso de escribir.

Actividades de escritura

A. De lo que ha leído, Ud. habrá formado una imagen física, psicológica y social de Charo, la joven autora, en cuanto a sus rasgos físicos, psicológicos (de personalidad) y sociales. Escriba una corta descripción organizada de la joven. Debe formular la descripción de acuerdo con una tesis (una idea central) Use el diccionario para buscar un vocabulario bien descriptivo.

B. Piense en algún viaje que ha hecho en su vida. En forma de una carta personal a un pariente o a un amigo íntimo suyo, haga un relato del viaje que no solo presente los hechos cronológicos sino que también exprese una idea principal. La idea principal no debe ser que el viaje fue "interesante" o que "le gustó el viaje"—eso *no es interesante.*

Lectura 2

Génesis
Por Marco Denevi

Introducción a La Lectura

Los autores latinamericanos modernos a menudo se valen de la fantasía para plantear sus tesis acerca del mundo y sus realidades. Uno de ellos es Marco Denevi, un escritor argentino que murió en 1998. Denevi ganó fama con su primera novela ***Rosaura a las diez*** que se publicó en 1955. Con ella sus obras siguientes, Denevi se estableció como autor de prestigio mundial. Como muchos escritores latinoamericanos, Denevi también fue periodista durante casi veinte años.

Una forma literaria que Denevi practicaba era el cuentito, como la lectura que ofrecemos a continuación. En *Génesis,* el autor se basa en varios cuentos bien conocidos de la Biblia, pero los transforma para servir sus propósitos. Como es el caso en muchos de sus cuentos muy cortos, Denevi busca sorprender al lector al final; o sea, el autor rompe con las espectativas del lector para hacerle pensar. El fin del cuento tiene casi el mismo efecto que el remate (punchline) de un chiste, pero las conclusiones que saca el lector no son para reírse.

Antes de leer

A. Adán y Eva

Cuando usted piensa en los nombres de Adán y Eva, ¿qué le viene a la mente? Describa estas personas, dónde están, cómo se visten, cómo son los personajes. Después, compare sus listas con los de algunos compañeros. ¿Qué semejanzas había en las varias listas?, ¿qué diferencias?

B. Sólo con el título

El título de "Génesis" tiene connotaciones bíblicas. Con ese título, ¿qué pronósticos puede hacer sobre lo que se desarrollará en el cuento? ¿Qué resolución espera al final del cuento?

A leer

Génesis

por Marco Denevi

Con la última guerra atómica, la humanidad y la civilización desaparecieron. Toda la tierra fue como un desierto calcinado. En cierta región de Oriente sobrevivió un niño, hijo del piloto de una nave espacial. El niño se alimentaba de hierbas y dormía en una caverna. Durante mucho tiempo, aturdido por el horror del desastre, sólo sabía llorar y clamar por su padre. Después sus recuerdos se oscurecieron, se disgregaron, se volvieron arbitrarios y cambiantes como un sueño, su horror se transformó en un vago miedo. A ratos recordaba la figura de su padre, que le sonreía o lo amonestaba, o ascendía a su nave espacial, envuelta en un fuego y en ruido, y se perdía entre las nubes. Entonces, loco de soledad, caía de rodillas y le rogaba que volviese. Entretanto la tierra se cubrió nuevamente de vegetación; las plantas se cargaron de flores; los árboles, de frutos. El niño, convertido en un muchacho, comenzó a explorar el país. Un día vio un ave. Otro día vio un lobo. Otro día inesperadamente, se halló frente a una joven de su edad que, lo mismo que él, había sobrevivido a los estragos de la guerra atómica.

—¿Cómo te llamas?—le preguntó.
—Eva,—contestó la joven.—¿Y tú?
—Adán.

Después de leer

1. ¿A qué se refiere el título del cuento?
2. ¿Cómo orienta el título al lector? ¿En qué debe pensar el lector para poder entender el relato?
3. ¿Cómo es el padre del niño? ¿Qué hace? ¿Qué le pasa? Se puede interpretar esto en términos bíblicos?
4. ¿Qué le pasa a la Tierra en el cuento? ¿Cómo cambia? ¿Cuál es el primer animal que el niño ve? ¿Le recuerda a Ud. otro cuento de la Biblia?
5. ¿Qué implica el hecho de que los personajes Adán y Eva sólo se identifican al final de cuento?

ENFOQUE EN EL CONTENIDO Y LA ESTRUCTURA

A. La estructura interna
¿Cómo agruparía usted las oraciones del cuento? A continuación se presentan tres posibles esquemas de la estructura interna de la lectura de "Génesis". ¿Vale alguno de los siguientes esquemas? Discuta los méritos de cada posibilidad.

1. #1–#2 / #3–#8 / #9–#13 / #14–#16

2. #1–#4 / #5–#9 / #10–#13 / #14–#16

3. #1–#5 / #6–#10 / #11–#13 / #14–#16

B. La tesis
¿Tiene la narrativa una tesis explícita o implícita? ¿Cuál sería la tesis? ¿Qué quiere el autor comunicarle al lector?

C. Para ampliar
Este cuento solamente se vale de un párrafo y un diálogo breve. Dentro del párrafo existe una sub-estructura que indica el desarrollo de los acontecimientos. Si Ud. fuera a escribir el cuento de forma más amplia, ¿cómo podría dividir el cuento para formar diferentes párrafos? ¿Qué detalles habría que añadirle a cada párrafo?

ENFOQUE EN EL LENGUAJE

A. El pretérito y el imperfecto
Vuelva a leer el cuento. Haga una lista de los verbos conjugados en orden de aparición. Explique el juego de pretérito e imperfecto en el contexto y cómo contribuyen al desarrollo del cuento.

B. El artículo definido
Repase el uso del artículo definido en el **Apéndice gramatical** (pp. 175-242) y traduzca la oración siguiente al inglés. ¿Qué diferencia se nota entre los dos idiomas? ¿Cómo se explica?

"Con *la* última guerra atómica, *la* humanidad y *la* civilización desaparecieron".

C. Los pronombres
Para hacer las prácticas siguientes, repase *las formas pronominales* enfocándose en los pronombres de objeto directo, indirecto y reflexivo. Ver el **Apéndice gramatical** (pp. 175-242).

1. Explique el uso de las formas **le** y **lo** en la oración siguiente: "A ratos recordaba la figura de su padre, que le sonreía o lo amonestaba . . ."

2. En español el pronombre reflexivo se necesita para emplear un verbo transitivo (que requiere un objeto directo) de una forma intransitiva. ¿Qué pasa si se omite el pronombre reflexivo **se** en estos ejemplos que se presentan a continuación? ¿Cómo se afecta el significado de la oración?:
   a. El niño [x] alimentaba de hierbas y dormía en una caverna.
   b. Después sus recuerdos [x] oscurecieron, [x] disgregaron, [x] volvieron arbitrarios y cambiantes como un sueño, su horror [x] transformó en un vago miedo.
   c. Entretanto la tierra [x] cubrió nuevamente de vegetación; las plantas [x] cargaron de flores; los árboles, de frutos.
   d. Otro día [el niño], [x] halló frente a una joven de su edad . . .

D. La ortografía
Fíjese en el uso del punto y coma [;] en el cuento. ¿Por qué no se usa una coma sencilla [,] en estos casos? Ver el **Apéndice gramatical,** pp. 175-242.

E. El manejo del diccionario: *Verbos de acción, reacción y movimiento*
Con la ayuda de un buen diccionario, traduzca las oraciones siguientes. ¡Ojo! Preste atención especial a los conceptos en bastardilla.

1. Sara *got* the bad elections and *got* very depressed.

2. When she *turned* around, we saw she was *turning* green.

3. She *became* ill because her opponent *had become* president.

4. She should *get out* of politics and *get away* for a vacation.

5. Alberto entered and *sat* by the bar. He *sat* there for a long time.

6. He was *having* a drink, but he was not *having* fun.

7. He couldn't *stand* it, so he *stood* and left the room.

8. We *were standing* in the corner. We *stood* there talking.

9. Carlos *makes* furniture and *makes* a lot of money.

10. But he can't *work* if his lathe doesn't *work*.

11. He also *plays* the clarinet in a band. He also *plays* baseball.

12. He likes the *game*. His next *game* is Saturday.

Actividades de escritura

A. Cómo yo sobreviví

Escriba un diálogo corto (y apropiadamente puntuado) entre Adán y Eva en la que se hacen preguntas y se explican cómo sobrevivieron después de la guerra atómica. Se debe utilizar una variedad de verbos de comunicación con la excepción de **decir (preguntar, contar, referir, explicar, informar, contestar, responder, replicar, reponer).**

B. Una versión extendida del cuento

Supongamos que el cuento no termina con el diálogo final. Siga desarrollando el cuento para llegar a una nueva conclusión.

Lectura 2

Teruel y Sus Amantes
Pedro Massa

Introducción a La Lectura

La próxima lectura es una leyenda española basada en la historia. Se trata de dos amantes desafortunados y tiene cierto parecido con el cuento de Romeo y Julieta. En términos de la composición, el texto ejemplifica tanto la descripción como la narración.

Antes de leer

A. ¿Leyenda o cuento?

Busque en el diccionario la definición de leyenda. Entonces con la clase entera, piensen en algunas leyendas que conocen como, por ejemplo, "King Arthur and the Round Table", "The Legend of Sleepy Hollow", "Paul Bunyan and Babe the Blue Ox", "Pecos Bill", y "Rip Van Winkle". ¿Cuáles son los rasgos básicos de una leyenda? ¿Por que existen las leyendas? ¿Cómo se relacionan estas leyendas con la definición que encontraron en el diccionario?

B. Para comparar temas

Piensen en la trama de la historia Romeo y Julieta y compárenla con la de "West Side Story". ¿Cuáles son sus rasgos comunes? ¿En qué aspectos difieren? ¿Pueden pensar en otras historias de esta índole?

C. El mini cuento

La lectura que sigue no es nada fácil, pero es posible entender mucho si se lee la versión condensada a continuación. Lea la versión reducida para tener una idea general tanto del contenido como de la estructura de la lectura. Busque en el diccionario solamente las palabras necesarias para la comprensión.

P1 Teruel tiene su blasón. Es descrito por un periodista. El blasón es la estrella solitaria y el toro. Son un claro símbolo del Teruel de hoy: ímpetu noble y firme.

P2   Teruel es un centro de dispersión de ríos.

P3   Teruel es la clásica capital de provincia española.

P4   Pero esta tierra áspera ha dado . . . hombres en cuyos corazones palpitan tres ideales: el amor, la fidelidad y la igualdad. El más alto símbolo de estos principios es la historia de los Amantes.

P5   Si Verona tiene su Romeo y Julieta, Teruel fue escenario de una de las tragedias de amor más conmovedoras. Mientras Romeo y Julieta son personajes imaginarios, Diego Marcilla e Isabel de Segura son criaturas de carne y hueso.

P6   Estas momias se descubrieron a principios del siglo XVII, en abril de 1619.

P7   España quiso meter en esta leyenda todo el dolor, todo el sufrimiento que una mujer y un hombre pueden sentir, amándose.

P8   Diego carecía de fortuna, lo que motivaba que el padre de Isabel se opusiera a la boda. Diego partió a la guerra. Pasaron cinco años. Por fin la doncella consintió en dar su mano a un rico hombre.

P9   Iba Isabel a la boda. El recuerdo de su viejo amor llenaba su espíritu. Buscó un instante de soledad en su jardín. Una sombra llegó hasta ella. Era Don Diego. Le propone huir en su alazán. Isabel se niega—«¡He de quedar, porque aquí está mi honor!» Rodó Diego, muerto, a los pies de su amada.

P10   Al día siguiente, se realizaron los funerales de Marcilla. La dama enlutada con trémula voz dijo—«Amor, luz de mis ojos, abre tu alma a la mía . . . para unirse contigo en las alturas!»

P11   Tal dijo Isabel y, besando aquella frente yerta una y cien veces, dobló la cabeza, y la vida se le fue en un suspiro.

P12   En tumba de alabastro sepultaron a los dos amantes.

A leer

Teruel y Sus Amantes

Pedro Massa

P1   Teruel, como todas las provincias de España, tiene su blasón que es descrito con estas exactas palabras por el periodista Manuel Jiménez Quilez: «La estrella solitaria y el toro, no útil para la labor ni para la carne, sino para la brava pelea, son un claro símbolo del Teruel de hoy: ímpetu noble y firme, que acude siempre a la cita histórica a que se le convoca. Las más de las veces sólo eso: ímpetu, ciego como el del toro de lidia al que la capa a un tiempo quiebra y burla. Y en lo alto, la estrella luminosa esperanza, guía para el camino, norte de afanes demasiado poco terrenales».

P2   Teruel es un centro de dispersión de ríos, importantes e ignorados que van a llegar al mar lejano después de cubrir con sus aguas las huertas de Levante. En Teruel nace el Tajo que al poco de nacer se dirige hacia Portugal. Estos ríos, que se originan en la bronca provincia aragonesa, sirven a España con su riego y su energía hidroeléctrica.

P3 Teruel es la clásica capital de provincia española. No muy grande, tranquila, con un vivir gustoso y ameno; edificada en lo alto de una pequeña meseta, como tantos pueblos de España. Con su plaza de la Constitución donde está la iglesia de Santa María de Mediavilla, que fue anteriormente iglesia parroquial, arciprestal, cabeza de arcedianado, iglesia colegial (1423) y finalmente en 1577, bajo Felipe II catedral. Con un sinfín de callejas, retorcidas y angostas, paseos como el de la Glorieta, el Pasador y los Porches del Mercado, cuatro o cinco iglesias más, y otros tantos conventos, y para no ser menos también tiene una imagen muy venerada, la del Cristo de las Tres Manos, en la iglesia del Salvador. La llaman así por una mano especial que lleva el Cristo pegada en el costado izquierdo.

P4 Pero esta tierra áspera con exagerados veranos e inviernos no ha dado un ser humano «insolidario, despectivo y seco», sino hombres en cuyos corazones palpitan tres ideales profundamente: el amor, la fidelidad y la igualdad. El más alto símbolo de estos principios es la historia de los Amantes.

P5 Si Verona, en Italia, tiene su Romeo y Julieta, Teruel fue escenario de una de las tragedias de amor más conmovedoras que se recuerdan en el mundo. Con la ventaja para Teruel de que, mientras Romeo y Julieta son personajes imaginarios, sombra y tradición en la maravillosa obra de Shakespeare, Diego Marcilla e Isabel de Segura son criaturas de carne y hueso; criaturas que vivieron, en la realidad, el pavoroso frenesí de su amor, y, por vivirlo como nadie, su propio fuego los aniquiló y consumió. Allí están, en unas vitrinas, en el claustro de la iglesia de San Pedro, convertidos en momias. El con los brazos cruzados y el rostro vuelto hacia la figura de Isabel. Y ella con la cabeza ligeramente inclinada hacia delante, ancho el torso, lo que indica que poseía una exuberante conformación de mujer. Y tanto el uno como la otra, con una fina tela, que les cubre desde la cintura a la rodilla.

P6 Estas momias se descubrieron a principios del siglo XVII, en abril de 1619, para ser más exactos. La leyenda de los Amantes de Teruel rodaba por el mundo, hacía siglos, pero nadie se había preocupado hasta entonces de hallar el lugar en que se enterraron sus cadáveres. En el año 1619, se buscó en el claustro de la iglesia de San Pedro con tan buena fortuna que, a poco, aparecieron dos féretros, dentro de un mismo nicho, con los cuerpos momificados. En el que guardaba la momia de él, había un trozo de pergamino con esta leyenda: «Este es Diego Marcilla, que murió de enamorado». ¡Que murió de enamorado! ¡Qué linda manera de resumir, en dos palabras, la gloria y el martirio de aquel hombre!

P7 España que posee tanta leyenda patética, diríase que quiso meter en ésta todo el dolor, todo el sufrimiento que una mujer y un hombre pueden sentir, amándose.

P8 Aunque nobles los dos, Diego carecía de fortuna, lo que motivaba que el padre de Isabel se opusiera a la boda de los jóvenes. Don Diego partió a la guerra, le prometió prosperar y volver antes de cinco años para hacerla su esposa, en ley de Dios. Pasaron cinco años sin que en Teruel se tuviera la menor noticia ni de las hazañas de Diego en la guerra, ni de su regreso a la ciudad. Instada por su padre, obligada, más bien, la doncella, ante el silencio desolador de su prometido, el mismo día que expiraba el plazo, consintió en dar su mano a un rico hombre, llamado Azagra, maduro y opulento de bienes.

P9 Iba Isabel a la boda con tocas de oro y basquiña de vellorí; y brillantes y perlas por seno y cabeza, que parecía una Virgen, en su retablo. Pero entre tanto júbilo y algazara, sólo un rostro permanecía sombrío y taciturno: el de la novia, pues el recuerdo de su viejo amor llenaba su espíritu, y ni la ausencia ni el olvido de él conseguían arrancar de su pecho aquella locura. Cuando Isabel, agobiada por tanto bullicio, buscó un instante de soledad, en el rincón más apartado de su jardín, de pronto, una sombra llegó hasta ella. Era Don Diego que le recriminaba el no haberle esperado, y le propone huir en su alazán, que los llevará a Valencia en un vuelo. Isabel se niega por su reciente juramento ante Dios y expresa: Nadie te querrá en el mundo, como yo; y sin embargo, aquí he de quedar, porque aquí está mi honor! Con el nombre de Isabel en los labios, rodó Diego, muerto, a los pies de su amada, quien llenó de gritos y congojas las salas de la fiesta.

P10 Al día siguiente, se realizaron con toda pompa los funerales de Marcilla. En el cortejo, iba una dama, vestida con negras bayetas y ocultó el rostro con tupidos velos. Al entrar el entierro en la iglesia, cantos de *miserere* inundaron las naves del templo, se colocó el féretro sobre un túmulo, y al descubrir el cadáver, la dama enlutada, que no era otra que Isabel, desafiando al mundo y sus maledicencias, se acercó a los despojos amados, y con trémula voz profirió estas palabras: ¿Es posible que estando tú muerto, corra mi sangre y aliente aún mi ser? ¡Amor, luz de mis ojos, abre tu alma a la mía, que escapa de mi cuerpo, para unirse contigo en las alturas!

P11 Tal dijo Isabel, y besando aquella frente yerta, una y cien veces, dobló la cabeza, y la vida se le fue en un suspiro.

P12 En tumba de alabastro, sepultaron a los dos amantes. Y allí están momificados y juntos en la muerte, probando al mundo de qué manera tan sencilla mata el amor, cuando se mete en el corazón de las criaturas y lo estalla y lo rompe con su grandeza.

Después de leer   **PREGUNTAS DE COMPRENSION**

1. Según el autor, ¿para qué sirve el toro? ¿Qué simboliza la estrella en el blasón?

2. ¿En cuál provincia se encuentra Teruel? ¿Hacia dónde fluye el río Tajo, hacia el este o el oeste? ¿Cómo lo saben?

3. ¿Qué monumento importante se encuentra en la Plaza de la Constitución? ¿Cómo ha crecido en importancia a través de los años?

4. ¿Cómo son las callejas de Teruel?

5. ¿Qué tiene de especial la imagen de Teruel?

6. ¿Cómo son la tierra y el tiempo en Teruel? ¿Qué clase de persona ha producido la región de Teruel?

7. Según el autor, ¿por qué es importante la historia de los amantes?

8. ¿Prefiere el autor la historia de los amantes o la de Romeo y Julieta? ¿Por qué (no)? ¿Cómo lo saben?

9. ¿Cómo describe el autor la pasión de Diego e Isabel?

10. ¿En qué postura se encuentran las momias de Diego e Isabel en la vitrina de la iglesia? ¿Por qué cree Ud. que los colocaron así?

11. ¿Exactamente cuándo se descubrieron las momias? ¿Por qué no se habían descubierto antes?

12. ¿Qué causó la muerte de Diego y cómo lo sabemos?

13. ¿Cómo son muchas de las leyendas españolas? ¿Se ha aumentado la tragedia de esta leyenda? ¿Cómo?

14. ¿Por qué se fue a la guerra Don Diego? ¿Qué promesa le hizo Diego a Isabel? ¿Por qué se casó Isabel con Azagra? Dé varias razones.

15. ¿Cómo era Azagra? ¿Cree Ud. que el padre estaba de acuerdo con la boda? ¿por qué (no)?

16. ¿Cómo estaba vestida Isabel el día de su boda? ¿Qué expresión llevaba en la cara? ¿Por qué?

17. ¿Por qué la recriminaba Don Diego? ¿Qué quiere hacer Don Diego? ¿Por qué no lo hace Isabel?

18. ¿Se suicidó Diego? ¿Cómo muere exactamente? ¿Cómo reaccionó Isabel a la muerte de Diego?

19. ¿Cómo se vestía la dama enlutada? ¿Quién era?

20. ¿Esperaba la gente del cortejo ver a Isabel vestida de luto? ¿Cómo lo sabe Ud.?

21. ¿Qué hace Isabel antes de morir? ¿Cómo muere exactamente? ¿Se suicidó?

22. Según el autor, ¿qué prueba la muerte de los amantes?

ENFOQUE EN EL CONTENIDO Y LA ESTRUCTURA

A. Analizando los párrafos

Discuta los siguientes puntos:

1. P1 presenta el tema general. ¿Cómo lo resumiría usted en una frase corta?

2. P5 presenta la idea central, o la tesis. ¿Cuál es? ¿En qué sentido determina este párrafo la estructura del resto de la lectura? ¿Qué valores tiene que mostrar la leyenda? ¿Lo hace?

3. P12 a la vez termina la serie P6–P11 y resume la tesis. ¿Cómo lo hace?

B. El esquema estructural

Una manera de representar la estructura de la lectura se ve en el diagrama siguiente. Discutan la validez de este esquema. ¿Están de acuerdo con esta representación de la estructura? ¿Cambiarían algo? ¿Por qué?

Diagrama

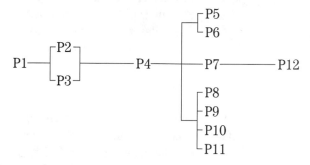

C. El orden de los párrafos

1. ¿Por qué en el esquema de la leyenda se representan los párrafos P1, P4, P7 y P12 en la misma línea?

2. ¿En qué se diferencian los párrafos P2 y P3? ¿Podría cambiarse el orden de estos párrafos? ¿Qué efecto tendría tal cambio?

3. ¿En qué se diferencian los párrafos P5 y P6? ¿Podrían estos párrafos intercambiarse con la serie P8–P11? ¿Qué efecto tendría tal intercambio?

4. ¿Por qué se queda solo P7 entre las series P5–P6 y la P8–11?

5. ¿En qué se diferencian los párrafos P8, P9, P10 y P11 entre sí? ¿Se pueden cambiar de orden? ¿Por qué (no)? ¿Podría el P11 formar parte del P10? ¿Por qué se encuentra separado?

ENFOQUE EN EL LENGUAJE

A. Formas adverbiales

1. Busque y apunte cinco frases verbales con adverbios de «tiempo».

2. Busque y apunte cinco frases verbales con adverbios de «espacio».

3. Busque y apunte cinco frases verbales con adverbios de «manera».

4. Busque y apunte cinco frases verbales con participio presente utilizado como adverbio.

B. Los verbos

1. Vuelva a leer el P6 de la lectura y apunte todos los verbos conjugados (del tiempo pasado) en el orden en que aparecen. Identifique la forma

y explique la función de cada forma verbal dentro del contexto del párrafo. Siga el modelo:

Modelo:	Verbo	Forma	Función
a.	se descubrieron	pretérito	acción completa
b.	rodaba	imperfecto	estado, acción cíclica
c., d., e. . . .			

2. Explique el uso del pretérito en el caso siguiente. ¿Tiene el verbo un significado especial en el pretérito?

   P7 España que posee tanta leyenda patética, diríase que **quiso** meter en ésta todo el dolor, todo el sufrimiento que una mujer y un hombre pueden sentir, amándose.

3. Dentro del contexto del P9, ¿cuál es el efecto estético de utilizar el verbo indicado en forma imperfecta?

   P9 . . . de pronto, una sombra llegó hasta ella. Era Don Diego que le **recriminaba** el no haberle esperado, y le propone huir en su alazán, que los llevará a Valencia en un vuelo.

C. El manejo del diccionario: Verbos de acción, reacción y movimiento

Con la ayuda de un buen diccionario, traduzca las oraciones siguientes. ¡Ojo! Preste atención especial a los conceptos en bastardilla.

1. Marta is *moving* to Spain. We *moved* her furniture to storage for now.

2. She *returned* all her books to the library and *returned* home.

3. But she *left* her driver's license at the library when she *left*.

4. I will *miss* her. I don't want to *miss* the farewell party.

5. Silvia *got hurt* when she fell. The fall *hurt* her arm. It *hurt* a lot.

6. A veterinarian *stopped* his car to *help*. He gave her a pill to *help* the pain.

7. She *stopped* crying when the *pain stopped*.

8. We don't *care* who *cared for* her. We are just glad somebody *cared*.

9. Paco *took* his girlfriend to an art film they said *took* three hours.

10. So he *took out* his GameBoy, but she *took it away* from him.

11. It was hot in the theater, so he *took off* his sweater.

12. Finally he couldn't *take* it any longer and just *took off*.

A. Leyendas urbanas

A lo mejor hay cuentos bien conocidos [o leyendas] relacionados con la calle, el vecindario, el pueblo o la ciudad donde usted vive. Busque tal relato y cuéntelo en forma escrita.

B. El novio

Imagine Ud. cómo sería el hombre con quien Isabel se casó. Entonces escriba una descripción tanto física como de los hábitos. La descripción debe relacionar la situación social y económica del hombre con su personalidad y carácter.

C. ¿Qué dirían?

Escriba un diálogo corto entre Isabel y su padre antes de la boda, o entre Isabel y Diego en el jardín.

Para Resumir

En esta unidad Ud. ha aprendido a identificar diferentes elementos básicos de una narración. Los tipos de narrativas que se han leído incluyen las del humor, las cartas personales, el cuento y la leyenda. Cada narrativa se vale de un amplio fondo descriptivo para elaborar los detalles de lugar, actividades y personaje. Esta descripción está estrechamente relacionada con el acto de narrar, ya que la descripción presenta el fondo de la narrativa, y son las acciones las que toman el primer plano. Cada narrativa presupone una exposición, un momento clave, o clímax, y una resolución.

Además se ha notado que las narrativas también pueden desarrollarse a base de una tesis. A veces la tesis es implícita; es decir, la tesis nunca se declara y es necesario derivarla del conjunto de información de la composición ("Génesis"). En la mayoría de los casos, la tesis es explícita, pero puede elaborarse de manera deductiva ("Teruel y sus amantes") o inductiva ("Una carta de Túnez").

A. Un viajero por el tiempo

Por milagro se ha descubierto una brecha en la tela del tiempo-espacio. Usted tiene la oportunidad de la vida para escribirle una carta a alguien de otra época y de recibir una contestación (si al otro le provoca su carta). Escriba una carta personal bien compuesta a uno de los siguientes destinatarios: a un personaje famoso del pasado que siempre haya querido conocer, a un pariente muerto, a su hijo/hija futuro, a usted mismo cuando sea ya viejo. No habrá una segunda oportunidad, por eso no hay que desaprovecharla. Debe pensar bien en el propósito de tal carta, lo que usted necesita contar, en lo que usted necesita saber, en lo que el otro necesite y quisiera saber.

B. Un incidente de la vida

Escriba un relato bien compuesto en el que usted cuenta un incidente sumamente chistoso, importante, milagroso, vergonzoso, peligroso, etc. de su vida (o la vida de otro que usted conoce). El incidente debe involucrar a varias personas. Hay que contarlo como un cuento con los elementos siguientes: tiempo, lugar, personajes, acción, reacciones, motivos, pensamientos, una situación problemática, una resolución, y un poco de diálogo relevante. No se olvide de darle un título apropiado que llame la atención.

C. Un cuento con moraleja

Un refrán se puede considerar **una tesis** de la vida. ¿Cuáles de los refranes siguientes corresponden a un refrán inglés? Escoja uno, analícelo bien para entender su significado, y entonces escriba un cuento corto que pueda terminar con el refrán como la moraleja del relato. Es decir, todo lo que se relata tiene que contribuir a una conclusión que justifique la moraleja. El relato debe exhibir los componentes típicos de un cuento: tiempo, lugar, personajes, acción, reacciones, motivos, pensamientos, una situación problemática, una resolución y un poco de diálogo relevante. Además, hay que ponerle un título llamativo que no sea el refrán mismo. Debe escribirlo en el tiempo pasado pensando en el uso apropiado del pretérito y del imperfecto. Ver el **Apéndice gramatical** (pp. 175-242).

1. Más vale pájaro en la mano que cien volando.

2. No todo lo que reluce es oro.

3. Al caballo regalado no le mires el diente.

4. En boca cerrada no entran moscas.

5. Dime con quién andas y te diré quién eres.

6. Ya que la casa está quemando, calentémonos.

7. Si la piedra da con el cántaro o el cántaro con la piedra, mal para el cántaro.

8. No quiero la llave que muchas puertas abre.

9. Pies que aprenden a bailar, no saben estar quietos.

10. Palabra suelta no tiene vuelta.

11. No hay matrimonio sin su demonio.

12. Si escapo de esta, jamás otra fiesta.

13. El que mejor nada, en el agua muere.

14. El que más se perfuma, más apesta.

15. Más cerca están mis dientes que mis parientes.

16. No hay peor empresa que la que no se empieza.

17. Río pasado, santo olvidado.

18. No seas como el agua que se ensucia por limpiar a otro.

19. No hay mal piloto con buen tiempo.

20. No sabe gobernar, quien a todos quiere contentar.

Unidad 3

El Reportaje

OBJETIVOS

Después de terminar este capítulo, el estudiante podrá:

- reconocer y apreciar el valor de la objetividad en el reportaje.

- identificar y aplicar varios principios del reportaje periodístico.

- escribir un reportaje que demuestra los elementos básicos.

OBJECTIVOS LINGÜÍSTICOS

Después de terminar este capítulo, el estudiante podrá:

- reconocer y utilizar las formas y funciones del pronombre.

- formular una oración compleja utilizando proposiciones subordinadas adjetivas y conjunciones transicionales.

- reportar el discurso hablado de modo directo e indirecto valiéndose de un repertorio expandido de predicados de comunicación.

Además, el estudiante recogerá vocabulario relacionado a los campos de la agricultura, del crimen y la violencia, de los edificios y los espacios, de la tecnología, y del arte y música.

Introducción General

Rasgos del Reportaje

Ud. ya se ha encontrado con varias clases de reportaje como, por ejemplo: noticias periodísticas, actas de reuniones, resúmenes de varias índoles (los précis, los sumarios, los apuntes de clase), etc. Lo que tienen en común este tipo de textos es el principio de "la objetividad"; o sea, el esfuerzo por representar los hechos y sucesos importantes de una manera fiel y completa. La Unidad 3 se enfoca en el reportaje periodístico porque, además de elevar la importancia del valor de la objetividad, se representa por estilos claramente identificables que encierran en sí propiedades de composición muy útiles.

Los Hechos y La Objetividad

El reportaje puramente objetivo se basa sólo en los datos y los hechos. Un dato es un elemento mínimo de información (nombre, fecha, cifra, etc.). Un hecho es un acontecimiento cuya verdad se puede verificar. Al contrario, una opinión (o comentario) representa lo que alguien piensa o cree acerca de los hechos. Aunque las opiniones a menudo se basan en los hechos, suelen ser muy subjetivas y, por eso, es imprescindible saber reconocer la diferencia. A veces la determinación de un hecho es más difícil de lo que parece: puede depender de las definiciones, o de la manera de cualificar o contextualizar la declaración. Piense en los ejemplos siguientes:

1. La tauromaquia es un deporte.
   La veracidad de la primera aserción depende de la definición de deporte. Para algunos, la tauromaquia es más bien un espectáculo (piense, por ejemplo, en los espectáculos del Coliseo Romano–¿se trataba de deporte?).

2. La tauromaquia es una costumbre cruel.
   La segunda declaración claramente representa una opinión. ¿Dejaría de ser una opinión si toda la gente del mundo la aceptara?

3. Según algunos defensores de los derechos de los animales, la tauromaquia es una costumbre cruel.
   En el tercer caso vale como hecho porque la cuestión de la tauromaquia se ubica dentro de un contexto que sí se puede comprobar.

Además de evitar la confusión de hechos con opiniones, hay otros principios de la objetividad que tienen que cumplirse en un el proceso de hacer un reportaje. Uno de los más importantes, como vemos arriba, es el de atribuir apropiadamente los hechos, opiniones y citas a su fuente. Estrechamente relacionado al principio de la atribución es el de no sacar un hecho (o una cita) de su contexto apropiado. La prensa sensacionalista (los tabloides) vive de la descontextualización de los hechos y de las imágenes (la falsificación de las fotos, por ejemplo). La misma prensa legítima no se escapa de esta clase de acusaciones (sobre todo por los políticos durante las campañas electorales). Otro principio del periodismo objetivo es repasar todos los datos y hechos del relato verificándolos una segunda vez antes de publicarlos para garantizar que son ciertos, eso para proteger tanto la propia reputación del periodista como la del periódico. Y, por fin, si se reporta una controversia o un desacuerdo, hay que tratar de representar la perspectiva de todos lados de la disputa.

Tipos de Relato Periodístico

Un periódico está integrado por varios géneros de composición: noticias, editoriales, columnas, entrevistas, análisis de noticias, etc. Nos enfocamos aquí en los reportajes objetivos, pero aun estos varían. Según algunos expertos los reportajes se pueden clasificar de esta manera: *la noticia*, *el reportaje* y *la crónica*. Aunque los tres tipos se basan en los hechos, representan un continuo de libertad estilística. La noticia se limita a proveer información seca y pura, la cual se le presenta al lector en forma de una parámide invertida (abajo). El reportaje, a su vez, admite un grado más de flexibilidad estructural y estilística. Y la crónica aun más que el reportaje, acercándose a un estilo literario. Según su enfoque y grado de detalle, los relatos periodísticos objetivos también se pueden categorizar así: el reportaje *de hechos* (fact story), el *de acción* (action story), el *de cita* (quote story), el *de interés humano* y *el reportaje en profundidad* (in-depth report). Las lecturas de la Unidad 3 ofrecen una muestra de estas variedades de reportaje.

La estructura de una noticia

Las noticias comparten una estructura bien conocida, la cual se ha desarrollado de acuerdo con las necesidades de un lector ocupado. Los componentes de un reportaje son: el titular (headline), la introducción (o el *lead*), el cuerpo (body) y, a veces, el cierre (closing). A continuación se analiza un relato de acción para señalar las características de cada componente.

1. *El titular:* Resume la información esencial del reportaje. Por razones de espacio limitado, el titular representa la mayor condensación posible del contenido de la idea central. Además, tiene la función de llamar la atención del público:

   Desastrosa caída desentroniza a González

   El titular prescinde de las palabras funcionales (artículos, por ejemplo) donde sea posible y tiende a emplear verbos de acción en la voz activa.

2. *La introducción:* La introducción más común se llama *introducción de resumen* (summary lead). Para la conveniencia del lector, la introducción trata de contestar en la forma más breve posible la

mayoría de las preguntas siguientes: ¿quién?, ¿qué (pasó)?, ¿cuándo?, ¿dónde?, ¿cómo?, ¿por qué?. Típicamente se presenta esta información por orden de importancia:

Pedro Ezequiel González, campeón de tres años seguidos, perdió el título al volcarse su bicicleta ayer en la última etapa del concurso Transversal de Venezuela.

Esta introducción se enfoca en "quién" por contestar esta pregunta primero, seguida de "qué paso", "cómo", "cuándo" y "dónde". Como Ud. va a notar, la introducción de resumen normalmente reduce toda la información esencial a una sola oración compleja.

3. *El cuerpo:* El cuerpo del reportaje desarrolla la información de la introducción y tradicionalmente sigue la forma de una pirámide invertida: es decir, los párrafos del cuerpo elaboran el contenido de la introducción en orden de importancia. El término "pirámide invertida" se basa en el hecho de que el cuerpo se desarrolla desde lo general y esencial (la base de la pirámide) hasta lo más específico (la punta de la pirámide).

González, venezolano, competía contra veintitrés ciclistas de siete países sudamericanos en la carrera que circula desde Caracas a Maracaibo con el fin de ganar el titular Sudamericano de Ciclistas.

González, de 23 años, pedaleaba su Renault fuertemente hacia la victoria cuando perdió el equilibrio al echar una mirada para atrás.

Tratando de avisar a sus colegas, gritó bruscamente mientras que intentaba controlar la bicicleta. Chocó contra dos de los posibles victoriosos, causando la caída de los tres en una masa confusa de aluminio.

El segundo párrafo contesta de forma más amplia la pregunta ¿quién? El tercero y el cuarto describen los hechos paso a paso, completando la escena e informando acerca de las circunstancias del accidente; es decir, ampllan la información acerca de las preguntas ¿qué pasó? y ¿cómo?

4. *El cierre:* Típicamente, el último párrafo del cuerpo presenta el detalle de menor importancia para cerrar el reportaje. Sin embargo, frecuentemente, sirve además como una especie de conclusión:

Viendo desvanecer sus oportunidades, González se sentó desconsolado al lado de la carretera; impidiendo que los observadores le ayudaran.

El reportaje se cierra captando un momento emocional con la imagen de un deportista totalmente decepcionado y desalentado.

Actividades Preliminares

A. *El periódico norteamericano*
Por medio de discusión en grupo pequeño, traten de elaborar un bosquejo (outline) o la tabla de contenido del típico diario (daily paper) norteamericano. Piensen en las preguntas siguientes:

1. ¿Hay distintas clases de periódico? ¿Cómo difieren entre sí?

2. ¿Es informar al público la única función de un periódico? ¿Cuáles otras pueden Uds. identificar?

3. ¿Cuáles son las varias secciones del periódico?

4. ¿En qué orden aparecen? ¿Por qué creen Uds. que siguen este orden?

5. ¿Cuánto espacio (en términos relativos) se dedica a cada sección?

6. ¿De qué maneras corresponden el contenido y la estructura del diario a las necesidades del público que lo lee?

B. *El lector sabio:* Ud., como lector sabio, no se deja engañar. Se preocupa por diferenciar entre los hechos y las opiniones. Además, siempre se pregunta, ¿son verídicos, o por lo menos verificables, los hechos y datos presentados en el reportaje?

1. *Hecho u opinión* Escoja un editorial o reportaje de comentario (inglés o español) y haga dos listas: una de hechos (comprobados, comprobables), y otra de opiniones y comentarios subjetivos. Esté listo para explicar las listas.

2. *Los tabloides:* Escoja un periódico sensacionalista (inglés o español) para analizar. Revise los titulares y los reportajes relacionados. ¿Cumplen los reportajes con los titulares? ¿Por qué (no)? ¿Siguen los reportajes los principios de la objetividad? ¿Por qué (no)?

C. *La fiesta de San Fermín:* Ud. reporta para el periódico El Diario y está preparando un reportaje sobre la fiesta de San Fermín. ¿Cuáles de las siguientes declaraciones acerca de la fiesta de San Fermín y de la corrida de toros se pueden incluir en un reportaje objetivo y cierto. Para cada una de ellas, hay que decidir si es una opinión o una declaración de un hecho comprobable. Si se trata de un hecho comprobable, hay que hacer un poco de investigación para verificarlo (tal vez en Internet). Para comenzar, marque las declaraciones de acuerdo con el esquema siguiente: O = Opinión / H = Hecho comprobable / HV = Hecho verificado.

1. La fiesta de San Fermín toma lugar en Pamplona.

2. Pamplona se encuentra en Andalucía.

3. El festival de los Sanfermines se originó en 1591.

4. Es la fiesta más popular de España.

5. El festival de San Fermín dura siete días.

6. Cada día de la fiesta de San Fermín hay una corrida de toros.

7. La tradición de correr en frente de los toros comenzó en el siglo XIX.

8. Correr delante de los toros muestra la valentía.

9. Más extranjeros que españoles corrieron en 2000.

10. Es muy peligroso correr en frente de los toros.

11. Demasiadas personas salen heridas.

12. Trece personas han muerto al correr delante de los toros en los Sanfermines.

13. La muerte más reciente ocurrió en 1995.

14. El muerto fue un norteamericano de 22 años.

15. A las mujeres se les prohíbe correr delante de los toros en el festival.

16. El torero suele matar al toro.

17. El toro nunca sobrevive la corrida.

18. El toro sufre mucho durante la corrida.

19. La mayoría de los españoles se oponen a la corrida de toros.

20. Las corridas de toros sólo se celebran en España y en México.

Lectura 1   El Audaz Lechero de las Minivacas

Introduccion a La Lectura

Algunos de los logros más significativos del Siglo XX se han realizado en el campo de la genética. La clonación de animales y el trazado del genoma humano son tal vez los ejemplos más fenomenales. A continuación se presenta una noticia corta de hechos. La noticia trata de un adelanto genético logrado por investigadores mexicanos hace más de veinte años.

Antes de leer

A. *¿Adónde nos vamos a parar?*

En la opinión de muchos, los descubrimientos y adelantos científicos recientes en la biología y en la genética han abierto una caja de Pandora. En su opinión ¿cuáles son las cuestiones más importantes que surgen de esto? ¿Qué opina Ud. acerca de ellas? ¿Hay más ventajas que desventajas en estos adelantos? ¿Debemos dejar que la ciencia siga su rumbo en el campo de la genética? ¿Hay necesidad de control ético o moral? ¿Se puede controlar o guiar la evolución científica?

B. *¿Hay ciencia en el Tercer Mundo?*

Aunque los Estados Unidos y los países adelantados han sido líderes en el campo de investigación científica e invención tecnológica, a veces se ignoran las contribuciones de investigadores del Tercer Mundo. Cada estudiante debe buscar algún adelanto, descubrimiento o invención hecha por gente hispana y compartirlo con la clase. Se pueden encontrar ejemplos leyendo los muchos diarios y revistas electrónicos en español que se encuentran en Internet.

C. *Análisis de un titular*

Lea el titular "El audaz lechero de las minivacas" y discuta lo siguiente:

1. ¿Qué significa el titular? ¿De qué tratará el reportaje? Trate de adivinar con el mayor detalle posible el contenido de la noticia.

2. ¿Cuáles son las preguntas que se le ocurren a Ud. al leer el titular? ¿Qué querrá saber el lector acerca del contenido del reportaje?

3. ¿Le llama la atención el titular? ¿Quiere seguir leyendo? ¿Por qué (no)?

A leer

El Audaz Lechero de las Minivacas

P1   Después de treinta años de estudios, los científicos e investigadores mexicanos han logrado crear la primera vaca miniatura, que mide 61 centímetros—el tamaño de un perro—y que producirá entre 4 y 5 litros de leche diariamente.

P2   El profesor Juan Manuel Barruecos fue quien tuvo la idea de procrear estas miniaturas; su opinión es que el mundo no se puede expandir y la única solución es reducir a los animales, ya que alimentarlos y mantenerlos resulta muy costoso. Estas vacas serán una comodidad para las pequeñas haciendas: puesto que si una vaca adulta normal necesita una hectárea de terreno para desarrollarse, en este mismo espacio podrían entrar 8 de las minivacas y cada una produciría entre 4 y 5 litros de leche diarios.

P3   Juan Manuel Barruecos tiene 30 de estas miniaturas y calcula que para fines de 1988 va a tener alrededor de 500 cabezas, las que luego se convertirían en miles de minivacas.

Tomado de El Mundo, 18–24 agosto, 1988

Después de leer

PREGUNTAS DE COMPRENSION

1. ¿Dónde se produjo la minivaca?
2. ¿Cuánto tiempo tomó?
3. ¿De qué tamaño es?
4. ¿Cuánta leche produce?
5. ¿Por qué se decidió a procrear una especie de minivaca? ¿Qué ventajas presenta la minivaca?
6. ¿Por qué no fue creada la minivaca en los Estados Unidos?

ENFOQUE EN EL CONTENIDO Y LA ESTRUCTURA

A. *Los componentes y las preguntas periodísticas:* Analicemos la noticia.

1. *El titular:* Según el titular, ¿cuál es el enfoque principal de la noticia, quién o qué?

2. *La introducción:* ¿Cuántas oraciones comprenden la introducción? ¿Cuáles preguntas (no) se contestan en la introducción? Los primeros datos que aparecen en la introducción son *treinta años* y *científicos mexicanos;* ¿qué quiere enfatizar el autor de la noticia?

3. *El cuerpo:* ¿Cuántas oraciones hay? ¿Cuál es el sujeto gramatical de cada oración del cuerpo? ¿Cómo difieren las oraciones entre sí en cuanto a su enfoque? ¿Cómo amplían la informacíon de la introducción? ¿Deben cambiarse de orden las oraciones del cuerpo? ¿Por qué (no)?

4. *El cierre:* ¿Sirve la última oración para dar el detalle de menos importancia, o tiene la calidad de una conclusión? ¿Debe incluirse esta información más arriba en la noticia?

B. *Un cambio requiere otros*

¿Corresponde el orden de presentación de información en la noticia con el enfoque del titular? Si el titular fuera "Crearon minivaca de tamaño de perro", ¿cómo se podría cambiar la estructura y presentación de datos en la noticia para concordar mejor con él?

A. *Vocabulario agrícola:*

En una hoja aparte, busque y organice el vocabulario relacionado a la agricultura y la ciencia agrícola.

B. *La puntuación*

Ud. habrá notado que todos los datos y hechos de la noticia se reportan en sólo cinco oraciones complejas. Esto se ha logrado en parte por medio de los siguientes signos de puntuación: la coma (,), el punto y coma (;), los dos puntos(:) y la raya (—). Explique el empleo de estos signos en el artículo según las reglas del *Apéndice gramatical* (pp. 175-242)

C. *Los pronombres*

Los pronombres se usan para evitar la repetición de nombres, lo cual permite un estilo más fluido y compacto. Repase la información sobre los pronombres en el *Apéndice gramatical* (pp. 175-242) para hacer estas dos prácticas.

1. Vuelva a escribir las siguientes frases, reemplazando (si es posible) las expresiones en bastardilla con el pronombre que corresponda.

   a. Los científicos mexicanos han logrado crear *la primera vaca miniatura.*

   b. Su opinión es que *el mundo* no se puede expandir.

   c. La única solución es reducir *a los animales.*

   d. Estas vacas serán una comodidad para *las pequeñas haciendas.*

   e. En este mismo espacio podrían entrar 8 de *las minivacas.*

   f. *Juan Manuel Barruecos* es el científico que tuvo la idea de crear la minivaca.

2. *Los reflexivos:* Consulte el análisis de las distintas funciones del pronombre reflexivo *se* (Apéndice gramatical, pp. 175-242). ¿Cómo clasificaría Ud. el *se* en los casos siguientes tomados de la lectura? ¿Es posible eliminar el pronombre reflexivo en estos casos? Si no, ¿cómo afectaría el significado?

   a. . . . su opinión es que el mundo no *se* puede expandir y la única solución es reducir a los animales . . .

   b. . . . una vaca adulta normal necesita una hectárea de terreno para desarrollar*se* . . .

   c. . . . va a tener alrededor de 500 cabezas, las que luego *se* convertirían en miles de minivacas.

D. *La cláusula adjetiva (cláusula relativa):*

La cláusula adjetiva es una estructura que permite combinar ideas por ligar un nombre con una oración descriptiva (la cláusula relativa). La cláusula se conecta con el nombre con *un pronombre relativo.* En español los pronombres relativos son: *que* (that, which, who), *quien* (who(m)), *el que* (which, the one that), *el cual* (which, who) y *cuyo* (whose). Llene los espacios en blanco con el pronombre relativo que corresponda. Para escoger el pronombre, hay que prestar atención al tipo de cláusula relativa (restrictiva vs. no restrictiva) y a la presencia de una preposición. En algunos casos hay más de una posibilidad. Para más detalles, repase la sección sobre la cláusula relativa en el *Apéndice gramatical* (pp. 175-242) antes de hacer la práctica.

1. Los investigadores, _____ eran mexicanos, han creado la primera vaca miniatura.

2. Los investigadores _____ trabajaron en el proyecto eran de la Universidad de México.

3. Un profesor mexicano _____ se llama Juan Manuel Barruecos tuvo la idea.

4. El profesor de _____ se reporta en esta noticia se llama Juan Manuel Barruecos.

5. El profesor Barruecos, _____ tiene 30 de estas miniaturas, quiere convertirlas en miles de minivacas.

6. La minivaca, _____ producirá 5 litros de leche diarios, tiene el tamaño de un perro.

7. Los científicos trabajaron treinta años, después de _____ produjeron la primera minivaca.

8. La minivaca es un adelanto por medio de _____ se podrá mantener más ganado por hectárea.

9. El investigador _____ trabajo produjo la minivaca es un científico mexicano.

10. La minivaca, _____ producción es de 4 a 5 litros de leche diarios, tiene el tamaño de un perro.

D. *Expresiones conjuntivas:*

Las oraciones también se pueden combinar mediante el empleo de expresiones conjuntivas, las cuales ayudan a relacionar ideas completas. El segundo párrafo del reportaje contiene dos expresiones conjuntivas que relacionan frases en términos de causa y efecto o resultado:

- . . . la única solución es reducir a los animales, *ya que* alimentarlos y mantenerlos resulta muy costoso.

- Estas vacas serán una comodidad para las pequeñas haciendas: *puesto que* si una vaca adulta normal necesita una hectárea de terreno para desarrollarse . . .

¿Qué significan estas conjunciones? ¿Son sinónimos intercambiables? Si no es cierto, ¿cuál es la diferencia de significado? Vale la pena consultar un diccionario bueno.

¿Cuántas expresiones de causa-efecto/resultado sabe Ud? Según las indicaciones entre paréntesis, trate de completar las frases siguientes *sin repetir* expresiones. Repase la información sobre ellas en el *Apéndice gramatical* (pp. 175-242) para hacer las prácticas que siguen:

1. La única solución es reducir a los animales (because) _____ el mundo no se puede expandir.
2. El mundo no se puede expandir; (so, thus) _____ la única solución es reducir a los animales.
3. El mundo no se puede expandir; (therefore) _____ la única solución es reducir a los animales.
4. El mundo no se puede expandir; (for this reason) _____ la única solución es reducir a los animales.
5. El mundo no se puede expandir; (consequently) _____ la única solución es reducir a los animales.
6. El mundo no se puede expandir; (as a result) _____ la única solución es reducir a los animales.
7. (Since) _____ el mundo no se puede expandir, la única solución es reducir a los animales.
8. (Given that) _____ el mundo no se puede expandir, la única solución es reducir a los animales.

Actividades de escritura

A continuación se presenta una lista de los datos y hechos de la noticia. Los primeros cinco son de la "introducción" original. Hay que referirse a esta lista para hacer las prácticas siguientes.

1. Los científicos e investigadores han logrado crear la primera vaca miniatura.
2. Estos investigadores eran mexicanos.
3. Los científicos lograron esto después de treinta años de estudios.
4. La minivaca mide 61 centímetros.
5. La minivaca es del tamaño de un perro.
6. La minivaca producirá entre 4 y 5 litros de leche diariamente.
7. Juan Manuel Barruecos tuvo la idea.
8. Barruecos es un profesor mexicano.
9. En la opinión de Barruecos el mundo no se puede expandir.
10. Barruecos opina que la única solución es reducir a los animales.
11. Alimentar a los animales y mantenerlos es muy costoso.
12. Estas vacas serán una comodidad para las pequeñas haciendas.
13. Una vaca adulta normal necesita una hectárea de terreno para desarrollarse.
14. Ocho minivacas podrán entrar en una hectáea de terreno.
15. Cada una produciría entre 4 y 5 litros de leche diarios.
16. Barruecos tiene 30 de estas miniaturas.

17. Barruecos calcula que para fines de 1988 va a tener alrededor de 500 cabezas.

18. Luego estas 500 se convertirían en miles de minivacas.

A. *Expandiendo la introducción*

A ver si Ud. puede incorporar más datos en la introducción original, manteniendo una sola oración. Válgase de los signos de puntuación, las cláusulas relativas y las conjunciones para lograr la introducción ampliada. Los estudiantes deben comparar sus soluciones. ¿Cuál solución es más económica (menos palabras)? ¿Cuál se lee mejor o con mayor facilidad?

B. *Cambiando el enfoque del relato*

Se puede cambiar el enfoque según el interés del lector. A continuación se presentan dos escenarios distintos. ¿Cómo se afectaría la estructura del reportaje? Vuelva a escribir el titular, la introducción y el cuerpo del reportaje de modo que refleje el cambio de enfoque. Incluya toda la información posible en la introducción de una sola oración. Además, el reportaje debe ser de tres párrafos y comprender toda la información del original.

1. *Versión para el periódico semanal de pueblo:* Suponga que Ud. es redactor del semanario de un pueblo mexicano muy pequeño. Resulta que el profesor Barruecos es oriundo del mismo pueblito, y Ud. quiere destacar este hecho.

2. *Versión para el diario agropecuario local:* Suponga que Ud. es autor de un artículo sobre las minivacas que va a aparecer en el diario un semanario agropecuario regional. Los ganaderos de la región se interesan por cualquier adelanto que les ayude a prosperar. Ud. quiere enfatizar las ventajas de la minivaca.

Lectura 2 La Ciudad Del "Razor" y El Guardia
Por Julio Marenco

Introduccion a La Lectura

La violencia es un tema que redunda actualmente por todo el mundo, tanto al nivel de conflicto internacional como al nivel de la vida individual. La lectura siguiente tiene que ver con el crimen y las medidas que uno toma para protejerse en una ciudad centroamericana, San Salvador. Sobre todo, se destaca el efecto que ha ejercido la delincuencia en la vida urbana. Este cuento periodístico no es una noticia en términos estrictos, sino un reportaje, que muestra un grado mayor de libertad estilística—además de reportar datos y hechos, el relato provee otro ejemplo de una composición coherente regida por una idea central—o sea, una tesis.

Antes de leer

A. *Su sentido de seguridad personal*

¿Tiene Ud. la impresión de que la tasa del crimen está creciendo? A su parecer ¿está aumentando la violencia contra personas? ¿Se siente Ud. seguro/a en la vida? ¿Tiene preocupaciones por su seguridad personal? ¿Conoce a alguien que ha sufrido la violencia? ¿Le ha afectado profundamente la experiencia? ¿Qué medidas ha tomado esta persona para protejerse?

B. *Las armas de fuego*

¿Tiene Ud. una opinión formada acerca de las controversias relativas a la venta y posesión de armas de fuego? ¿Qué opina al respecto? ¿Se debe controlar aún más el comercio de estas armas? ¿Cree Ud. que el control de tales armas va a reducir los delitos violentos? ¿Se opone Ud. a la matriculación (registration) de las armas de fuego personales? ¿Ofrecen estas armas un legítimo medio de la defensa personal? ¿Cómo entiende Ud. el derecho constitucional de los norteamericanos a llevar armas?

A leer

La Ciudad Del "Razor" y El Guardia

Más inseguros que durante la guerra, los salvadoreños están gastando como nunca en proteger sus vidas y sus bienes. De las armas a los sistemas más sofisticados, el gran San Salvador se ha convertido en la ciudad amurallada.

Por Julio Marenco

P1   Rejas, alarmas, blindajes, guardaespaldas, pistolas, escopetas . . . Todas esas palabras se han vuelto de uso común en la ciudad amurallada.

P2   Pero, a diferencia de las ciudades antiguas que levantaban altos muros para defenderse de sus enemigos externos, en el gran San Salvador las murallas están por dentro.

P3   Los enemigos: ladrones, rateros, asaltantes, secuestradores, violadores, extorsionistas.

P4   Puede ponerle todos los apelativos que se imagine, el significado es el mismo: delincuente.

P5   La violencia, en particular la delincuencia, ha cambiado la fisonomía de la ciudad y la forma en que se relacionan los capitalinos.

P6   "Se metieron el año pasado cuatro veces (los ladrones); se llevaron todo: dos computadoras, el fax, máquinas de escribir, hasta la calculadora", cuenta un profesional que tiene su despacho cerca de la Universidad Nacional.

P7   Las otras cuatro oficinas que comparten la segunda y última planta del edificio—dos arquitectos, una odontóloga y un abogado—tuvieron la misma "suerte", hasta que todos decidieron ponerle un alto.

P8   Las oficinas están prácticamente enjauladas. Balcones y defensas en puertas y ventanas, y también en el cielo falso.

P9   "Un día encontramos las láminas del techo levantadas, pero como vieron que también estaba enrejado el cielo falso ya no pudieron entrar", recuerda el empleado de otra oficina del mismo edificio.

La última tecnología

P10   Pero el gran "boom" para proteger casas y oficinas son los sistemas más sofisticados, que suponen la instalación de sensores de movimiento que detectan la presencia de visitantes no deseados.

P11   En espacios pequeños el costo del sistema puede oscilar entre 1,500 y 1,700 colones.

P12   Para empresas y residencias grandes el costo de instalación puede subir de cinco mil colones en adelante.

P13   Los precios entre las diferentes empresas varían, pero las más profesionales ofrecen un servicio agregado.

P14   El sistema está conectado a una central de monitoreo, que inmediatamente envía una patrulla de agentes armados para que revisen la casa, al mismo tiempo que le avisa al cliente que su territorio ha sido penetrado.

P15   Claro, que eso supone un costo adicional, a razón de entre 100 y 400 colones mensuales, dependiendo de la empresa que se contrate.

P16   ¿Caro o barato? Eso lo determinará las posibilidades del cliente.

P17   Empresas como la agencia de seguridad COSASE aseguran tener por lo menos 700 instalaciones conectadas a ese servicio, la mayoría de ellas en zonas residenciales.

Los allegados

P18   "Cuando me preguntan, ahora, quiénes son mi gente más allegada, me da pena decirlo, pero las personas con las que paso más tiempo son mis guardaespaldas", cuenta un empresario extranjero, residente en el país desde hace algunos años.

P19   Al inversionista siempre le pareció "espantoso" ver cómo en muchas de las oficinas y negocios salvadoreños, hace falta algún agente de seguridad que exhibe una escopeta al hombro y una pistola a la cintura.

P20   Pero el empresario entendió todo cuando una tarde del año antepasado, dos vehículos se le atravesaron en pleno centro de San Salvador y, con un cañón en la sien, lo obligaron a bajarse.

P21   Después de varios días de cautiverio y el pago de un rescate millonario, el empresario regresó a su país.

P22   Ahora está de regreso, pero sus allegados le cuestan 18 mil colones mensuales: tres guardaespaldas, a razón de seis mil colones cada uno.

P23   Eso sin contar otros veinte mil colones que invierte en cuidar los dos locales comerciales que tiene en San Salvador.

Ciudad "Miedo"

P24   La arquitectura salvadoreña refleja los temores a los que vive sometida la gente.

P25 El arquitecto Rodolfo Ramírez pone como ejemplo la colonia Centroamérica, de clase media, construida en los años cincuenta.

P26 "Esas casas tenían un 'porche', una especie de recibidor abierto en la entrada, en donde la gente se sentaba en las tardes a platicar. Ahora, vaya y va a ver que no hay prácticamente ninguna (casa) que conserve esa zona abierta", dice el arquitecto.

P27 Los espacios abiertos de antes ahora son muros coronados con otro de los símbolos de los tiempos: el alambre "razor", electrificado en muchos de los casos.

P28 "Ese alambre se creó para guardar prisiones o zonas militares, aquí es de uso tan común en residencias, que cuando vienen arquitectos de países europeos se espantan", comenta Ramírez.

P29 A eso agréguesele el poco espacio disponible en la ciudad: "Si los espacios son pequeños, el dejarlos abiertos da la sensación de amplitud, pero aquí es imposible, la gente tiene que gastar después en hacerla segura, eso hasta en la casa más humilde", explica el arquitecto.

P30 Bienvenido a la ciudad del presente, Ciudad "Miedo", la ciudad amurallada.

Tomado de *Enfoques Prensa On-line*, 9 de julio, 2000.

Después de leer   PREGUNTAS DE COMPRENSION

1. ¿A qué guerra se refiere el párrafo que sigue al titular? (Hay que investigar.)
2. Según el autor, ¿cómo es la vida en la ciudad de San Salvador?
3. ¿Con qué se compara el autor a San Salvador?
4. ¿Qué formas toma la delincuencia?
5. ¿Cómo ha cambiado la violencia la vida de la ciudad capital?
6. ¿Cuántas veces robaron el edificio que está cerca de la Universidad Nacional? ¿Qué se llevaron?
7. ¿Cómo se trata de defender la gente? ¿En qué invierte su dinero?
8. ¿Cuánto vale un colón hoy día? (Hay que investigar.)
9. ¿Qué le pasó al empresario extranjero?
10. ¿Cómo le ha afectado la vida a ese señor? ¿Con quién pasa su tiempo?
11. ¿Qué tenían las casas de la colonia Centroamérica?
12. ¿Cómo ha cambiado la vida en la colonia Centroamérica?
13. ¿Cuánto dinero se le paga a cada uno de los guardaespaldas del empresario? (Hay que calcular.)
14. ¿Qué pasa con los espacios abiertos? ¿Por qué es tan seria la situación para San Salvador?

ENFOQUE EN EL CONTENIDO Y LA ESTRUCTURA

A. *La noticia vs. el reportaje*

1. ¿Qué tienen en común la noticia anterior sobre la minivaca y este reportaje? ¿En qué sentido pueden considerarse los dos como relatos periodísticos?

2. ¿Cómo difiere este reportaje de la noticia sobre la minivaca?
   a. ¿En qué sentido son diferentes los titulares? ¿Tienen la misma función?
   b. ¿Qué función cumble el párrafo en letra de molde que sigue al titular?
   c. ¿Tiene una introducción de resumen?
   d. ¿Sigue el cuerpo la estructura de una pirámide invertida?

B. *Análisis estructural*

1. Este reportaje muestra las características básicas de una composición coherente. Tiene un tema, una tesis y un cuerpo que los desarrolla, además de una conclusión y un titular que ayudan a unificar el texto.
   a. Resumido en una sola palabra ¿cuál es el tema de la lectura?
   b. ¿Cuál es la imagen que el autor utiliza para comunicar el tema?
   c. ¿Cuál párrafo del primer segmento (P1–P9) resume mejor la tesis de la lectura? Es decir, ¿cuál expresa con mayor claridad lo que el reportaje va a mostrar?
   d. ¿Sirve el último párrafo (P30) como una conclusión? ¿Cómo se relaciona con el título y la tesis del reportaje?

2. Discutan la validez de los análisis estructurales de los cuatro segmentos del reportaje que se presentan a continuación:
   a. **La ciudad del "razor" y el guardia:** 1–P2 / P3–P4 / P5 / P6–P9
   b. **La última tecnología:** P10 / P11–P12 / P13–P17
   c. **Los allegados:** P18–P19 / P20–P22 / P22–P23
   d. **Ciudad "Miedo":** P24 / P25–P26 / P27–P29 // P30

3. Un elemento clave del reportaje es el caso de la colonia Centroamérica. ¿Cómo se relaciona con la tesis?

4. El autor presenta dos casos específicos pero distintos de crimen y violencia (P6–P9 y P18–P23). ¿En que difieren los dos casos? ¿Era necesario mostrar dos casos distintos? ¿Cómo sirven para desarrollar la tesis de la composición? ¿Importa el orden de presentación de ellos?

A. *La puntuación*

Estudie el empleo de los siguientes signos de puntuación en la Lectura #2 para ver si está de acuerdo con las reglas de puntuación resumidas en el *Apéndice gramatical* (pp. 175-242): puntos suspensivos (. . .), los dos puntos (:), el punto y coma (;), la raya (—), las comillas (". . ." o «. . .») y el apóstrofe (').

B. Vocabulario

I. *Campos semánticos*

La lectura ofrece conjuntos de vocabulario relacionados con los temas siguientes. Haga una lista organizada de cada uno:

a. el crimen, la violencia, y la autodefensa
b. la tecnología
c. los edificios y los espacios

2. *Falsos amigos*

En la lectura Ud. se encontrará con algunos términos engañosos. Vale la pena buscar las varias acepciones de las expresiones siguientes: *violador, delincuente, razón, revisar, colonia, invertir.*

3. *Algunos modismos y giros especiales*

Busque en la lectura, las expresiones apropiadas para completar las oraciones siguientes:

a. Las murallas hoy están por dentro, *unlike* las ciudades antiguas,
b. El reportaje *gives/poses the example* del empresario que fue secuestrado.
c. El pobre hombre de negocios dejó el país por un tiempo pero ahora *he's back.*
d. El crimen *has become* un problema diario en la capital.
e. Los ciudadanos quieren *put an end to it.*
f. *It grieves us* decirlo, pero tenemos que comprar un revólver para protegernos.
g. Todos mis *closest friends* tienen armas de fuego.
h. Tengo un guardaespaldas y le tengo que pagar *to the tune of* $500.00 mensuales.
i. *The people who live in the capital* invierten mucho dinero en la tecnología de defensa contra el crimen.
j. La gente ya no se sienta en el porche para *chat.*

4. *Para no decir "dice"*

a. En el articulo se reporta lo que dicen varias personas, pero sólo aparece la forma "dice" una vez (P26). Busque en la lectura otros verbos de comunicación que se pueden utilizar para integrar las citas en el reportaje (P6, P9, P18, P28, P29).
b. Busque en el diccionario el significado de los siguientes verbos de comunicación: *afirmar, asegurar, aseverar, denunciar,*

enfatizar, informar, manifestar, mencionar, opinar, revelar, señalar.

c. ¿Puede Ud. ampliar la lista de posibilidades?

B. *Los pronombres*

Vale la pena repasar la información sobre formas pronominales en el *Apéndice gramatical* (pp. 175-242) para hacer estas prácticas.

1. *Identificaciones:* La lectura ofrece una variedad de formas pronominales. Hay que identificar y explicar el uso de las formas pronominales en bastardilla en los ejemplos que siguen, tanto en términos de su función gramatical (sujeto, complemento directo, complemento indirecto, etc.) como en términos de su referencia (¿es definido o indefinido?, ¿cuál es el antecedente de la forma pronominal?).

a. Puede poner*le* todos los apelativos que se imagine, el significado es el mismo: delincuente. (P4)

b. . . . tuvieron la misma "suerte", hasta que todos decidieron poner*le* un alto. (P7)

c. . . . al mismo tiempo que *le* avisa al cliente que su territorio ha sido penetrado. (P14)

d. ¿Caro o barato? *Eso lo* determinará las posibilidades del cliente. (P16)

e. . . . 700 instalaciones conectadas a ese servicio, la mayoría de *ellas* en zonas residenciales. (P17)

f. "Cuando *me* preguntan, ahora, quiénes son mi gente más allegada, *me* da pena decir*lo*, pero las personas con las que paso más tiempo son mis guardaespaldas", cuenta un empresario . . . (P18)

g. *Al inversionista* siempre *le* pareció "espantoso" ver cómo en muchas de las oficinas y negocios salvadoreños, no hace falta algún agente de seguridad . . . (P19)

h. . . . dos vehículos se *le* atravesaron en pleno centro de San Salvador y . . . *lo* obligaron a bajarse. (P20).

i. Eso sin contar otros veinte mil colones que invierte en cuidar los dos locales comerciales . . . (P23)

j. . . . la gente tiene que gastar después en hacerla segura, *eso* hasta en la casa más humilde" . . . (P29)

k. Ahora está de regreso, pero sus allegados *le* cuestan 18 mil colones mensuales . . . cada uno. (P22)

l. A eso agregué*se le* el poco espacio disponible en la ciudad: "Si los espacios son pequeños, el dejar*los* abiertos da la sensación de amplitud, pero aquí es imposible, la gente tiene que gastar después en hacer*la* segura, eso hasta en la casa más humilde", explica el arquitecto. (P29)

2. *Los sabores del "se"* ¿Cuáles de los reflexivos representan objetos?, ¿Cuáles representan más bien sujetos? ¿Cuáles se refieren a una relación recíproca? ¿Cuales son reflexivos verdaderos: o sea, casos en que el sujeto de verdad sufre la acción del verbo? ¿Hay casos que no caben bien dentro de las clases indicadas aquí? ¿Cómo afectaría el significado de la oración si se eliminara el elemento *se*?

a. . . . levantaban altos muros para defender*se* de sus enemigos externos . . . (P2)

b. Puede ponerle todos los apelativos que *se* imagine, el significado es el mismo: delincuente. (P4)

c. La violencia . . . ha cambiado la fisonomía de la ciudad y la forma en que *se* relacionan los capitalinos. (P5)

d. "*Se* metieron el año pasado cuatro veces (los ladrones); *se* llevaron todo . . ." (P6)

e. Claro, que eso supone un costo adicional . . . dependiendo de la empresa que *se* contrate. (P15)

f. "Ese alambre *se* creó para guardar prisiones o zonas militares . . ." (P28)

g. ". . . aquí es de uso tan común en residencias, que cuando vienen arquitectos de países europeos *se* espantan", comenta Ramírez. (P28)

3. *La pronominalización*

El español a menudo forma estructuras pronominales por *eliminar el nombre*. Consulte el *Apéndice gramatical* (pp. 175-242) para más detalles:

Ejemplos: A continuación se presentan algunos ejemplos del texto. ¿Cuál nombre se ha eliminado en la forma en bastardilla?

a. Puede ponerle todos los apelativos que se imagine, el significado es *el mismo:* delincuente. (P4)

b. Los precios entre las diferentes empresas varían, pero *las más profesionales* ofrecen . . . (P13)

c. ". . . las personas con *las que paso más tiempo* son mis guardaespaldas", cuenta un empresario . . . (P18)

d. La arquitectura salvadoreña refleja los temores a *los que vive sometida la gente.* (P24)

Práctica: Siguiendo el modelo, conteste las preguntas abajo por formar una frase pronominal en la que se ha omitido el nombre:

Modelo: ¿Cuáles ciudades tienen las murallas por dentro? *¿Las ciudades antiguas* o *las ciudades modernas?* Respuesta: Las modernas.

a. ¿Cuáles son peores? *Los delincuentes que roban* o *los delincuentes que secuestran a la gente?*

b. ¿Cuál oficina fue robada? *La oficina de la odontóloga* o *la oficina del empresario?*

c. ¿Cuál sistema de defensa prefiere Ud.? *El sistema más caro* o *el sistema más barato?*

    d. ¿Dónde se encuentran la mayoría de las instalaciones de la agencia COSASE? *¿En las zonas comerciales* o *en las zonas residenciales?* (P17)

    e. ¿Quiénes se espantaron por el alambre de "razor"? *Los arquitectos estadounidenses* o *los arquitectos europeos?*

D. *La cláusula relativa*

  I. *Los pronombres relativos:* Repase el uso de los pronombres relativos (*que, quien, el que, el cual, lo que, lo cual, cuyo*) para hacer esta práctica (Apéndice gramatical, pp. 175-242). A veces hay más de una posibilidad:

    a. Los ladrones _____ robaron la computadora entraron por el techo.

    b. Los secuestradores, _____ son cada vez más violentos, han raptado a varios empresarios ricos.

    c. Ha aumentado la tasa de crimen violento, por _____ todos se decidieron a ponerle alto.

    d. La ventana a través de _____ los ladrones entraron estaba enrejada.

    e. El arquitecto _____ oficina fue robada decidió instalar un sistema electrónico de defensa.

    f. Los tres guardaespaldas _____ protegen al empresario reciben 6 mil colones mensuales cada uno.

    g. El empresario tiene tres guardaespaldas con _____ pasa la mayoría de su tiempo.

    h. Las casas tiene murallas encima de _____ los propietarios ponen el alambre "razor".

  2. *El modo y la cláusula relativa:* Para contestar, repase el uso de los modos verbales (el indicativo y del subjuntivo) en la cláusula relativa (*Apéndice gramatical*, pp. 175-242). Identifique el nombre modificado por la cláusula relativa (el segmento en bastardilla) en cada uno de los casos siguientes ¿Cuál modo se ha empleado en cada uno? ¿Por qué?:

    a. "Se metieron el año pasado cuatro veces (los ladrones) . . .", cuenta un profesional *que tiene su despacho cerca de la Universidad Nacional.* (P6)

    b. Las oficinas que comparten la segunda y última planta del edificio . . . tuvieron a misma "suerte" . . . (P7)

    c. Puede ponerle todos los apelativos *que se imagine*, el significado es el mismo: delincuente. (P14)

    d. Claro, que eso supone un costo adicional . . . dependiendo de la empresa *que se contrate.* (P15)

    e. . . . hace falta algún agente de seguridad *que exhibe una escopeta al hombro* . . . (P19)

    f.   "Ahora, . . . no hay prácticamente ninguna (casa) *que conserve* esa zona abierta", dice el arquitecto. (P26)

Actividades de escritura

A. *El ladrón intelectual*

Los mismos datos y hechos se pueden presentar de formas distintas, depende del enfoque o del énfasis que el escritor quiera impartir al lector. Tomando como punto de partida los siguientes hechos, escriba una introducción de resumen de *una sola oración* que incluya *toda la información posible* de una forma concisa y fluida. Escoja uno de los enfoques siguientes: a) la multa, b) la sentencia, c) el objeto robado (libros), d) la cantidad de libros o, e) el motivo de Martínez. Válgase de los signos de puntuación, las cláusulas relativas y las expresiones conjuntivas (menos "y") para escribir la introducción. Invente, además, un titular que corresponda al nuevo enfoque de la introducción. Los estudiantes deben comparar sus "trabajos".

  1. Arrestaron a Tomás Martínez.

  2. Es de [pueblo], [estado].

  3. Tomás Martínez es el hijo del alcalde.

  4. Tiene 32 años.

  5. Lo arrestaron el lunes por la noche.

  6. Se enfrenta a una posible multa de $10,000.

  7. También puede recibir una sentencia de tres a cinco años.

  8. En un período de diez años había robado más de 3,000 libros.

  9. Los libros eran de diferentes bibliotecas públicas.

10. Martínez quería impresionar a sus colegas con su biblioteca personal.

B. *La noticia de un crimen*

A base de uno de los dos casos de crimen denunciados en la Lectura #2 (P6–P9 o P18–P23) escriba una noticia corta pero completa con titular, introducción de resumen, cuerpo y cierre. Talvez tenga que inventar algunos datos o hechos para completar en relato.

C. *El secuestro y el rescate*

Una clase de crimen que ha aumentado tremendamente en Latinoamérica en los últimos años es el secuestro de individuos ricos o poderosos a cambio de un rescate. Haga una investigación del fenómeno leyendo algunos periódicos electrónicos de la región. Se puede comenzar con una búsqueda del término clave "secuestro". ¿Cuáles son las causas, las facetas y las dimensiones actuales de este crimen? Recoja todos los datos, hechos y citas posibles para hacer un reportaje coherente siguiendo el modelo de la Lectura #2; es decir, no hay que seguir el modelo de la pirámide invertida. No deje de distinguir hecho y opinión, ni de contextualizar y atribuir las declaraciones y citas apropiadamente.

Lectura 3

'Inventor' de la Guitarra
Por A.M.F.

Introducción a La Lectura

El siguiente reportaje apareció en una revista semanal chilena llamada *Hoy* (una revista parecida a *Time* y *Newsweek*) poco después de la muerte del famoso guitarrista español Andrés Segovia. El artículo no es una noticia que tiene el propósito principal de informar al público de la muerte de Segovia, sino un relato de interés humano que sirve más bien como una especie de elogio (eulogy). Aunque es un ejemplo de estilo periodístico, se notará que el reportaje también se organiza alrededor de varios principios ya estudiados: tesis, orden temporal de datos y conclusión que resume la tesis. Además se observará que el autor juega con las palabras y hace uso de una variedad de recursos de expresión figurada. Por la calidad casi literaria del reportaje, se podría clasificar como *una crónica*.

Antes de leer

A. *La música clásica*

1. ¿Cuántos tipos de música puede Ud. mencionar? ¿Cuáles son los instrumentos que se asocian con cada uno de estos tipos de música?

2. En su opinión, ¿cuáles son los rasgos de la música clásica?

3. ¿En qué clase de música piensa Ud. cuando considera la guitarra y la música de España? ¿Se puede considerar este tipo de música como música clásica?

B. *Anticipación de la lectura*
Tomando en cuenta el propósito y las circunstancias de este artículo (un reportaje de interés humano provocado por la muerte de una persona de fama mundial) trate de anticipar en términos generales el contenido del artículo. Normalmente ¿qué quiere saber el público en tales casos? Haga una lista de las preguntas que el lector típico tendría?

C. *El titular*
Pensando en el titular y subtitular, ¿se ve obligado el autor del artículo a proveer determinada información y a desarrollar ciertas ideas? ¿Cuáles son?

'Inventor' de la guitarra

A los 94 años y pleno de honores murió Andrés Segovia.

A leer

"Inventor" de la Guitarra
A Los 94 Años y Pleno de Honores Murio Andrés Segovia
Por A.M.F.

P1   Andrés Segovia fue a la guitarra lo que Paganini al violín: un genio de la interpretación.

P2   A los 94 años, no tenía aún intenciones de morirse. Acababa de llegar de Nueva York donde, desde marzo, había dado una serie de clases magistrales que coincidieron con su nombramiento como doctor honoris causa en Artes Musicales de la Manhattan School of Music. En abril tuvo que internarse en una clínica por una arritmia cardíaca. Pero se recuperó y volvió a su hogar en Madrid.

P3   Se sentía bien. Estaba viendo televisión junto a su tercera esposa, Emilia Corral, y su hijo menor Carlos Andrés, de 17 años. De pronto se sintió cansado y dejó de respirar. Pero no apagaron aquellas llamaradas que lo llevaron a la cumbre del virtuosismo y a los máximos honores internacionales.

P4   —Mi pasión por la música pareció estallar en llamaradas—había confesado el autodidacta Andrés Segovia, cuando aún muchacho tuvo la ocasión de escuchar el preludio de Francisco Tárraga, interpretado por Gabriel Ruiz de Almodóvar, en Granada.

La música, el océano

P5   Desde entonces no abandonó más su vocación de guitarrista. Desde los tres a los ocho años, en la localidad de Jaén, al sur de España, ya había seguido clases de solfeo y violín y se había aficionado a la pintura, incentivado por unos tíos, pues sus padres eran muy modestos.

P6   Comenzó tocando flamenco y melodías populares, pero pronto se dio cuenta de que con ese instrumento se podían interpretar las composiciones más complejas. Tuvo éxito en toda España. En Madrid se hizo famoso por su capa negra, su pelo largo y unos lentes redondos de marco grueso que usaba en los recitales.

P7   Segovia se transformó en el verdadero "inventor" de la guitarra como instrumento de concierto. En sus giras por todo el mundo demostró cómo se podía hacer maravillas con ella entre los brazos y con una partitura de Bach, Beethoven, Joaquín Rodrigo u otros grandes compositores que comenzaron a producir obras especialmente para él. Entusiasmó a miles cuando creó los cursos de Información e Interpretación de Música Española en Compostela, hasta donde comenzaron a llegar becarios de todos los continentes.

P8   Sus claves siempre las expresó en metáforas: "La música es para mí el océano. Y los instrumentos, las islas", dijo una vez a **Cambio 16.** "La guitarra es un maravilloso instrumento, de una gran variedad de colores musicales y con capacidad para la armonía y contrapunto superiores al violín y al cello. La guitarra es como una orquesta pequeña. Una orquesta que se viera con los prismáticos al revés".

P9   Recibió centenares de premios. Entre ellos, las grandes cruces de Isabel La Católica y Alfonso X el Sabio; el premio "Una vida por la música", considerado el Nobel de su género; el Premio Nacional (1981); muchas medallas y discos de Oro de diversos países.

P10   El Rey Juan Carlos le dio el título nobiliario de Marqués de Salobrena en 1981 y dos años después fue recibido como miembro de honor de la Real Academia de Bellas Artes de Santa Isabel de Hungría en Sevilla, la Academia de Estocolmo (Suecia) y de la Santa Cecilia de Roma.

P11   Para él, el sonido de la música era "luminoso". Antes de partir, dejó un camino iluminado con raudales de luz.

Tomado de Hoy, 8–14 de junio, 1987

Después de leer   **PREGUNTAS DE COMPRENSION**

1. ¿Dónde dio clases de música poco antes de morirse?
2. ¿Dónde vivia la familia de Segovia?
3. ¿Fue inesperada la muerte de Segovia? ¿Por qué?
4. ¿Qué primer suceso en la vida de Segovia lo entusiasmó a dedicarse a la música? ¿Cómo describe su reacción al suceso?
5. Además de la música, ¿qué otros intereses artísticos tenía Segovia?
6. ¿Quiénes ayudaron a Segovia a desarrollar su talento? ¿Por qué?
7. ¿Cómo se vestía Segovia para sus conciertos? ¿Proyectaba la imagen de un artista?
8. En P7 se refiere a "Bach, Beethoven, . . . u otros grandes compositores que comenzaron a producir obras especialmente para él". ¿Se debe entender esto literalmente?
9. Según Segovia, ¿por qué es la guitarra un instrumento más versátil que el violín y el cello? ¿Por qué sería eso?
10. ¿Por cuántos años antes de su muerte fue miembro de la prestigiosa Real Academia de Bellas Artes de Santa Isabel de Hungría en Sevilla? [Hay que calcular.]

ENFOQUE EN EL CONTENIDO Y LA ESTRUCTURA

A. *Titular, tema y tesis*

1. El tema del artículo es Andrés Segovia. La tesis principal también se presenta en el titular del artículo, aunque de manera juguetona.

Discuta esta tesis. Piense en las siguientes preguntas: ¿Representa el titular mayor (**"Inventor" de la guitarra**) un hecho literal? ¿Por qué aparece la palabra inventor entre comillas? ¿Es una mentira? ¿En qué sentido se podría decir que Segovia fue el inventor de la guitarra?

2. ¿Cómo resumiría Ud. la tesis en una sola frase corta?

B. *Estructura general*

1. Asumiendo que el esquema siguiente representa la estructura básica de la lectura, ¿cuál es el tema o la función de cada una de las unidades?

Párrafo	Tema
P1	_____
P2-P3	_____
P4	_____
P5-P7	_____
P8	_____
P9-P10	_____
P11	_____

2. Ahora trate de determinar cómo difieren entre sí temáticamente los párrafos de las unidades siguientes:

Párrafos	Diferencias temáticas
a. P2	Antes de morir
P3	_____
b. P5	_____
P6	_____
P7	_____
c. P9	_____
P10	_____

ENFOQUE EN EL LENGUAJE

A. *Vocabulario*

1. *La música y el arte*

La lectura es una rica fuente de vocabulario relacionado con el mundo de la música y el arte. En hoja aparte, reúna y organice el vocabulario en forma de un esquema que le facilite la memorización.

2. *Algunos modismos*
    a. *He had just arrived* de Nueva York donde . . . había dado una serie de clases . . . (P2)
    b. *Suddenly* se sintió cansado y *stopped breathing.* (P3)
    c. Desde los tres a los ocho años, . . . ya *(he) had taken* clases de solfeo y violín . . . (P5)
    d. Desde los tres a los ocho años, . . . *(he) had taken an interest in* la pintura . . . (P5)
    e. Comenzó tocando flamenco . . . , pero pronto *(he) realized* que con ese instrumento . . . (P6)
    f. En Madrid se hizo famoso por . . . unos lentes . . . que *(he) wore* en los recitales. (P6)

B. *Lenguaje literario*

1. Busque definiciones de los siguientes términos:
    a. la analogía
    b. la metáfora
    c. el símil
    d. la imagen

2. Refiriéndose a las definiciones de las palabras de arriba, ¿cómo clasificaría Ud. las siguientes estructuras, expresiones figuradas y comparaciones?
    a. Andrés Segovia fue a la guitarra lo que Paganini al violín: un genio de la interpretación. (P1)
    b. "La música es para mí el océano. Y los instrumentos, las islas", dijo una vez a Cambio 16. (P8)
    c. "La guitarra es como una orquesta pequeña. Una orquesta que se viera con los prismáticos al revés". (P8)
    d. Para él, el sonido de la música era "luminoso". Antes de partir, dejó un camino iluminado con raudales de luz. (P11)

C. *La puntuación:* Estudie los siguientes signos de puntuación en el texto para ver si concuerda su uso con el *Apéndice gramatical* (pp. 175-242):

1. ¿Qué funciones tienen las comillas (". . .") en la lectura?

2. ¿Cómo se emplean la coma (,), el punto y coma (;) y los dos puntos (:) en el texto (P7–P8)?

D. *Práctica de pronombres*

1. El tema del reportaje es Andrés Segovia, y él figura como sujeto de la mayoría de las frases en el artículo. Cuente las veces que el pronombre *él* sirve de sujeto de frase en el artículo. Discuta el uso y la falta de uso de él en frases específicas.

2. En los siguientes casos, identifique el referente y la función (sujeto, objeto directo, indirecto, preposición, etc.) de los pronombres en bastardilla.

   a. Pero no apagaron aquellas llamaradas que *lo* llevaron a la cumbre del virtuosismo y a los máximos honores internacionales.

   b. En sus giras por todo el mundo demostró cómo *se* podía hacer maravillas con *ella* entre los brazos y con una partitura de Bach, Beethoven, Joaquín Rodrigo u otros grandes compositores que comenzaron a producir obras especialmente para *él*.

   c. Sus claves siempre *las* expresó en metáforas.

   d. "La música es para *mí* el oceáno."

   e. Recibió centenares de premios. Entre *ellos*, las grandes cruces de Isabel la Católica y Alfonso X el Sabio . . .

   f. El Rey Juan Carlos *le* dio el título nobiliario de Marqués de Salobrena en 1981 . . .

   g. Para *él*, el sonido de la música era "luminoso".

3. Escriba de nuevo las oraciones que aparecen a continuación, reemplazando la frase en bastardilla (si es posible) con un pronombre apropiado. Piense en el referente y la función (sujeto, objeto directo, etc.) del nombre que se va a sustituir.

   a. Se sentía bien. Estaba viendo televisión junto a *su tercera esposa*.

   b. —Mi pasión por la música pareció estallar en llamaradas—había confesado *el autodidacta Andrés Segovia*.

   c. Comenzó tocando flamenco y melodías populares, pero pronto se dio cuenta que con *ese instrumento* se podían interpretar las composiciones más complejas.

   d. Entusiasmó a miles cuando creó *los cursos de Información e Interpretación de Música Española en Compostela*.

   e. "La guitarra es un maravilloso instrumento, de una gran variedad de colores musicales y con capacidad para la armonía y el contrapundo superiores *al violín y al cello*."

   f. El Rey Juan Carlos le dio *el título nobiliario de Marqués de Salobrena* en 1981.

4. Los siguientes pronombres reflexivos aparecen en la lectura. Discuta la función y significado de cada caso. Piense en las preguntas siguientes: ¿A qué o a quién se refiere el pronombre? ¿Se puede eliminar el pronombre reflexivo sin afectar el significado? Si no, ¿cómo se afecta el significado al eliminarlo? ¿Según el esquema dado en el *Apéndice gramatical* (pp. 175-242), ¿qué clase de reflexivo es cada uno (reflexivo verdadero, recíproco. etc.)?

   a. A los 94 años, no tenía aún intenciones de morir*se*.

   b. En abril tuvo que internar*se* en una clínica . . .

   c. Pero *se* recuperó y volvió a su hogar en Madrid.

   e. *Se* sentía bien. Estaba viendo televisión . . .

e. En Madrid *se* hizo famoso por su capa negra, su pelo largo y unos lentes redondos . . .

f. Segovia *se* transformó en el verdadero "inventor" de la guitarra como instrumento de concierto.

g. En sus giras por todo el mundo demostró cómo *se* podía hacer maravillas con ella . . .

h. Una orquesta que *se* viera con los prismáticos al revés.

E. *Algunas formas verbales*

1. *El pretérito vs. el imperfecto*
   a. En P1 *tener que + infinitivo* aparece tanto en la forma imperfecta como en el pretérito. ¿Por qué?
   b. Asimismo, el verbo *sentirse* aparece en ambas formas en P2? ¿Por qué?
   c. Explique el uso del imperfecto y del pretérito en el P6.

2. *El pretérito perfecto* (*haber* + participio pasado) aparece varias veces en la lectura (P2, P4, P5).
   a. ¿Por qué se usa esta forma verbal? ¿Cómo se distingue del pretérito en términos de significado?
   b. En P1 hay un ejemplo de *acabar + infinitivo*, ¿Se parece a la forma perfecta? ¿Cómo?

3. *El pasivo* (*ser* + participio pasado) aparece una vez (P10). Además, un pasivo abreviado sirve como frase adjetiva en varios lugares (P4, P5, P9, P11). Convierta esta oraciones activas a la forma pasiva y *viceversa:*
   a. Gabriel Ruiz de Almodóvar interpretó el preludio de Francisco Tárraga.
   b. Segovia transformó la guitarra en instrumento de concierto.
   c. El premio "Una vida por la música" es considerado el Nobel de su género.
   d. Segovia fue recibido como miembro de honor por la Real Academia de Bellas Artes.

4. *El subjuntivo* aparece una vez (P8) en la lectura. ¿De qué clase de cláusula se trata? ¿Por qué se usa el subjuntivo?

F. *Manejo del diccionario:* Traduzca las oraciones al español prestando atención especial a las expresiones en bastardilla. Tenga en cuenta el hecho de que la intención de los ejemplos es enfocar la atención del estudiante en falsos amigos y conceptos problemáticos.

1. *Both* Segovia and Paganini are geniuses. I like *both* of them.

2. Segovia was not *sitting (down)* when he died, he *was (already) sitting* with his family.

3. He *died* at home. I think a heart attack *killed* him.

4. We *learned* that Segovia *learned* to play the violin at an early age.

5. His *parents* were very poor, so his *relatives* helped him.

6. Segovia was an *individual* who could could play a number of *individual* instruments.

7. With *respect* to the guitar, it gained a lot of *respect* as an instrument.

8. The *reading* indicated that Segovia also gave *lectures* on music.

9. He *made* himself famous, but I don't know if he *made* a lot of money.

10. Although Segovia was an artist, he was not only *sensitive* but also *sensible*.

11. He almost never *missed* a concert, but the world will *miss* him.

12. As I *reflect* on the matter, it is clear that Segovia's life *reflects* the essence of art.

Actividades de escritura

A. *Sumario del mundo de . . .*

Ud. es redactor de una columna regular de un periódico que se dedica a resumir en breve (en una serie de introducciones) los acontecimientos recientes relacionados con un campo determinado de interés público: la música, el arte, los deportes, etc. El sumario debe hacer mención de por lo menos cinco sucesos verdaderos.

B. *Un concierto/una exhibición del arte/otra clase de función*

Ud. escribe artículos para la página cultural de un diario. En forma periodística, escriba un reportaje breve (titular, introducción de resumen y un párrafo de cuerpo) sobre alguna función o programa cultural que se ha realizado recientemente.

C. *El artista/conjunto del año*

Anoche hubo otro programa de premios de música (music awards program) en el que se escogió un "conjunto del año". Como autor de una columna, Ud. tiene que escribir una breve noticia encajada (set off in a box on the page) en la que se refiere al premio y se da un breve resumen de la trayectoria del grupo en su búsqueda de fama y éxito. Ud. puede referirse a cualquier clase de música y cualquier conjunto que le interese.

Para Resumir

La Unidad 3 ha tratado el tema de la objetividad y se han presentado en ella los varios componentes de un reportaje periodístico: el titular, la introducción, el cuerpo y el cierre. Como se ha visto, el titular resume el contenido esencial de la introducción; a veces acusa sólo el tema, otras veces presenta una tesis. La introducción, a su vez, normalmente contesta los cinco interrogantes básicos (¿qué?, ¿quién?, ¿cuándo?, ¿dónde?, ¿por qué? y, a veces, ¿cómo?) según su importancia. Para lograr integrar tanta información en una sola frase, la introducción casi siempre tiene la forma de una frase compleja con cláusulas coordinadas y subordinadas y frases modificadoras intercaladas. El cuerpo del reportaje desarrolla los datos de la introducción en orden de importancia (la pirámide invertida). Se ha visto que aún los reportajes frecuentemente se organizan alrededor de una tesis (explícita o implícita) o acusan un punto de vista.

1. "El audaz lechero de las minivacas" representa *una noticia informativa* que comienza con una introducción de resumen y sigue el modelo de la pirámide invertida. Esto se ve en el hecho de que tanto el titular como la introducción y el cuerpo del reportaje se enfocan principalmente en la persona, que es mexicano, y no en el logro (la minivaca). La tesis sobreentendida es que la cultura hispánica ha logrado un adelanto científico significativo.

2. "La ciudad amurallada" ejemplifica un relato periodístico de tipo *reportaje*. Aunque se basa en los hechos, el reportaje exhibe un estilo más libre y tiene muchas de las características generales de una composición (tema, tesis, etc.). El tema del relato es el crimen y la violencia y su efecto social. La tesis se encuentra en P5, en el cual se expresa la idea central de que el crimen y la violencia han afectado dos aspectos de la vida urbana: 1) "la fisionomía de la ciudad" se ha cambiado de espacios abiertos en espacios encerrados con alambre "razor" y medidas electrónicas de protección, 2) "la forma en que se relacionan los capitalinos" se rige por el miedo y la desconfianza (los residentes de la colonia Centroamérica ya no se sientan a platicar en el porche y el empresario secuestrado se asocia más con sus guardaespaldas). Los dos casos específicos denunciados en el reportaje muestran los dos aspectos de la delincuencia: el crimen contra la propiedad y violencia contra el individuo. El titular, la imagen de la moderna ciudad amurallada y la conclusión del reportaje, todos sintetizan el tema y la tesis.

3. El relato "'Inventor' de la guitarra" es un ejemplo de *la crónica*, una forma periodística que muestra una estructura aun más flexible y un estilo más literario. El autor emplea la metáfora y diversas formas de expresión figurada en su reportaje, el cual cumple con todos los requisitos de una composición coherente (tema, tesis, cuerpo y conclusión). La tesis se da claramente tanto en el titular como en la

introducción: Segovia fue "inventor" de la guitarra en el sentido de que fue un genio de la interpretación. La introducción del relato presenta un elemento de la tesis en la forma de una analogía (Segovia:guitarra :: Paganini:violín). El cuerpo contesta todas las preguntas que tendría el lector y sigue una clara estructura interna: 1) las circunstancias que llevaron a su muerte; 2) la cronología de su vida personal y profesional; este segmento comienza y termina con citas de Segovia, ambas evocando metáforas (la pasión = luz/fuego y la música = el océano); y 3) los honores logrados, primero se presentan los premios y después los títulos. La conclusión cierra la composición aludiendo otra vez a la imagen de luz.

Actividades de escritura extendida

A. *El pasquin sensacionalista*
Ud. es un reportero descarado de La Verdad, un tabloide igualmente desvergonzado. Siguiendo el modelo de los tabloides, prepare un reportaje absurdo y sensacionalista de por lo menos cinco párrafos para la primera plana del periódico. El titular tiene que llamar la atención del lector y el reportaje debe aparentar la objetividad.

B. *La primera plana*
Ud. y dos o tres compañeros van a hacer un boletín de noticias (*newsletter*) en español de dos o tres páginas sobre cualquier tema (o dirigido a cualquier público) que les interese. Hay que escribir por lo menos cinco noticias apropiadas, cada una con un titular y un mínimo de tres párrafos (una introducción más dos párrafos de cuerpo). Además, será necesario organizar el boletin mismo en cuanto al diseño, el titular, los componentes, etc.

C. *Bosquejo biográfico*
Ud. entrevista a un compañero de clase y compone un reportaje de interés humano (de dos o tres páginas) sobre él o ella. Es su meta interesar al lector en el sujeto. Para hacer eso será necesario ir más allá de los meros datos biográficos para revelar la esencia de la persona: su personalidad, su carácter, las mayores influencias en su vida, la filosofía que le guía, etc. Antes de la entrevista, desarrolle una serie de preguntas que le ayuden a conocer al sujeto de cerca (sin ser demasiado íntimo). Haga el reportaje desde el punto de vista de una tercera persona; es decir, evite el uso de la primera persona. Debe formular un titular llamativo y apropiado. Debe citar al entrevistado de forma apropiada.

Unidad 4
La Argumentación

OBJETIVOS

Después de terminar este capítulo, el estudiante podrá:

- exponer un punto de vista personal basado en los valores y la lógica.

- reconocer los elementos básicos de un argumento convincente y escribir una composición que los demuestre.

- escribir una carta formal.

OBJETIVOS LINGÜÍSTICOS

Después de terminar este capítulo, el estudiante podrá:

- reconocer y explicar el uso del subjuntivo.

- identificar y manejar dos elementos importantes de la cohesión textual: la pronominalización y expresiones de transición.

Introducción General

Rasgos de un Ensayo Subjetivo

El género de escritura que se práctica en esta unidad es la composición subjetiva, la que se plantea y se elabora un punto de vista personal acerca de algún tema. A diferencia de las composiciones de la unidad anterior, éstas permiten un grado apreciable de subjetividad. Se escriben desde la perspectiva de un individuo y presentan claramente las actitudes, opiniones y los juicios del autor. Sin embargo, dado que la escritura tiene (en la mayoría de los casos) el propósito o de convencer al lector de algo o de motivarlo a actuar, la composición tiene que organizarse bien y representar una subjetividad convincente y bien razonada. Aunque las composiciones de perspectiva personal no tienen que basarse estrictamente en la lógica ni en los hechos científicamente comprobados, las mejores emplean hechos verídicos—además de los argumentos, tanto lógicos como emotivos—de una manera eficaz para persuadir al lector. Desde luego, debe haber una tesis central que guíe el desarrollo de la composición, la cual tiene los componentes típicos de título, introducción, cuerpo y conclusión.

Para convencer y motivar hay que pensar bien en los valores y las sensibilidades del público lector. El lector a quien se dirige el autor, puede ser más o menos antagónico a la perspectiva y las opiniones de éste. Por un lado, no hay nada más fácil que convencer a los que ya están bien dispuestos a aceptar los valores y el punto de vista que se exponen. Esto es "predicar a los conversos". Sólo hay que decirles lo que quieren oír. A menudo en estos casos se puede precindir de la lógica y la razón totalmente (¡piense en los discursos de Adolfo Hitler!). Por otro lado, es casi imposible hacer cambiar de opinión a un oponente ideológico. No habrá argumento que valga. En este caso típicamente se encuentra un conficto de valores fundamentales. Sin embargo, en muchos casos se trata de persuadir o convencer a un público más o menos indeciso, es es ahí donde el argumento bien presentado puede tener un efecto importante.

En todo caso, para persuadir a cualquier persona de algo controvertible, lo más importante es entender lo que sabe, lo que cree y lo que aprecia en la vida, para poder desarrollar una estrategia de argumento que conduzca al lector hacia la perspectiva del escritor. Además, uno debe considerar el orden de presentación de los puntos del argumento: puesto que se quiere que el lector siga leyendo, no se empieza con las ideas que le causen mayor desacuerdo. Para convencer a un lector, normalmente se empieza con las ideas que él acepte más y se procede de allí a aquellas con las que el lector esté menos de acuerdo. El orden de presentación importa más en el caso del lector más antagónico. El plan para persuadirlo sería ordenar las ideas así: desde la idea o el punto menos discutible → hasta la idea o punto que el lector aceptará con más dificultad. Por otra parte, si el lector no es antagónico (tal vez simplemente desconoce los diversos aspectos del asunto), se puede también organizar un ensayo desde *el punto menos convincente o menos importante* de su argumento → hasta *el punto más convincente o más importante* que apoya su posición. Tal estrategia hace que el argumento parezca crecer en poder.

Otro aspecto de suma importancia en la argumentación eficaz, sobre todo en los casos de temas de controversia, es hacer frente a los hechos, a los argumentos y aún a los valores de la oposición. Las composiciones más fuertes reconocen y contestan los hechos y argumentos que suelen aducir los que abogan por una perspectiva contraria. Hay que analizar el discurso contrario para buscar los hechos dudosos o engañadores y los argumentos que fallan. Los posibles reparos de la oposición tienen que reconocerse abiertamente y contestarse para que no puedan debilitar el argumento después. Cuando se trata de un conflicto de valores fundamentales, el autor tiene que mostrar la importancia de los valores que subyacen su propio argumento.

En esta unidad se presentarán una serie de textos basados en la opinión o subjetividad del autor. Los textos representan varias clases de composición sujetiva (que expresa la perspectiva del escritor o busca afectar de alguna forma al lector): reseñas, cartas al redactor, cartas formales, y editoriales o comentarios sobre las noticias.

En términos lingüísticos, la argumentación implica un estilo más o menos formal que se vale mucho de elementos de cohesión como: 1) las formas pronominales, para eliminar la redundancia a la vez que se mantiene clara referencia conceptual y 2) las formas conjuntivas (las conjunciones y expresiones transicionales de tiempo, orden, causa-consecuencia, punto de vista del escritor, etc.). Por otra parte, la expresión de opiniones o perspectivas personales conlleva frecuentemente la variación de modo verbal, en particular el uso del modo subjuntivo.

Actividad Preliminar

A. Piense en la última vez que Ud. tuvo que convencer o persuadir a otro. ¿De qué se trataba? ¿Cuáles datos/hechos, razones, valores o incentivos empleó Ud. para lograr sus fines? ¿Por qué? ¿Tuvo Ud. éxito? ¿Por qué (no)? Los estudiantes deben compartir y comparar sus casos personales.

B. En forma grupal, piensen en los varios lados de una cuestión polémica actual y hagan una lista de los argumentos y datos que normalmente se aducen en pro o en contra de cada perspectiva. Tomando cada una de las perspectivas, discutan cómo se tendría que organizar la presentación de ideas para dirigirse a un lector antagónico o a un lector comprensivo. ¿Cuáles creencias, valores y razones del público contrario tienen que

tomarse en cuenta al formular el argumento en cada caso? ¿En qué orden se
deben presentar los hechos y las razones?

Lectura 1

La Historia Oficial
Por Ezequiel Barriga Chávez

Introducción a La Lectura

Esta lectura y la que sigue tratan de uno de los aspectos más trágicos del
conflicto político en la América Latina en los últimos años "los desaparecidos".
Señalan las horribles consecuencias humanas de esta forma de violencia
política al nivel de la familia. La primera lectura es un buen ejemplo de una
reseña (en este caso la de una película), un género de ensayo subjetivo bien
conocido con características claramente identificables. Como toda reseña, tiene
elementos de reportaje y de editorial; es decir, tanto reporta como opina sobre
la película. Apareció en una columna regular, "Desde la Butaca", de Ezequiel
Barriga Chávez, del diario mexicano *Excelsior*. La reseña comenta una película
argentina de fama internacional que trata del destino de los hijos pequeños de
los desaparecidos bajo el régimen conservador militar de Leopoldo Galtieri.

El fenómeno de los desaparecidos llegó a la atención internacional en gran
parte por medio de los esfuerzos de las Madres de la Plaza de Mayo que
mantienen hasta hoy manifestaciones en la plaza central de Buenos Aires
exigiendo que se revele el destino sus familiares desaparecidos y que se
procese a los responsables de esta tragedia.

Antes de leer

A. Las películas de hombres y las de mujeres
Es un fenómeno bien reconocido en la sociedad norteamericana que los
hombres y las mujeres tienden a preferir distintas clases de películas. Esto
presenta a veces un problema para la pareja que quiere salir al cine. ¿Qué
opina Ud.? ¿Difieren mucho los hombres y las mujeres en cuanto a sus gustos
cinemáticos? ¿Qué género de películas prefiere Ud.? ¿Qué tal su amigo/amiga
del sexo opuesto? ¿Cómo escogen películas cuando Uds. salen al cine o quieren
alquilar un video? ¿Quién decide? ¿Por qué? ¿Puede Ud. convencer a su pareja
de ver una película que no le apetezca? ¿Cómo lo hace? Compare su situación
con las de otros compañeros de clase.

B. El contenido y la estructura de una reseña de cine
Lea algunas reseñas de películas que Ud. haya visto o quiere ver. ¿Puede Ud.
identificar rasgos generales que caracterizan una reseña? Piense en las
siguientes preguntas:

1. ¿Por qué se publican las reseñas?

2. ¿Qué quiere saber el público general acerca de una película?

3. ¿Cuánto quiere saber el público acerca de la trama de la película?

4. ¿Cuáles son los criterios de evaluación que los críticos aplican al juzgar una película? Haga una lista de las posibilidades. ¿Por qué importa cada criterio?

5. ¿Quién es el crítico de cine que más (menos) le gusta? ¿Por qué (no) le gusta? ¿Concuerda con los gustos del crítico?, ¿con el estilo del crítico? ¿con otro factor?

C. De reseñas y reseñas

1. ¿Lee Ud. las reseñas cuando tiene que hacer una compra o tomar alguna decisión que implica una gasto de dinero? ¿Consulta Ud. los *Consumer Reports?* ¿Qué clases de productos le interesan a Ud? ¿Cuáles son los criterios que hay que satisfacer para convencer a Ud. de hacer el gasto en cada caso?

2. Como proyecto de clase los estudiantes deben buscar y leer una serie de reseñas de varios tipos: de productos (libros, música, modas, carros, nuevas tecnologías, etc.), de servicios (restaurantes, servicios telefónicos, servicios de Internet, etc.), y de funciones y programas (conciertos, obras teatrales, programas de baile o de música, lecturas de poesía, etc.). ¿Cuáles son las categorías de juicio relevantes a cada tipo? ¿Qué necesita saber el consumidor en cada caso?

3. Busque y haga una comparación de dos o tres reseñas del mismo producto, servicio o programa. ¿Están de acuerdo con respecto al elemento reseñado? ¿Cómo difieren en cuanto a sus juicios y criterios comentados? ¿Cuál de las reseñas es la mejor? ¿Por qué?

A leer

La Historia Oficial

Por Ezequiel Barriga Chávez

P1 El filme de Luis Puenzo fue dado a conocer en nuestro país durante la XVIII Muestra Internacional de Cine (1985), con una buena aceptación en términos generales. Por esas fechas todavía no se hacía merecedor del Oscar de la Academia de Hollywood como la mejor película extranjera, y aún le faltaba cosechar varios de los muy merecidos premios que le han otorgado. Ahora estrenan comercialmente esta cinta para beneplácito de los aficionados capitalinos, quienes de esta manera tienen la oportunidad de conocer uno de los mejores trabajos cinematográficos realizados en Argentina, país que día con día produce obras de indiscutible calidad.

P2   El director nos cuenta una de las consecuencias más trágicas que heredó la dictadura: la desaparición de miles de niños nacidos en prisión y distribuidos entre quienes deseaban adoptarlos, dadas las facilidades brindadas por los militares a sus amigos y conocidos, por una parte, y por otra, la incesante lucha por recuperar a los bebés, emprendida por madres y abuelas durante los actuales años. Este peregrinar por una de las caras más sucias de aquellos años, va descubriendo el drama nacional de este problema, pero también el cineasta precisa darnos a conocer el lado personal de una de estas protagonistas.

P3   Escoge para ello a una típica mujer que todo lo tuvo durante los años turbulentos de los militares, por ser ella una de las depositarias de los privilegios que gozaron unos cuantos. Alicia (Norma Aleandro), como esposa de un encumbrado militar, ignora lo que es la violencia, la crisis, el hambre, la carencia de bienes materiales y cualquiera de estos satisfactores. Los tiene todos y en abundancia, en una cantidad que resultan insultantes y ofensivos para un pueblo reprimido, golpeado y sin derechos civiles y políticos. Para completar su paraíso terrenal sólo le hace falta tener hijos y sentirse realizada como mujer, como madre, como mandan los cánones.

P4   Su poderoso marido, Robert (Héctor Alterio), pronto resuelve el problema, de tal manera que en lo sucesivo tienen todo para ser una familia «normal» con poder, riquezas, lujos y una hija que hace la felicidad del matrimonio. Para su infortunio, los cambios políticos poco a poco se van trasluciendo en la sociedad, y el enorme poder del hombre se va haciendo cada vez menos, hasta que termina por desmoronarse y salir del gobierno junto con sus amigos, para dar paso a los civiles; la transformación trastoca sus relaciones familiares y la estabilidad es cosa del pasado. La crisis como pareja es evidente.

P5   Pero la crisis existencial también se manifiesta en Alicia; la mujer conoce parte de la realidad que siempre desconoció, al enfrentarse a su amiga exiliada que regresa, y por medio de sus confesiones sabe parte del terror imperante durante años. Sus culpas aumentan al saber el drama de los niños desaparecidos, al asociar el asunto al tenaz silencio de su esposo sobre el origen de la pequeña, y la búsqueda que emprende ella misma para descifrar el misterio que la atormenta, en donde encontrará la verdad de lo acontecido en su país y en su familia.

Excelsior, Mexico. D.F.

Después de leer   **PREGUNTAS DE COMPRENSION**

1.   ¿De qué país es el director de la película?
2.   ¿Ganó un Oscar la película? ¿Cómo se sabe esto?
3.   ¿Dónde estrenan la película en el momento, según el autor?
4.   Según el autor, ¿cómo es la calidad del cine argentino?
5.   ¿Cuál era el drama nacional a que se refiere el autor?
6.   ¿Quién es Alicia, la protagonista? ¿Cómo es su vida? ¿Qué le falta?
7.   ¿Quién es su esposo? ¿Qué hace en la vida?

8. ¿Cómo consiguen a la hija?

9. ¿Cuál es el cambio político que experimenta el país? ¿Cómo afecta a la familia de Alicia?

10. ¿Cómo llega Alicia a saber los aspectos de la realidad de su país que antes ignoraba?

11. ¿Por qué sospecha ella que su hija adoptiva es un niño desaparecido?

12. ¿Qué hace Alicia al saber del drama de los niños desaparecidos?

ENFOQUE EN EL CONTENIDO Y LA ESTRUCTURA

A. La voz del autor

¿Cuál es la actitud del autor acerca de la película? ¿Cómo y dónde se revela en el texto?

B. Análisis temático

¿Cuál es el tema de cada párrafo? Es decir, ¿cómo difieren los párrafos entre sí?

1. **P1**

2. **P2**

3. **P3**

4. **P4**

5. **P5**

C. Análisis de la estructura general

De las siguientes estructuras, ¿cuál es la mejor representación de la organización del texto? Discuta su elección.

Estructura A	Estructura B	Estructura C
P1	**P1-2**	**P1**
P2	**P3**	**P2-3**
P3-5	**P4-5**	**P4-5**

D. Buscando la tesis

¿Hay una observación o idea central (o tesis) que guíe la discusión de la película en los párrafos 2–5 ¿Cuál es? ¿Se declara abiertamente? ¿Dónde? ¿Se desarrolla de manera deductiva (tesis seguida de datos, argumentos que apoyen o elaboren la tesis) o inductiva (datos y observaciones que llevan a una tesis)?

ENFOQUE EN EL LENGUAJE

A. Vocabulario

1. La lectura abunda en vocabulario de la violencia y del conflicto social. En una hoja aparte, reúnalo y organícelo.

2. Hay además una serie de términos relacionados al cine. Búsquelos y piense en otros términos que completarán un vocabulario adecuado del cine.

B. Práctica de pronombres

Identifique la forma (reflexivo, derivado, etc.), la función (sujeto, objeto directo, etc.) y el referente textual (concreto, abstracto) de los pronombres indicados que se encuentran en las siguientes oraciones. Vale la pena referirse a toda la información relacionada a los pronombres en el Apéndice *gramatical* (pp. 175-242).

1. **P1** Por esas fechas todavía no **se** (1) hacía merecedor del Oscar de la Academia de Hollywood como la mejor película extranjera, y aún le (2) faltaba cosechar varios de los muy merecidos premios que **le** (3) han otorgado.

2. **P3** Escoge para **ello** (1) a una típica mujer que todo lo tuvo durante los años turbulentos de los militares, por ser **ella** (2) una de las depositarias de los privilegios que gozaron unos cuantos.

3. **P3** Alicia (Norma Aleandro), como esposa de un encumbrado militar, ignora **lo que** (1) es la violencia, la crisis, el hambre, la carencia de bienes materiales y **cualquiera** (2) de estos satisfactores. **Los** (3) fiene todos en abundancia . . .

4. **P3** Para completar su paraíso terrenal sólo **le** (1) hace falta tener hijos y sentirse (2) realizada como mujer, como madre, como mandan los cánones.

5. **P5** Sus culpas aumentan al saber el drama de los niños desaparecidos, al asociar el asunto al tenaz silencio de su esposo sobre el origen de **la** (1) pequeña, y la búsqueda que emprende **ella** (2) misma para descifrar el misterio que **la** (3) atormenta, en donde encontrará la verdad de **lo** (4) acontecido en su país y en su familia.

C. Por y para

Los significados de las preposiciones **por** y **para** se contrastan en términos espaciales, temporales y abstractos. La mayoría de los ejemplos sacados de Lectura #2 muestran el contraste al nivel abstracto: **por** se usa para referirse a los medios, los motivos y las causas de la acciones mientras que **para** acusa los fines y los propósitos de ellas. Se debe repasar el análisis contrastivo de **por** y **para** en el *Apéndice gramatical* (pp. 175-242) para poder discutir la elección de preposición en los casos siguientes.

1. **P1** **Por** esas fechas todavía no se hacía merecedor del Oscar de la Academia de Hollywood como la mejor película extranjera . . .

2. **P1** Ahora estrenan comercialmente esta cinta **para** beneplácito de los aficionados capitalinos . . .

3. **P2** . . . la incesante lucha **por** (1) recuperar a los bebés, emprendida **por** (2) madres y abuelas durante los actuales años . . .

4. **P3** Escoge **para** (1) ello a una típica mujer que todo lo tuvo durante los años turbulentos de los militares, **por** (2) ser ella una de las depositarias de los privilegios que gozaron unos cuantos . . .

5. **P3** **Para** completar su paraíso terrenal sólo le hace falta tener hijos . . .

6. **P4** . . . y el enorme poder del hombre se va haciendo cada vez menos, hasta que termina **por** (1) desmoronarse y salir del gobierno junto con sus amigos, **para** (2) dar paso a los civiles.

7. **P5** . . . y **por** medio de sus confesiones sabe parte del terror imperante durante años.

Actividades de escritura

A. Ud., el crítico

Escriba una reseña corta (de tres párrafos hasta una página) y bien organizada de una película. Tenga cuidado de revelar sólo lo suficiente acerca de la trama para interesar o informar al lector sin contarle demasiado. Además, se precisa juzgar la película a través de una crítica basada en varios criterios. Se tendrán que explicar y justificar todos los juicios que se hacen en la reseña. Se deben investigar un poco los antecedentes relevantes de la película (director, guionista, técnicas de la filmación, premios, etc.) para poder informar al lector acerca de ellos. No se olvide de que el propósito de una reseña es ayudar al lector a tomar una decisión, la de ver o de no ver la película.

B. Todos tienen derecho a su opinión

Busque una reseña con la que Ud. no esté de acuerdo. Puede ser la reseña de cualquier producto, servicio o función/evento. Componga una reseña contraria que desmienta el argumento de la original y convenza al lector de la opinión opuesta.

Lectura 2: El lector tiene la palabra

La segunda lectura representa otro tipo conocido de ensayo subjetivo; es una carta al redactor de la esposa de un desaparecido chileno escrita en el decimoquinto aniversario de su desaparición. Al igual que en la Argentina, un gobierno militar regía en Chile en una época reciente bajo el mando del General Augusto Pinochet. A la vez que el régimen de Pinochet producía "el milagro chileno" en la economía, ocurría también una tragedia social: el secuestro y asesinato de miles de personas por escuadras clandestinas de paramilitares derechistas. En muchos casos los desaparecidos eran inocentes apolíticos.

Con la transición general a la democracia en Latinoamérica, la junta militar chilena cedió a un gobierno elegido. Aunque se retiró del mando, Pinochet se aseguró el título de "senador vitalicio" y se quedó con las riendas de las fuerzas militares. Sin embargo, un fiscal español buscó procesarlo, pidiendo su extradición de Inglaterra donde el general recibía tratamiento médico. Aunque no tuvo éxito en poner al general en tela de juicio por la desaparición de muchos ciudadanos españoles en Chile, los esfuerzos del fiscal abrieron un debate internacional sobre las posibilidades de procesar a dictadores exiliados (o sólo de baso en el extranjero) por crímenes cometidos durante sus regímenes. Actualmente Pinochet está de vuelta en Chile donde enfrenta la posibilidad de un proceso ante un tribunal chileno.

La carta que leemos a continuación fue publicada en la revista chilena *Hoy*, del estilo *Time* y *Newsweek*. Como el lector apreciará, la carta tiene un propósito que va más allá de describir en términos elocuentes el sufrimiento personal de esta familia.

Antes de leer

A. Cartas del lector

En esta unidad se analizará la carta formal. En grupos, comenten cuáles son los rasgos universales de una carta al redactor. ¿Cómo se podría diferenciar una carta al redactor de otras cartas?

B. Los desaparecidos

Imagínese que los miembros de su familia son detenidos sin ninguna provocación y sin habérseles señalado sus derechos. ¿Qué haría Ud. para liberar a su familia? ¿Recurriría a la violencia? En grupos de tres o cuatro, discutan qué posibles pasos tomarían para solucionar el problema.

A leer

El Lector Tiene La Palabra

Por Mercedes Sánchez E.

Señor Director:

P1   Hace quince años, yo tenía hogar, un esposo y con nuestras hijas formábamos una familia como muchas otras, con penas y alegrías pero, por sobre todo, con mucho amor.

P2   Recordar lo ocurrido, desde el nefasto día en que mi esposo fue detenido, desde nuestro hogar, en mi presencia y la de una de mis hijas que en ese momento apenas contaba con cuatro años de edad . . . Recordar las humillaciones, las burlas, las amenazas, la mentira, que hasta hoy se mantienen; recordar la búsqueda de los primeros años en que todas las puertas se cerraban, en que se perdía la esperanza y era necesario aferrarse a ella, porque había que seguir insistiendo, preguntando, buscando . . . sin perder un segundo, porque cada segundo era la vida misma que se perdía . . . y así fue pasando el tiempo y así también se mantenía la negativa y el silencio de quienes tenían la responsabilidad de entregar una respuesta.

P3   El tiempo pasa inexorablemente, sin detenerse, la vida sigue su curso aparentemente normal, a pesar de tanto dolor; con mis hijas y como tantas otras personas que han sufrido lo mismo que nosotras, hemos tenido que aprender a vivir sin nuestro ser querido. Qué difícil ha sido tener que enfrentar esta dura realidad impuesta por quienes nos han mantenido cruelmente y por tantos años en la más completa incertidumbre, sin saber si nuestros familiares están vivos o muertos, sin saber dónde están: ¿Qué han pretendido con ello? ¿Pensaron tal vez que nos quedaríamos en nuestras casas, esperando esa respuesta que nunca ha llegado? ¿O quizás que les creeríamos las mentiras «No lo busque más, se fue con otra» (en el caso de nuestros esposos); o «Está en la clandestinidad», «Se fue al extranjero», o por último, negando su detención, en circunstancias que en muchos casos nosotras fuimos testigos de ello?

P4   Señor Director, dos razones me han movido a escribir esta carta.

P5   La primera, precisamente el 3 de octubre se cumplen quince años de la desaparición de mi esposo Ricardo Troncoso L. El fue detenido el 1 de octubre de 1973, permaneció en la Segunda Comisaría de Chillán hasta el día 3 en que me informaron que «los detenidos habían sido trasladados al Regimiento». Nunca más he sabido de mi esposo.

P6   La segunda razón, considero necesario que estos dolorosos hechos no se olviden. El drama que hemos vivido es una tortura permanente, angustiosa, y porque sabemos lo que ha significado en nuestras vidas y en la vida de nuestros seres queridos, no queremos que esto vuelva a ocurrir. Para ello es necesario que la sociedad tome conciencia de la magnitud de esta situación, que se comprometa, que luche contra esta práctica inhumana, que junto con nosotros los familiares afectados exijan Justicia, pero una justicia real. Para ello es necesario que se sepa la verdad de lo ocurrido, los familiares y la sociedad tenemos derecho a conocerla por dolorosa que ésta sea. Es necesario, también, que quienes son responsables de estos crímenes sean castigados en forma ejemplar, para que la lección no se olvide, y porque así se impedirá que hechos tan crueles se repitan, y, además, para que nuestra Patria recupere su dignidad. De todos dependerá que esto se haga realidad, nunca más detenidos desaparecidos.

Tomado de Hoy, *Santiago de Chile,*
10–16 de Octubre, 1988

Después de leer   PREGUNTAS DE COMPRENSION

1.   ¿Qué le pasó a la familia de la señora autora de esta carta? ¿Hace cuánto tiempo?

2.   ¿Cuáles eran las excusas y razones que utilizaban las autoridades cuando ella preguntaba por su marido?

3.   ¿Por qué ha escrito esta carta la señora? ¿Cuáles son sus motivos?

ENFOQUE EN EL CONTENIDO Y LA ESTRUCTURA

A. Análisis temático

¿Cuál es el tema o idea central de cada párrafo? ¿Cómo se distinguen los párrafos contiguos?

B. Análisis de la estructura general

De las estructuras siguientes, ¿cuál es la mejor representación de la organización del texto? Discuta su elección.

Estructura A	Estructura B	Estructura C
P1	**P1**	**P1**
P2	**P2-3**	**P2-4**
P3-6	**P4-6**	**P5-6**

C. Análisis de un párrafo

El párrafo 6 de "El lector tiene la palabra" ("La segunda razón . . .") muestra un orden determinado de argumentos. Enumere esos puntos en orden de importancia para la autora. Después discuta lo siguiente:

1. ¿Cuál es el propósito del párrafo según la escritora?

2. ¿Cuál es el problema en opinión de la escritora? ¿Qué es lo que teme ella?

3. ¿Cuántos elementos hay en su solución del problema? ¿Cuáles son?

4. ¿Es significativo el orden de presentación de los elementos de la solución? ¿Se podría cambiar el orden de presentación sin alterar el efecto del párrafo? ¿El orden va de menor a mayor importancia, o vice versa? Discuta si va dirigido a un lector antagónico o comprensivo.

5. ¿Hay una conclusión claramente identificable?

ENFOQUE EN EL LENGUAJE

Para más información sobre los temas gramaticales tratados en estas actividades, consúltese el Apéndice gramatical.

A. Vocabulario de la opresión

La lectura abunda en vocabulario de la violencia y del conflicto social. En una hoja aparte, reúnalo y organícelo.

B. Práctica de pronombres

Identifique la forma (reflexivo, derivado, etc.), la función (sujeto, objeto directo, etc.), y el referente textual (concreto, abstracto) de cada pronombre encontrado en las oraciones siguientes.

1. **P2** Recordar **lo ocurrido** (1), desde el nefasto día en que mi esposo fue detenido, desde nuestro hogar, en mi presencia y **la de** (2) una de mis hijas que en ese momento apenas contaba con cuatro años de edad.

2. **P2** Recordar las humillaciones, las burlas, las amenazas, la mentira, que hasta hoy **se** (1) mantienen; recordar la búsqueda de los primeros

años en que todas las puertas **se** (2) cerraban, en que **se** (3) perdía la esperanza y era necesario aferrarse a **ella** (4), porque había que seguir insistiendo, preguntando, buscando . . .

3. **P3** Qué difícil ha sido tener que enfrentar esta dura realidad impuesta por **quienes** nos han mantenido cruelmente y por tantos años en la más completa incertidumbre . . .

4. **P3** ¿Qué han pretendido con **ello**? ¿Pensaron tal vez que nos quedaríamos en nuestras casas, esperando esa respuesta que nunca ha llegado?

5. **P3** ¿O quizás que **les** (1) creeríamos las mentiras «No lo (2) busque más, se fue con otrá (en el caso de nuestros esposos)»; o «Está en la clandestinidad», «Se fue al extranjero», o por último, negando su detención, en circunstancias que en muchos casos nosotras fuimos testigos de **ello** (3)?

6. **P6** De todos dependerá que esto **se** haga realidad, nunca más detenidos desaparecidos.

C. Práctica del subjuntivo.

En el párrafo #6 abajo subraye todos los verbos que aparecen en la forma del subjuntivo. Esté listo a explicar su elección de forma de acuerdo con el anólisic del Apéndice gramatical (pp. 175-242).

La segunda razón, considero necesario que estos dolorosos hechos no se olviden. El drama que hemos vivido es una tortura permanente, angustiosa y porque sabemos lo que ha significado en nuestras vidas y en la vida de nuestros seres queridos, no queremos que esto vuelva a ocurrir. Para ello es necesario que la sociedad tome conciencia de la magnitud de esta situación, que se comprometa, que luche contra esta práctica inhumana, que junto con nosotros los familiares afectados exijan Justicia, pero una justicia real. Para ello es necesario que se sepa la verdad de lo ocurrido, los familiares y la sociedad tenemos derecho a conocerla por doloròsa que ésta sea. Es necesario, también, que quienes son responsables de estos crímenes sean castigados en forma ejemplar, para que la lección no se olvide, y porque así se impedirá que hechos tan crueles se repitan, y, además, para que nuestra Patria recupere su dignidad. De todos dependerá que esto se haga realidad, nunca más detenidos desaparecidos.

D. El versátil participio pasado

Al repasar el análisis del participio pasado en el Apéndice gramatical (pp. 175-242) Ud. va a apreciar los varios usos del participio pasado en español. Puede servir como verbo principal (con el verbo auxiliar **haber**), se combina con **ser** para formar el pasivo, solo o con **estar** hace las veces de un adjetivo, y aun puede convertirse en pronombre o nombre. La Lectura #2 ofrece una variedad de ejemplos. Trate de identificar la función del participio pasado en los casos siguientes,:

1. **P2** Recordar *lo ocurrido*, desde el nefasto día en que mi esposo *fue detenido*, desde nuestro hogar, en mi presencia y la de una de mis hijas que en ese momento apenas contaba con cuatro años de edad . . .

2. **P3** Qué difícil ha sido tener que enfrentar esta dura realidad *impuesta* por quienes nos *han mantenido* cruelmente y por tantos años en la más completa incertidumbre, sin saber si nuestros familiares están vivos o *muertos*,

3. **P5** La segunda razón, considero necesario que estos dolorosos *hechos* no se olviden.

4. **P5** Es necesario, también, que quienes son responsables de estos crímenes *sean castigados* en forma ejemplar,

5. **P5** De todos dependerá que esto se haga realidad, nunca más *detenidos desaparecidos*.

E. *Manejo del diccionario:*

Traduzca las oraciones al español prestando atención especial a las expresiones en bastardilla. Tenga en cuenta el hecho de que la intención de los ejemplos es enfocar la atención del estudiante en falsos amigos y conceptos problemáticos.

1. The death squads *took her husband away* and probably *took* his life.

2. The *last* time she saw her husband was late *last* year.

3. She pursued the *question* of his disappearance. She asked *questions*.

4. The woman *cared* about her husband, but the officials didn't *care*.

5. With *respect* to the government's response, it showed her no *respect* for her suffering.

6. Some officials *ignored* her or said that they *didn't know* where her husband was.

7. Others *advised* her to forget him or *warned* her to leave the *matter* alone.

8. They *listened* to her talk, but they didn't *listen* (pay attention) to her plea.

9. She *knew* that some of the officials *knew* her husband and *knew about* his fate.

10. She *learned* that she was alone, but she *learned* to survive.

11. She had to *support* her family and *endure* the *pain* of the tragedy.

12. *Only* she could *take care of* the family. She was the *only* person who could do it.

13. The government didn't *return* him and he will not *return*.

14. The dictatorship *hurt* many families. The loss of a loved one *hurts*.

15. Many of the *characters* in this drama were people of little *character*.

16. Although politics *determined* much of her life, she is a *determined* woman.

17. She *realizes* he is dead, but she wants to *find out* what happened to him

18. She *hopes* for the best, *expects* the worst, and *waits*.

La Carta Formal

La segunda lectura de esta unidad es una carta formal dirigida al redactor de una revista. Por razones de espacio, tales cartas se abrevian y, por lo tanto, no exhiben todas las características de una carta formal. A continuación se presenta un ejemplo más representativo. Se trata de una carta que solicita empleo.

---

3 de mayo de 2000

Sr. Manolo Goytisolo
Agencia Maupintour
213 Calle Montenegro
Bogotá, Colombia

Estimado Sr. Goytisolo:

A propósito de su anuncio en *El País* del día 23 de abril, le escribo para solicitar el puesto de agente de viajes.

Obtuve mi Certificado de Viajes y Turismo de la Universidad de Segovia y desde que recibí el certificado, he trabajado con la Compañia Viajes Valencia. Mi responsabilidad principal en Viajes Valencia es organizar viajes internacionales tanto para individuos como para grupos. Mis deberes adicionales incluín la mecanografía, llenar boletos, llamar a las aerolíneas y compañias de autobús, y hablar con clientes. Al hablar con los clientes, normalmente tenía que recurrir al uso tanto del español como del francés, ya que hablo los dos perfectamente. Por lo tanto, siento toda confianza en mi habilidad de poder contribuir a su compañía.

Adjunto favor de encontrar el résumé tal como Ud. lo ha pedido en el anuncio. Espero tener la oportunidad de establecer una cita a la hora que le sea conveniente a usted.

En espera de su grata contestación, quedo de Ud. respetuosamente,

Alvarado Gismonte [firma]
Alvarado Gismonte

Anexo: Un currículum vitae y dos cartas de referencia

P.D. Se me puede contactar por teléfono en 37-12-94.

La Carta Comercial

La carta comercial puede ser aun más formal. Aunque hay variantes, un formato de carta comercial o formal muy difundido es el estilo semi-bloque. Se presenta abajo en forma esquemática con explicaciones de cada componente numerado a continuación. Dependiendo de las necesidades del comunicado y del grado de formalidad, los elementos que aparecen entre corchetes [. . .] pueden incluirse o no.

---

(1)   **[MEMBRETE]**

(2)   **Fecha** (en margen derecho)

(3) **Nombre**
     Dirección

(4) **[Atención:]**   **(5) [Referente:]** (margen derecho)

(6) **Saludo:**

(7) (Texto)_____

_____

_____

_____

(8)   **Despedida,**
(9)   **[La antefirma]**
(10)   *Firma del escritor*
(11)   **Nombre del escritor**
                          Título/Puesto del escritor

(12) **[INI:ini]**
(13) **[Anexo:** _____]
(14) **[P.D.** _____]
(15) **[cc** _____]

DESCRIPCIÓN DE LOS COMPONENTES

    1.   En muchos casos, las compañías/organizaciones y aun individuos privados utilizan papel con su membrete (letterhead), el cual normalmente se centraliza en la parte superior del papel.

2. La fecha se ubica en el margen derecho y típicamente sigue una de las fórmulas siguientes: *(el) 3 de noviembre de 1999, Noviembre 3 de 1999*. Frecuentemente se pone la ciudad de origen de la carta de la manera siguiente: *Buenos Aires, 5 de abril de 2000*.

3. El destinatario de la carta puede ser una firma/organización, un puesto, o un individuo. Algunos esquemas típicos de destinatario y dirección son:

Viajes Maya	Director General	Licenciada Carmen Olivera
Avenida Colón, 15	*La Prensa*	Empresa Aguilar
00751 México, D.F.	Pablo Aranda, 15	Casilla de Correo 3097
México	28006 Madrid	1000 Buenos Aires
	España	Argentina

El código postal va delante de la ciudad en muchos sitios (00751 México, D.F.).

4. Se emplea una *línea de atención* si la carta corresponde a un individuo que no figura en la dirección [**Atención: Sr. Dr. Jorge García // Atn.: Sra. Dra. Graciela Ramírez**)

5. A veces se pone una *línea de referencia* para indicar de qué o de quién trata la carta [**Ref: Sr. Mario Jiménez**]. Se usa mucho en los casos de cartas de recomendación.

6. El saludo se sigue de dos puntos [:] y tiene muchas variantes. Algunas fórmulas típicas son:
Señor(es): / Señora(s): / Señorita(s):
Estimado señor (Sr.): / Muy estimados señores (Sres.) / Estimada Dra. Sánchez:
Apreciado señor: / Distinguida señora (Sra.) de Montero:
Muy apreciado licenciado (Ldo.) Ramírez: / Distinguida ingeniera (Inga.) Vázquez:
Muy señor mío: / Muy Sr. nuestro: / Muy señores (Sres.) nuestros:
De mi/nuestra (mayor) consideración: / A quien corresponda:

Más comunes son los saludos sencillos [Señor: o Estimada señora:]. Los saludos *Muy señor mío* y sus variantes son muy formales y floridos, y se usan menos que antes. *De mi/nuestra (mayor) consideración* es un saludo de mucha usanza en cartas comerciales y expresa que se ha prestado atención especial al asunto del destinatario. *A quien corresponda* equivale al inglés *To whom it may concern*.

Los títulos de cortesía aparecen en letra minúscula a menos que se abrevien o se precedan de otra palabra. Hoy en día se tiende a utilizar el título personal "señora (Sra.)"–aun con mujeres solteras–con el valor aproximado del inglés *Ms.* "Licenciado/a" indica que el individuo ha cumplido los estudios del bachillerato (equivale más o menos a nuestra escuela secundaria + dos años). Los tratamientos de cortesía "Don" y "Doña" se usan más en España (Sr. Don Antonio Vargas).

7. El texto de la carta formal típicamente acusa el recibo de la carta o comunicado que se está contestando, declara el asunto de la carta, y cierra la carta de una forma cordial.

a. *Algunas fórmulas para acusar recibo de una carta:*

He / Hemos recibido su atenta / amable / atenta / estimada / grata carta del 18 de agosto. Acuso / Acusamos recibo de su amable carta del 30 de mayo ppdo. (próximo pasado) En contestación a su atenta (carta) de fecha 2 del corriente / actual (mes). En respuesta a su amable carta del pasado día 30 de noviembre del año en curso. Me refiero / Nos referimos a su grata (carta) del día 15 del (mes) transcurrido. Con referencia a su atta. (carta) de 14 del actual, en la que . . .

La fecha de la carta contestada se incluye en la acusación de recibo. Como indican los paréntesis arriba, frecuentemente se omite la palabra "mes" en la fecha y se emplean varias abreviaturas (cte. = corriente, pdo. = pasado, ppdo. = próximo pasado [=último], etc.). Asimismo, la palabra "carta" se puede omitir dejando el adjetivo "atenta" / "grata" como formas pronominales que se refieren a ella. "Atenta carta" puede reducirse a la abreviatura "atta.", como se ve arriba en el último ejemplo.

b. *Algunas fórmulas para declarar el asunto de la carta:*

Aunque esto varía mucho según la intención de la carta, hay algunas fórmulas útiles:

Por la presente (carta) . . .
El fin de la presente (carta) es . . .
De conformidad/acuerdo con su solicitud . . .
Tengo / Tenemos el gusto de avisar / comunicar / informar / participar a Ud(s). que . . .
Me / Nos es (muy) grato informarle(s) / enviarle(s) que . . .
Siento / Sentimos mucho tener que informarle(s) que . . .

c. *Algunas fórmulas para cerrar la carta*

El cierre de la carta es una expresión de alta cortesía, que a menudo pide una contestación. Los ejemplos siguientes combinan algunas de las formas más típicas:

En espera de sus gratas noticias / órdenes, me despido de Ud(s). muy atentamente.
Esperando su (grata) respuesta / contestación, nos suscribimos muy cordialmente.
Aguardando sus prontas noticias, lo(s) saludamos atentamente.
[le(s)—Europa]

Sin otro asunto, quedo / quedamos muy atentamente / cordialmente.
Sin otro particular, lo(s) saludo / saludamos respetuosamente. [le(s)—Europa]
Sin más, quedo / quedamos a la espera de su respuesta / contestación.
Aprovecho / aprovechamos la oportunidad / ocasión para saludarlo(s) [le(s)—Europa]
Reciba un atento saludo de . . . / Atentos saludos de . . .

8. La despedida de la carta muchas veces se incluye en el cierre, y en tal caso no hay necesidad de poner otra. Sin embargo, si el cierre no se despide del destinatario, se usa una fórmula corta seguida de una coma (,) antes de la firma. Algunas despedidas son:

Atentamente, / (Muy) atentamente,
En toda consideración,
Soy / Somos su(s) atento(s) servidor(es),

Estos son más formales y floridos:
Respetuosamente, S.S.S.   [S.S.S = Su seguro servidor)
Su(s) afectísimo(s) y atento(s) y seguro(s) servidor(es)
Su affmo., atto. y S.S.   [affmo. = afectísimo, atto. = atento, S.S = Su servidor]

9. La antefirma es la razón social (registered name) de la compañía / organización. Se puede omitir si hay membrete.

10. La firma se escribe a mano en letra cursiva.

11. El nombre del firmante se escribe a máquina. Con frecuencia se incluye el puesto o el cargo del firmante debajo del nombre.

12. En las cartas comerciales a menudo se ponen las iniciales del firmante (letra mayúscula) y las de la persona que pasó la carta a máquina (letra minúscula). Por ejemplo, Arturo D. Fonseca (firmante) y Silvia Ríos (mecanógrafa) se representarían así: [**ADF:sr**]

13. Anexo hace referencia a documento(s) adjunto(s) [**Anexo: dos cartas de referencia**].

14. En la línea posdata se incluye alguna información o comentario omitido en el texto de la carta [**P.D. Me pueden contactar más fácilmente por la tarde.**]

15. Si varios individuos reciben copias de la carta esto se indica así [**cc Leticia Morales**]

Actividades de escritura

A. *En mi opinión*

1. Busque en los periódicos una carta al redactor con la que Ud. no esté de acuerdo. Escriba una carta al redactor del mismo periódico en la que plantee su punto de vista basado en datos y hechos verídicos y

razones bien pensadas que refuten las ideas y afirmaciones de la carta original.

2. Busque otra carta que exprese una opinión que Ud. acepta. Escriba una carta de apoyo que sea aun más eficaz y convincente que la carta original. Tiene que buscar y agregar datos, hechos y razones que refuercen el punto de vista que está defendiendo.

B. *Desempleado*

1. Usted está desempleado. Escoja un anuncio de trabajo en el periódico y escriba una carta solicitando el puesto. Tiene que ser una carta formal dirigida a la persona indicada en el anuncio. Hay que presentarse

2. Usted es el jefe o director de personal de la firma que anunció el puesto de arriba. Componga una carta de respuesta a la solicitud hecha en #1. Siga el formato de una carta comercial formal.

Lectura 2
Los 'Hispánicos'
Por Frank del Olmo

Introducción a La lectura

La próxima lectura es un artículo publicado en el periódico matutino Los Angeles Times en el cual el autor se refiere a un conflicto entre los cubano-americanos y los mexicano-americanos con respecto el contenido y el control de las dos grandes redes de televisión en español, Univisión y Telemundo. Esto lleva al autor a una evaluación del término "hispánico" como etiqueta para referirse a los hispanoparlantes de los Estados Unidos. Como se verá, el artículo tiene las características de un editorial y desarrolla una opinión-tesis mediante un ejemplo y una serie de datos y argumentos.

Antes de leer

A. El censo

Suponga que Ud. nació en Argentina de familiares tanto ingleses como italianos, pero que en casa todos hablan español. La familia vive en los Estados Unidos desde hace quince años. ¿Cuál marcaría en el siguiente cuadro?

Marque uno solamente para indicar su origen étnico.
- indígena norteamericano
- oriental
- hispano
- africano
- europeo

Según el censo del gobierno, Ud. debería marcar hispano. ¿Está Ud. de acuerdo con esta decisión? ¿Por qué sí o por qué no? Discuta.

B. *Orientación al tema*
Para contestar las preguntas siguientes, vale la pena hacer una pequeña encuesta de cuanta gente posible (de habla española) para ver cómo se identifican y por qué.

1. ¿Cómo se deben aplicar las etiquetas siguientes: "americano", "norteamericano", "estadounidense"? ¿Existe la posibilidad de desacuerdo? ¿Por qué (no)?

2. ¿Se refieren los términos "chicano" y "mexicano-americano" a la misma realidad? Explique.

3. ¿Qué tal las etiquetas "hispánico/hispano" y "latino"? ¿Son idénticas en términos de su referencia? Discuta.

4. ¿Qué implica el acto de nombrar un grupo de gente? ¿Podría ser peligroso? ¿Por qué?

C. *Un cuadro demográfico*
La clase debe hacer un cuadro demográfico de la población hispanoparlante de los Estados Unidos (se puede tal vez consultar los datos del Censo de 1999). ¿De cuánta gente se trata? ¿A qué tasa está creciendo la población de habla española? ¿Se pueden identificar claramente grupos distintos? ¿Cómo se distribuyen estos grupos en los Estados Unidos? ¿Qué porcentaje de la población representa cada grupo?

D. Orientación al texto
Lea el siguiente titular y después conteste las preguntas que siguen.

Debaten Públicamente sus Diferencias los "Hispánicos" en EEUU

- Controversia sobre la televisión en español enfrenta a chicanos y cubanos
- Puede resultar benéfica y ayudar a los latinos a integrarse a la sociedad
- De hecho lo único que tienen en común es su residencia en ese territorio

1. ¿De qué se trata el artículo?

2. ¿Por qué se encuentra la palabra "Hispánicos" entre comillas?

3. ¿Cómo cree Ud. que va a ser organizado el artículo?

4. Haga una lista de preguntas que, en su opinión, el artículo debe contestar. Al leer, trate de ver si el artículo contesta todas las preguntas que Ud. se formuló.

5. Según el titular, ¿Según el titular, ¿puede Ud. determinar el punto de vista del autor? ¿Cómo se revela?

A continuación, el texto se ha reducido a los elementos básicos de la primera frase de cada párrafo. Aun reducido así, el lector tiene una idea bastante clara del contenido y estructura del artículo. Lea el texto abreviado y entonces haga un resumen de lo que Ud. cree será el contenido de cada párrafo. Añada más preguntas a la lista de preguntas que Ud. quiere ver contestadas. (Remítase a la actividad D, número 4.)

P1 . . . me he resistido a usar la palabra. [hispánicos]

P2 El problema ha recibido escasa atención en los medios impresos en inglés . . .

P3 Este término [cubanización] fue acuñado por *La Opinión* . . . que publicó una serie de artículos en su primera plana . . .

P4 Las fuentes de *La Opinión* especularon que existe una campaña para reducir la influencia mexicana . . .

P5 Los articulos generaron una "abrumadora" reacción "positiva" entre los lectores mexicanos . . .

P6 Se referían a un mexicano.

P7 . . . los latinos de esta ciudad son un pueblo con historias distintas . . .

P8 De hecho, la única experiencia que todos los "hispanos" tienen en común es su residencia en Estados Unidos.

P9 Yo sospecho que . . . muchos latinos aceptan la etiqueta "hispánico" porque . . .

P10 Obviamente, la gente sabe que este grupo diverso no vota de la misma manera.

P11 No existe tal cosa [voto hispánico].

P12 ¿Qué es lo que deben extraer los no latinos de todo esto?

P13 . . . me siento muy contento de que la rivalidad . . . finalmente haya sido discutida abiertamente.

P14 Una vez que los latinos hayan eliminado este obstáculo . . . deberán enfrentarse a temas más importantes como . . .

A leer

Debaten Públicamente sus Diferencias los "Hispánicos" en EEUU

- *Controversia sobre la televisión en español enfrenta a chicanos y cubanos*
- *Puede resultar benéfica y ayudar a los latinos a integrarse a la sociedad*
- *De hecho lo unico que tienen en común es su residencia en ese territorio*

   Por Frank del Olmo

P1   Los Angeles, 4 de junio—Desde que la Oficina de Censos comenzó a considerar en grupo a chicanos como yo con puertorriqueños y cubano-estadounidenses, bajo la amplia definición de "hispánicos", me he resistido a usar la palabra. La considero imprecisa y burocrática. Actualmente[1], una controversia en la televisión difundida[2] en español ilustra el por qué es erróneo.

P2   El problema ha recibido escasa atención en los medios impresos en inglés (con la excepción de un informe escrito por Victor Valle para *Los Angeles Times*), pero la antigua rivalidad entre cubano-estadounidenses y mexicano-norteamericanos en las dos redes de televisión en español del país se ha hecho pública, con la consecuente vergüenza que esto significa. Algunos cambios clave[3] en la red Univisión y su rival, Telemundo, han molestado a los activistas chicanos que se quejan de que ambas redes de televisión[4] se están "cubanizando".

P3   Este término fue acuñado[5] por *La Opinión*, el respetado diario en español de Los Angeles, que publicó una serie de artículos en su primera plana[6] sobre la tendencia y la reacción negativa de la comunidad que ha generado. Los directores del periódico decidieron publicar la serie cuando tres altos ejecutivos chicanos abandonaron sus puestos en las teledifusoras[7] en cuestión de meses y luego de que Univisión, la más antigua y grande empresa, anunció que centraría sus actividades de producción en Miami.

P4   Las fuentes de *La Opinión* especularon que existe una campaña para reducir la influencia mexicana en las teledifusoras, pese[8] al hecho de que los mexicanos constituyen la mayor parte de su audiencia: 60 por ciento de los más de 20 millones de latinoamericanos que viven en Estados Unidos son de extracción mexicana.

P5   Los artículos generaron una "abrumadora" reacción "positiva" entre los lectores mexicanos del periódico, según sus directores. También provocó una revuelta en las dos teledifusoras. Valle se enteró, por ejemplo, de que más de la mitad de los empleados de la estación *KMEX* de Los Angeles firmaron una petición en la que solicitaron a Univisión, empresa dueña de esta estación, que nombrara a un nuevo gerente general "que refleje los intereses, experiencia y cultura del auditorio[9] de Los Angeles".

P6   Se referían a un mexicano, en caso de que sea difícil imaginárselo. Y la forma en que la gente persiste en el uso del vocablo hispánico—el falso concepto de homogeneidad latina que implica—debo presumir que mucha gente tendrá dificultad para entender de lo que se trata todo este barullo[10].

P7   Este surge en torno[11] del hecho de que los latinos de esta ciudad son un pueblo con historias muy diferentes (tanto nacionales como personales), así como con características raciales y antecedentes de clase muy variados. Y también significa que no es posible llegar muy lejos para encontrar un vínculo común entre una población tan grande y diversa.

P8   De hecho, la única experiencia que todos los "hispánicos" tienen en común es su residencia en Estados Unidos.

P9   Yo sospecho que una razón clave por la que muchos latinos enterados aceptan la etiqueta[12] "hispánico" es porque piensan que les da poder en el sistema político estadounidense. Por ejemplo, sólo existen un millón de cubano-estadounidenses en Estados Unidos, o sea menos de .5 por ciento de toda la población. Lo que casi no vale la pena para ponerles atención fuera del sur de Florida, donde la mayoría de ellos vive. Pero al unirlos con los 10 millones de chicanos de Texas y California, y dos millones de puertorriqueños en Nueva York, se tiene lo que parece un grupo nacional de poder.

P10 Obviamente la gente astutamente política sabe que este grupo diverso no vota de la misma manera (los cubanos tienden a ser republicanos, los puertorriqueños son en su mayoría demócratas y los chicanos andan entre las dos). Pero eso no ha impedido que muchos latinos ambiciosos perpetúen el mito de que existe algo llamado "voto hispánico".

P11 No existe tal cosa, como tampoco existe una religión "hispánica" (hay muchos protestantes latinos en este país, e inclusive algunos judíos y musulmanes latinos), ni nada que pueda ser llamado cultura "hispánica". Gracias a Dios. Yo disfruto de las diferencias en comida, música, idioma (no todos hablamos el mismo tipo de español) y hasta opiniones políticas que resulten de esta mezcla.

P12 ¿Qué es lo que deben extraer los no latinos de todo esto? Deben quedar enterados[13]. Siempre habrá áreas de influencia latinoamericana en este país–principalmente mexicana en el suroeste, cubana en Florida y puertorriqueña en el noreste–, que dé más variedad a nuestra vida nacional. Pero no se producirá una nación "hispánica" dentro del país. Lo más probable es que los diferentes grupos nacionales dentro de la población latina conserven sus diferencias nacionales hasta que lleguen al punto de asimilación. Y para entonces, la identificación étnica será muy secundaria.

P13 Por lo que me siento muy contento de que la rivalidad chicanos-cubanos en la televisión en español finalmente haya sido discutida abiertamente. Esto deberá obligar a los latinos a admitir sus diferencias abierta y honestamente en lugar de cubrirlas en pro de[14] los intereses de la unidad "hispánica".

P14 Una vez que los latinos hayan eliminado ese obstáculo, deberan empezar a enfrentarse a temas más importantes, como obtener mejor programación en Univisión y Telemundo. ¿Qué tal usarlas como herramientas educacionales para ayudar a los latinos a enfrentarse al frecuentemente difícil proceso de asimilarse a una sociedad compleja y rápidamente cambiante como la estadounidense?

Tomado de Los Angeles Times, *4 de junio, 1989*

13. saber, aprender
14. a favor de

Después de leer   **PREGUNTAS DE COMPRENSION**

1. ¿Cuáles son los grupos "hispánicos" que se mencionan en el artículo?
2. ¿Cuál es la situación del conflicto?
3. Según *La Opinión*, ¿cuál es el motivo de los cambios en la empresa?
4. ¿Cómo reaccionaron los lectores mexicanos a los cambios?

5. Según el autor, ¿por qué se aplica y mantiene la etiqueta hispánico?

6. ¿Cuáles son las diferencias básicas entre los distintos grupos de hispánicos, según el autor?

7. ¿Ha tenido consecuencias positivas el debate, en la opinión del autor?

8. Según el autor, ¿qué se debe hacer ahora?

9. ¿Cuál es la etiqueta que el autor parece favorecer para referirse a la gente hispanoparlante de los Estados Unidos ¿Por qué sería?

ENFOQUE EN EL CONTENIDO Y LA ESTRUCTURA

A. Análisis del título
El título sugiere el tema y la tesis del artículo. ¿Cuáles son?

B. Análisis de la tesis
La introducción hace más precisa la tesis. También muestra la opinión del autor. Discuta.

C. Análisis de la estructura general

1. Evalúe las siguientes representaciones de la estructura general del artículo. ¿Cuál le parece más apropiada? ¿Por qué?

Estructura A	Estructura B	Estructura C
P1	P1-2	P1
P2-6	P3-6	P2-5
P7-12	P6-13	P6-10
P13-14	P14	P11-14

2. Para la estructura que ha juzgado más apropiada, apunte el tema que unifica cada segmento del artículo.

Segmento   **Tema unificador**

1. _____

2. _____

3. _____

4. _____

3. Dentro de cada uno de los segmentos, discuta la división entre los párrafos.

4. ¿Le parece que hay un esquema estructural aún mejor que los tres ofrecidos? Explique su respuesta.

Para más información sobre los temas gramaticales tratados en estas actividades, consúltese el Apéndice gramatical.

A. Vocabulario de los medios de comunicación

El artículo está repleto de vocabulario relacionado a los medios de comunicación (la prensa y la televisión). En una hoja aparte, reúna y organice este vocabulario.

B. Expresiones de relación entre ideas

¿Qué significan las siguientes expresiones de transición (o relación de ideas) dentro del contexto dado? Para poder expresarse de una forma sofisticada, es imprescindible aprender a manejar expresiones como éstas. Para aumentar su repertorio de expresiones transicionales debe repasar la lista en el *Apéndice gramatical* (pp. 175-242).

1. **P1** *Since* **Desde que** la Oficina de Censos comenzó a considerar . . .
2. **P1** *At the moment* **Actualmente** una controversia en la televisión difundida . . .
3. **P2** El problema ha recibido escasa atención en los medios impresos en inglés (**con la excepción de**) un informe escrito por Víctor Valle para *Los Angeles Times*) . . .
4. **P2** . . . pero la antigua rivalidad . . . se ha hecho pública, con la **consecuente** vergüenza que esto significa.
5. **P3** Los directores decidieron publicar la serie . . . **luego de que** Univisión anunció que centraría sus actividades en Miami.
6. **P4** Las fuentes especularon que existe una campaña para reducir la influencia mexicana en las teledifusoras, **pese al** hecho de que los mexicanos constituyen la mayor parte de su audiencia.
7. **P6** Se referían a un mexicano, **en caso de que** sea difícil imaginárselo.
8. **P7** Los latinos de esta ciudad son un pueblo con historias muy diferentes (**tanto** nacionales **como** personales), **así como** con características raciales y antecendentes de clase muy variados.
9. **P8** **De hecho,** la única experiencia que todos los "hispánicos" tienen en común es su residencia en Estados Unidos.
10. **P9** **Por ejemplo,** sólo existen un millón de cubano-estadounidenses en Estados Unidos, **o sea** menos de .5 por ciento de toda la población.
11. **P9** **Lo que** casi no vale la pena para ponerles atención fuera del sur de Florida.
12. **P10** **Obviamente** la gente astutamente política sabe que este grupo diverso no vota de la misma manera.
13. **P11** **No** existe tal cosa, como **tampoco** existe una religión "hispánica" (hay muchos protestantes latinos en este país, e **inclusive** algunos judíos y musulmanes latinos), ni nada que pueda ser llamado cultura "hispánica".
14. **P12** . . . áreas de influencia latinoamericana en este país—**principalmente** mexicana en el suroeste, cubana en Florida.

15. **P12** **Lo más probable** es que los diferentes grupos nacionales dentro de la población latina conserven sus diferencias nacionales.

16. **P12** **Y para entonces,** la identificación étnica será secundaria.

17. **P13** **Por lo que** me siento muy contento de que la rivalidad chicanos-cubanos en la televisión en español finalmente haya sido discutida abiertamente.

18. **P14** **Una vez que** los latinos hayan eliminado este obstáculo, deberán empezar a enfrentarse a temas más importantes, **como** obtener mejor programación en Univisión y Telemundo.

19. **P14** **¿Qué tal** usarlas como herramientas educacionales para ayudar a los latinos?

C. Práctica del subjuntivo

Las frases siguientes se sacaron de la lectura. En cada frase, identifique la clase de cláusula (nominal, adjetiva o adverbial) de que se trata y explique la elección del modo subjuntivo según el análisis presentado en el Apéndice gramatical (pp. 175-242).

1. **P5** . . . firmaron una petición en la solicitaron a Univisión que **nombrara** a un nuevo gerente general . . .

2. **P5** . . . solicitaron a Univisión que nombrara a un nuevo gerente general que **refleje** los intereses, experiencia y cultura del auditorio de Los Angeles.

3. **P6** Se referían a un mexicano, en caso de que **sea** difícil imaginárselo.

4. **P10** Pero eso no ha impedido que mucho latinos ambiciosos **perpetúen** el mito de que existe algo llamado "voto hispánico".

5. **P11** No existe tal cosa . . . ni nada que **pueda** ser llamado cultura "hispánica".

6. **P12** Lo más probable es que los diferentes grupos nacionales dentro de la población latina **conserven** sus diferencias nacionales hasta que lleguen al punto de asimilación.

7. **P13** Por lo que me siento muy contento de que la rivalidad chicanos-cubanos en la televisión en español finalmente **haya** sido discutida abiertamente.

8. **P14** Una vez que los latinos **hayan** eliminado ese obstáculo, deberán empezar a enfrentarse a temas más importantes, como obtener mejor programación en Univisión y Telemundo.

Actividades de escritura

A. Por qué Ud. debe firmar . . .

Escriba una breve introducción (uno o dos párrafos) a la petición circulada por los empleados de la estación KMEX. La función de la introducción es convencer al público de firmar la petición. Hay que 1) resumir el problema o la situación actual, dando los datos esenciales, 2) enfatizar la necesidad de reaccionar, y 3) indicar cómo una petición puede servir a la causa.

B. El lector crítico

¿Lo convencieron las razones del autor? Escriba una carta al redactor del mismo periódico en la que apoya o critica la perspectiva del autor con respecto a la validez del término "hispánico" para referirse a la gente hispanoparlante.

C. El nuevo Ted Turner

Ud. ha sido nombrado gerente de una red televisiva nacional a la que se ha criticado por no representar ni satisfacer las necesidades del público norteamenricano. Escriba una declaración de misión que elabora y justifique su plan de programación.

Para Resumir

En esta unidad, se presentaron y se analizaron tres ejemplos de composición subjetiva: una reseña de película cuya trama trata de un problema que han sufrido muchos países latinoamericanos en estos días; una carta al redactor donde la autora no solamente explica su problema sino que ofrece soluciones; y un editorial que cuestiona la etiqueta "hispánico" a través de una serie de argumentos.

Los autores de cada texto pretenden elaborar un problema y convencer a sus lectores, de modo que reaccionen tanto intelectual como emotivamente. Se valen de estrategias de persuasión para organizar sus textos, estrategias que incluyen el ordenamiento de ideas según cierta lógica y un valor como principio organizador. A continuación se resumen los rasgos composicionales de los tres textos.

Lectura 1: La Historia Oficial

Tesis: Alicia, la protagonista de "La historia oficial," personifica el drama nacional de los hijos de los desparecidos en la Argentina

Estructura:

1. La presentación de datos importantes sobre la película

2. La discusión del fondo histórico del argumento de la película; la tesis se declara en la última oración de P2.

3. El resumen de algunos aspectos de la película
   (a) presentación de la protagonista
   (b) la transformación al gobierno civil reflejada como crisis en el matrimonio
   (c) la crisis personal motivando su búsqueda de la verdad

Lectura 2: El Lector Tiene La Palabra

Tesis: Es necesario que la sociedad reconozca el problema de los desaparecidos y que luche contra ello para que esto no vuelva a ocurrir.

Estructura:

1. La descripción de la familia antes de la desaparición del esposo

2. Las emociones de la familia (en los primeros años, a largo plazo)

3. El motivo personal de escribir la carta: el aniversario

4. El motivo al nivel de la sociedad por escribir la carta
   La tesis se declara en el P5 y se resume en la última oración de la carta.

Lectura 3: Debaten Públicamente sus diferencias los 'hispánicos' en EEUU

Tesis: Los "hispánicos" no son un grupo homogéneo, sino un grupo compuesto de subgrupos con distintas historias, características y culturas

Estructura:

1. Introducción: primera presentación de la tesis

2. La presentación de una situación concreta (el conflicto en las redes de televisión como ejemplo de las diferencias. La segunda declaración de la tesis (P7)

3. La razón por la que se acepta el uso del término "hispánico"

4. La opinión del autor sobre las relaciones entre los varios grupos en el futuro

5. La identificación de problemas importantes

Actividades de escritura extendida

A. El Tribunal Mundial

Se ha establecido un tribunal mundial en La Haya (Holanda). Una de sus misiones es perseguir y juzgar gar al nivel internacional a criminales de guerra, o sea, gente que, bajo el amparo del estado, ha cometido actos de violencia en gran escala contra individuos. Investigue un poco. Escriba un editorial a favor o en contra de la iniciativa. ¿Puede tener éxito? ¿Por qué (no)?

B. Los jóvenes de hoy

Se dice que a la generación de los "Baby-boomers" siguió una "Generación X" con características identificables y en gran medida contrarias a las de los "Baby-boomers." ¿Existe o existió tal cosa como la Generación X? Se ha superado por una nueva generación que se puede caracterizar? ¿Cómo se podría describir la generación a la cual Ud. pertenece? ¿Tiene esta generación rasgos distintivos? Escriba una composición que pone en perspectiva el asunto de las generaciones en los Estados Unidos.

C. La inmigración

La inmigración de mexicanos (lícita o ilícita) a los Estados Unidos es una cuestión acaloradamente discutida. Investigue los varios aspectos del asunto y escriba un editorial en el cual Ud. declara y defiende un punto de vista al respecto. En el desarrollo de su argumento, debe rebatir de manera convincente las tres razones más fuertes de la perspectiva antagónica a la suya.

Unidad 5 La Exposición

OBJETIVOS

Después de terminar este capítulo, el estudiante podrá:

- reconocer los elementos esenciales de un ensayo de exposición

- analizar un ensayo según sus características genéricas

- escribir un ensayo expositor que demuestre las técnicas para elaborar una tesis.

OBJETIVOS LINGÜÍSTICOS

Después de terminar este capítulo, el estudiante podrá:

- reconocer y explicar el uso del subjuntivo.

- identificar elementos de cohesión en el texto: varias clases de pronombre, expresiones conjuntivas y de transición entre ideas.

- identificar modismos y varias expresiones útiles.

Introducción General

Rasgos de La Exposicion

El verbo "exponer" significa revelar la naturaleza de algo. Un ensayo expositor trata de explicar algo empleando el análisis y la razón para llevar al lector al entendimiento o a una perspectiva nueva con respecto al asunto. El ensayo de exposición es una presentación formal de ideas que se vale más de hechos y lógica que de emoción o técnicas sujetivas de persuasión.

Como toda composición coherente, el ensayo expositor tiene un tema y una tesis. El "algo" que se explica es el tema del ensayo. Por otra parte, lo que el ensayo muestra respecto del tema es la tesis. En las composiciones literarias, el tema y la tesis son normalmente implícitos; o sea, no se declaran abiertamente sino que se revelan indirectamente a través de la narrativa. En cambio, el ensayo de exposición típicamente expresa el tema y la tesis explícitamente.

Ningún tema puede ser elaborado completamente; el ensayo siempre tiene que limitarse a algún aspecto del tema. La tesis, por su parte, puede presentarse de una forma deductiva o inductiva. En el primer caso, se declara la tesis temprano (normalmente en la introducción) y el cuerpo de la composición la desarrolla. En el segundo caso, el contenido y la estructura de la composición llevan al lector a una conclusión que se declara al final.

El desarrollo típico de un ensayo deductivo y explícito tiene la siguiente forma:

1. *El título:*
   Una frase llamativa que acusa el tema y/o la tesis del ensayo.
2. *La introducción*
   a. *El tema:*
      Uno o dos párrafos que establecen el tema. Primero se plantea la importancia del tema general. Luego se enfoca en el aspecto del tema que se va a tratar en el ensayo.
   b. *La tesis:*
      Una o dos frases en que se declara lo que se va a demostrar o comprobar con respecto al tema reducido.
3. *El cuerpo*
   Los párrafos que apoyan y elaboran la tesis a base de datos, hechos, casos, ejemplos, anécdotas, definiciones, clasificaciones, comparaciones, citas, argumentos lógicos, etc.
4. *La conclusión*
   Párrafo(s) en que se sintetizan el tema, la tesis y los argumentos centrales sin caer en la repetición de lenguaje. La conclusión cierra el ensayo de una forma inovadora y elocuente.

Es obvio que la base de un buen ensayo es el párrafo bien hecho. Cada párrafo de la composición tiene un propósito único que lo distingue de sus vecinos. El párrafo se introduce con una frase temática que presenta el tópico del párrafo o indica su función (ejemplo, anécdota, argumento, cambio de enfoque, etc.). El cuerpo del párrafo desarrolla el tema. La oración final concluye el tratamiento del tema y/o forma una transición al párrafo siguiente.

Los párrafos del ensayo pueden desarrollar y apoyar la tesis a través de varias estrategias. Algunas de ellas son:

Clasificar: El acto de clasificar es el de descubrir cuáles ideas van con otras ideas y en qué orden deben agruparse con respecto al tema y tesis.

Definir: Es sumamente importante definir los conceptos y términos centrales del ensayo para que el lector sepa exactamente a lo que se refiere. Una definición, por lo general, tiene dos componentes: una clasificación general y una restricción de clasificación. Por ejemplo, según el Diccionario Larrousse:

Término	Clasificación	Restricción
Ensayo	Título de ciertas obras	que no pretenden estudiar a fondo una materia

Narrar: Los escritores frecuentemente ejemplifican su tesis con anécdotas, las que pueden comunicar cierta información tanto directa como indirectamente a medida que establecen contrastes.

Ejemplificar: Los ejemplos concretos y elaborados sirven para establecer la autoridad del escritor y permiten que el lector entienda y se acuerde de las ideas. Este acto de ilustrar puede consistir en ejemplos desarrollados, listas de hechos, estadísticas, hasta anécdotas.

Comparar y contrastar Esta estrategia es útil para presentar información, porque ayuda al lector a entender algo nuevo, mostrando cómo se parece a o difiere de otro casa.

Argumentar: Es importante que los escritores den razones que demuestren una proposición o tesis. Las razones (o argumentos) normalmente se presentan o de forma deductiva (tesis seguida de argumentos) o de forma inductiva (argumentos seguidos de la tesis). Además, según la intención del escritor, los argumentos suelen arreglarse en algún orden de importancia (de menos a más importante y convincente, o al revés).

El ensayista busca lograr la coherencia y la economía conceptual. El contenido y la organización de un ensayo coherente son óptimos para comprobar la tesis. Por otra parte, el escritor se limita al contenido necesario para cumplir con los requisitos del tema y de la tesis. Todo el contenido tiene que ser relevante para la composición.

El buen ensayo expositor también se caracteriza lingüísticamente por su cohesión y falta de redundancia. La cohesión se refiere a los elementos lingüísticos que mantienen clara referencia y relación entre ideas. El uso apropiado de las estructuras pronominales, las conjunciones y las expresiones de transición (*no obstante, sin embargo, en cambio, por un lado, asimismo,* etc) y un vocabulario preciso, con ejemplos, ayuda al lector a relacionar las ideas sin despistarse. El empleo tanto de formas pronominales como de un vocabulario variado evita la repetición de expresión.

Lectura 1

A La Malinchi, Discreta, Pero Sincera Devoción
Por Roberto Sosa

Introducción a La Lectura

El reportaje periodístico que sigue trata de La Malinchi, famosa india mexicana del siglo XV que desempeñó uno de los papeles más importantes en la conquista de México. Su madre la repudió cuando era joven y fue vendida como esclava. Un cacique la envió a Hernán Cortés como cocinera de sus tropas. Como era muy bella e inteligente, el gran conquistador se interesó por ella, haciéndola su amante. Ella, a su vez, se enamoró apasionadamente de Cortés. Aprendió el español y se hizo católica (en el bautizo recibió el nombre de Marina). Sirvió a Cortés como intérprete y consejera diplomática y militar. Marina fue uno de los más poderosos instrumentos en la caída de Moctezuma, el jefe del imperio azteca. Marina tuvo un hijo con el conquistador. Al morir Cortés, se casó con un caballero castellano y se trasladó a España donde fue tratada en la corte como a una gran señora.

Antes de leer

A. México y la conquista

Con base en los conocimientos generales de la clase, haga un resumen de la historia de la conquista de México.

1. ¿Qué sabe Ud. de la conquista, Cortés, Moctezuma y los aztecas?

2. ¿Sabe lo que significan los términos *mestizaje* y *mestizo*?

3. ¿Cómo se relacionan estos conceptos con la historia de la conquista?

B. Indígenas famosas del norte

1. ¿Quiénes eran Pocahontas y Sacagewea?

2. ¿En qué se parecen sus historias a la de La Malinchi?

3. Desde el punto de vista de los indígenas de la época, ¿se las consideraría heroínas?

C. Anticipando el contenido

1. Lea el título, el contenido y el orden de información del artículo.

A La Malinchi, discreta, pero sincera devoción

- *Oluta rememora a la sagaz y bella mujer*

- *Su origen, nombre y obra aún se discuten*

- *Atavíos aztecas en la Fiesta de San Juan*

2. Discuta las preguntas siguientes a partir de la información del título.
   a. ¿A qué se podría referir el término Oluta?
   b. ¿Qué hace Oluta? ¿Cómo?
   c. ¿Cómo se describe a la Malinchi?
   d. ¿Se trata de un personaje venerado? ¿Cómo lo sabe?
   e. ¿Hay alguna indicación de controversia?
   f. ¿Cómo es la fiesta de San Juan?
   g. ¿Qué tendría la fiesta que ver con la figura de Malinchi?
   h. ¿Qué preguntas se hará el lector al leer el titular? ¿Qué más quiere saber el lector?

D. Lectura rápida

Lea el texto reducido aquí, buscando en el diccionario sólo las palabras absolutamente necesarias para entender el contenido fundamental. Haga un resumen corto, con sus propias palabras, del contenido del artículo.

1. La Malinchi es venerada en Oluta, Veracruz. Sus 40 mil moradores creen que ahí nació la legendaria indígena. Hoy su nombre está en todas las bocas. En su honor se canta y se baila.

2. La discreción es obligada. La Malinchi es el símbolo de la entrega de la patria en manos extranjeras. El hecho está dado. La danza de la conquista se niega a naufragar en el olvido. Ella es también origen del criollismo.

3. Los moradores festejan, veneran, rememoran pero . . . ¿perdonan? No. El perdón es el principio del olvido. Un pueblo sin memoria está condenado a cometer los mismos errores. La ceremonia es el dato vivo de la conquista española.

4. De La Malinchi se discute no sólo su nombre sino su origen. Algunos historiadores la señalan originaria de Huiletla, en Jalisco. Fray Bernardino de Sagahún la ubica en Tetiquipa. Bernal Díaz del Castillo sostiene que nació en Painalá.

5. El vocablo original de Painalá es pat-el-nalia. Significa "caminos de los olmecas".

6. El tiempo ha difuminado las imágenes y fragmentado la presencia. Los ancianos de Oluta entretejen la historia: Oluta fue un adoratorio Popluca llamado Cue-olmi o Cu-omi. Se bautizó al lugar con el nombre

de Otla: elote una referencia a la región como productora de maíz. Posteriormente el nombre degeneró en Oluta.

7. En 1831 José María Iglesias resaltó la importancia del lugar por haber sido cuna de La Malinchi. Los habitantes de Oluta están seguros de ser paisanos de la "célebre y bella traidora".

8. Las celebraciones se acoplan y mezclan en un interesante híbrido histórico para recordar a Malinchi o Doña Marina. Los habitantes de Oluta la recuerdan con "la danza de la Conquista".

9. Dos personajes centrales, interpretados por dos indígenas popolutas, son Malinchi y Doña Marina.

10. Los descendientes de la "cacica entrometida y desenvuelta" bailan la Danza de la Conquista cada 24 de junio.

11. El investigador Samuel Pérez García expresa su desacuerdo porque el estado de Veracruz se haya olvidado de La Malinchi.

12. Un nacionalismo mal entendido ha juzgado ligeramente la actuación histórica de esta extraordinaria mujer.

13. En el centro del país y en las ciudades, su nombre es motivo de una especie de vergüenza histórica. En Oluta su recuerdo tiene su justa dimensión histórica. [Malinchi] es también el origen de la raza.

14. Doña Marina, Malinchi, tiene un lugar en la historia de Oluta.

A leer

A La Malinchi, Discreta, Pero Sincera Devoción

- *Oluta rememora a la sagaz y bella mujer*
- *Su origen, nombre y obra aún se discuten*
- *Atavíos aztecas en la Fiesta de San Juan*

Por Roberto Sosa, corresponsal

1. del verbo encubrir
2. habitantes
3. obediente
4. perderse (hundirse un barco)

P1   OLUTA, Ver., 24 de junio—Mujer de controversia, cuyo origen y nombre aún están en discusión, La Malinchi también es venerada, aunque encubierta[1] y discretamente, en Oluta, Veracruz, pequeña población donde sus 40 mil moradores[2] creen que ahí nació la legendaria indígena. Hoy el 24 de junio, durante las festividades de San Juan Bautista, su nombre está en todas las bocas y en su honor, al ritmo de jaranas, teponaxtles y chirimías, se canta y se baila.

P2   La discreción es obligada pues—a pesar de las pasiones—La Malinchi es el símbolo de la entrega sumisa[3] y dolorosa de la patria en manos extranjeras. El hecho está dado. La danza de la conquista se niega sin embargo a naufragar[4] en el olvido, porque ella es también origen del criollismo.

P3   Los moradores de Acayucan, Sayula y Alemán festejan, veneran, rememoran pero . . . ¿perdonan? No. El perdón es el principio del olvido y un pueblo sin memoria está condenado, irremediablemente, a cometer los mismos errores del pasado; por ello, aunque cada vez con menos adeptos[5], la ceremonia es el dato vivo de la conquista española, presente en la memoria de los indígenas veracruzanos.

P4   De La Malinchi, la mujer de mítica belleza y lúcida inteligencia al servicio de los conquistadores, se discute no sólo su nombre sino su origen. A esa sagaz[6] y seductora mujer, algunos historiadores, como Gómara, la señalan originaria de[7] Huiletla, en Jalisco, Fray Bernardino de Sagahún la ubica en Tetiquipa y Bernal Díaz del Castillo sostiene que nació en Painalá a ocho leguas del río Coatzacoalcos.

P5   El vocablo original de Painalá es pat-el-nalia que significa "caminos de los olmecas"; este dato concuerda[8] con el paso[9] antiguo, —aun existe—conocido como camino de Patolman en la parte noreste de Oluta.

P6   El tiempo ha difuminado[10] las imágenes y fragmentado la presencia; a pesar de ello, los ancianos de Oluta, con voz apenas audible, entretejen[11] la historia: Oluta fue, antes del dominio azteca, un adoratorio[12] Popluca llamado Cue-olmi o Cu-omi, esto último, según los datos del cronista Luciano Antonio Cornelio. Con el advenimiento[13] del imperio náhuatl se bautizó al lugar con el nombre de Otla: elote[14], referencia a la importancia de la región como productora de maíz, posteriormente[15] el nombre degeneró en Oluta, como se le conoce hoy día.

P7   Con el prudente margen que la distancia en tiempo y espacio obligan a ceder[16] a la fantasía, en 1831 José María Iglesias, entonces el jefe del Departamento de Acayucan, resaltó[17] la importancia del lugar por haber sido cuna[18] de La Malinchi. Los habitantes de Oluta, por su parte, están seguros de ser paisanos[19] de la "célebre y bella traidora[20]".

P8   En fin, lo cierto es que las celebraciones del día de San Juan se acoplan y mezclan[21] en un interesante híbrido histórico para recordar a Mallianalli Tenepal, Malinchi o Doña Marina, a quien si bien es cierto, la historia de México le ha negado[22] el honor, los habitantes popolucas de Oluta, ataviados a la usanza antigua[23]—como en los tiempos de la conquista—entre versos cantos y bailes la recuerdan con "la danza de la Conquista".

P9   Dos personajes centrales, interpretados por dos indígenas popolutas, son Malinchi y Doña Marina—rechazo y aceptación, desdoblamiento[24] elocuente—:allá; frente a frente[25], ambos con su séquito de hombres[26] y soldados, muy bien interpretados, Cortés y Moctezuma.

P10   Así, los que se consideran descendientes históricos de la "cacica[27] entrometida[28] y desenvuelta[29]", al ritmo de jaranas, teponaxtles y chirimías, bailan la Danza de la Conquista cada 24 de junio y, con ello, el nombre de tan singular mujer florece en la boca de los habitantes de Oluta.

Artífice del Criollismo

P11   El investigador de la S.E.P., Samuel Pérez García, quien próximamente[30] publicará un libro sobre la historia de Oluta, expresa su desacuerdo porque el

31. autor, inventor
32. le deben las gracias
33. los soldados
34. hubieran muerto
35. un tipo de
36. despectivamente

estado de Veracruz, al recordar de forma memorable a personajes cuya actuación fue decisiva en la integración de la moderna sociedad mexicana, se haya olvidado de La Malinchi como artífice[31] del criollismo.

P12   Un nacionalismo mal entendido ha juzgado ligeramente la actuación histórica de esta extraordinaria mujer, marginándola de la historia, incluso por los mismos peninsulares, quienes debieran estarle agradecidos[32] porque sin su brillante inteligencia las huestes[33] de Cortés hubieran perecido[34] en cualquiera de sus acciones contra los indígenas.

P13   En tanto, en el centro del país y en las ciudades, su nombre es motivo de una especie de[35] vergüenza histórica, se nombra de manera chusca[36] o sencillamente se le evita, allá en Oluta su recuerdo tiene su justa dimensión histórica porque la "clásica entrometida y desenvuelta", querámoslo o no, es también el origen de la raza de quienes hoy pretenden asumir una falsa mexicanidad rechazando las circunstancias históricas que la hicieron posible.

P14   Doña Marina, Malinchi, producto de las circunstancias históricas de su tiempo, tiene un lugar en la historia de Oluta.

Tomado de Excelsior, *25 de junio, 1989*

Después de leer   PREGUNTAS DE COMPRENSION

1. ¿Cómo se llama la fiesta que se celebra en Oluta, Veracruz?
2. ¿Cómo se le venera a La Malinchi?
3. ¿Qué serían "jaranas, teponaxtles y chirimías"?
4. ¿Qué simboliza la Malinchi?
5. ¿De qué se trata el debate sobre La Malinchi?
6. ¿Cómo se baila la danza de la conquista?
7. ¿Qué representan las dos indígenas que bailan la danza?
8. Según Samuel Pérez García, ¿por qué es tan importante La Malinchi en la historia de México?
9. ¿En qué sentido se considera a La Malinchi como artífice del criollismo?
10. ¿Por qué es La Malinchi objeto de vergüenza histórica?

ENFOQUE EN EL CONTENIDO Y LA ESTRUCTURA

A. El titulo—de cerca

Estudie la estructura del título y discuta lo siguiente:

1. El tema del reportaje es La Malinchi. ¿Hay una tesis implícita en el título? ¿Cuál sería?

2. ¿Hay alguna relación entre la estructura del título y la del artículo? Discuta.

A La Malinchi, discreta, pero sincera devoción

- *Oluta rememora a la sagaz y bella mujer*
- *Su origen, nombre y obra aún se discuten*
- *Atavíos aztecas en la Fiesta de San Juan*

B. Análisis de la introducción

1. La introducción de este reportaje consiste en dos frases. En una hoja aparte, haga un resumen de la información contenida en la introducción según el esquema siguiente:

	DATO BÁSICO	**DETALLES**
¿Quién?	_____	
¿Qué?	_____	
¿Dónde?	_____	
¿Cuándo?	_____	
¿Cómo?	_____	
¿Por qué?	_____	

2. ¿En qué orden se presenta la información? ¿Por qué?

3. ¿En cuál(es) párrafo(s) del cuerpo del reportaje se desarrolla cada uno de los datos básicos?

C. Estructura general

A continuación hay un posible esquema estructural de la lectura. Discuta la agrupación y división de párrafos. Apunte el tema unificador de cada grupo de párrafos.

Segmento	Tema unificador
P1	_____
P2-3	_____
P4-7	_____
P8-10	_____
P11-13	_____
P14	_____

ENFOQUE EN EL LENGUAJE

Para más información sobre los temas tratados en estas actividades, consúltese el *Apéndice gramatical* [pp 175-242]

A. Referencias a La Malinchi

1. Habrá notado que en el nombre La Malinchi el artículo (La) aparece en letra mayúscula. ¿Qué implica esto?

2. En varios sitios se refiere a La Malinchi con los adjetivos "entrometida (o entremetida)" y "desenvuelta". Por ejemplo: "la cacica entrometida y desenvuelta" y "la clásica entrometida y desenvuelta". Busque todas las acepciones posibles de estos términos en el diccionario. ¿Qué significan con referencia a personas? ¿Cómo se relacionan estos términos a la tesis del artículo?

3. Busque todas las referencias personales a La Malinchi según el ejemplo dado a continuación (debe encontrar por lo menos cinco). ¿Qué revelan estas referencias acerca del personaje y su papel histórico?
   Ejemplo: la sagaz y bella mujer

B. Expresiónes relacionales y de transición

El texto abunda en expresiones que ayudan a relacionar ideas. Las expresiones pertenecen a grupos semánticos más o menos identificables. ¿Busque la expresión indicada en los casos siguientes? ¿Por qué se agruparon los ejemplos así?

P1   La Malinchi también es venerada, _____ encubierta y discretamente, en Oluta, Veracruz.

P2   La discreción es obligada pues— _____ las pasiones—La Malinchi es el símbolo de la entrega sumisa y dolorosa de la patria en manos extranjeras.

P2   El hecho está dado. La danza de la conquista se niega _____ a naufragar en el olvido, porque ella es también origen del criollismo.

P4   De La Malinchi, la mujer de mítica belleza y lúcida inteligencia al servicio de los conquistadores, se discute no sólo su nombre sino su origen.

P7   Los habitantes de Oluta, _____ , están seguros de ser paisanos de la "célebre y bella traidora".

P12   Un nacionalismo mal entendido ha juzgado ligeramente la actuación histórica de esta extraordinaria mujer, marginándola de la historia, _____ por los mismos peninsulares, quienes debieran estarle agradecidos.

P13   _____ , en el centro del país y en las ciudades, su nombre es motivo de una especie de vergüenza histórica, se nombra de manera chusca o sencillamente se le evita, allá en Oluta su recuerdo tiene su justa dimensión histórica.

P13   . . . porque la [Malinchi], _____ , es también el origen de la raza.

_____

P2   La discreción es obligada _____ —a pesar de las pasiones— La Malinchi es el símbolo de la entrega sumisa y dolorosa de la patria . . .

P2   La danza de la Conquista se niega _____ a naufragar en el olvido, porque ella es también origen del criollismo.

P3   El perdón es el principio del olvido y un pueblo sin memoria está condenado a cometer los mismos errores del pasado; _____ , la ceremonia es el dato vivo de la conquista española, presente en la memoria de los indígenas veracruzanos.

_____

P8 _____ , lo cierto es que las celebraciones del día de San Juan se acoplan y mezclan en un interesante híbrido histórico para recordar a Mallianalli Tenepal, Malinchi o Doña Marina.

P10 _____ , los que se consideran descendientes históricos de la "cacica entrometida y desenvuelta" bailan la Danza de la Conquista cada 24 de junio.

Actividades de escritura

A. Una relación de amor y odio

Escriba un ensayo corto explicando por qué la figura de La Malinchi se trata con tanta ambivalencia en la historia mexicana.

B. ¿Qué opina Ud.: heroína o traidora?

Escriba una opinión corta acerca del papel histórico desempeñado por La Malinchi. ¿Se le debe considerar como "heroína de la historia" o como "traidora de su raza"?

Lectura 2

Dalí, Figura Emblemática del Siglo XX
Por Julia Sáez-Angulo

Introducción a La Lectura

El ensayo a continuación trata de uno de los pintores españoles más famosos del siglo, Salvador Dalí, que murió en 1989. Dalí pertenecía a la escuela surrealista que dominaba al mundo artístico durante los años de entreguerra, 1920 a 1940. El impacto surrealista se reconoció de inmediato en las artes. Se consideraba ante todo un estado de mente que se reflejaba en el arte a través de un total rechazo y rebelión de los cánones artísticos aceptados. Entre las características principales del surrealismo figuran la yuxtaposición de imágenes que, por bien que reflejaran los sueños, tenían como propósito desorientar y romper con el sentido aceptado de la realidad. El pintor alemán **Max Ernst** (1891–1976), uno de los primeros artistas surrealistas, provocaba intencionalmente al público burgués, poniendo en ridículo todo lo que ese público tomaba seriamente. Giorgio de Chirico (1888–1978), pintor italiano, influyó en Dalí con sus imágenes inquietantes y poderosas, evocaciones amenazadoras de *piazzas* italianás solitarias.

En 1925 se estrenó la primera exposición surrealista en París, donde presentaron Hans Arp, Max Ernst y Joan Miró, brillando por su ausencia René Magritte y Salvador Dalí. Dalí, en sus pinturas y esculturas, trató de capturar la claridad alucinante de los sueños y el tiempo evanescente, en lo que él llamaba «fotografías de los sueños pintadas a mano». Dalí se valía de símbolos freudianos que perturbaban al público, y lo hacía intencionalmente. Sus pinturas desafían nuestras suposiciones sobre el arte y la realidad. En el siguiente ensayo sobre Dalí, la tesis se encuentra en el mismo título. El autor intenta justificar la tesis en el ensayo

Antes de leer

A. **¿Qué es el arte?**

1. Busque en el diccionario las definiciones de realismo, impresionismo, surrealismo y cubismo ¿Cómo sería un cuadro de cada estilo? ¿Por qué varían los estilos artísticos?

2. ¿Se interesa Ud. por la pintura? ¿Por qué (no)?

3. ¿Qué clase de pintura le gusta/gustaría más? ¿menos?: realista, abstracta, impresionista, surrealista, cubista, etc? ¿Por qué?

B. **Algunas referencias:**

1. *Personas*

Luis Aragón: poeta y novelista francés (1897–1982), uno de los creadores de la poesía surrealista.

Bataille: filósofo francés que escribía mucho sobre los temas del amor, la muerte y el sexo.

André Bretón: escritor y poeta francés (1896–1966), se le considera el fundador principal del surrealismo.

Luis Buñuel: cineasta español (1900–1983), se exilió en México durante la dictadura de Franco en España, algunas de sus películas son *Ese oscuro objeto del deseo*, y *Los olvidados*.

Giorgio de Chirico: pintor surrealista italiano (1888–1978).

Eugene (Paul) Eluard: poeta francés (1895–1952), uno de los fundadores del surrealismo.

Max Ernst: pintor surrealista alemán (1891–1976).

Federico García Lorca: poeta y dramaturgo español, de Andalucía (1898–1936), escribió obras como *Bodas de sangre* y *La casa de Bernarda Alba*, fue asesinado por tropas leales a Franco al principio de la guerra civil española.

Juan Gris: pintor español (1887–1927), figura importante del cubismo.

René Magritte: pintor surrealista belga (1898–1967).

Meissonier: pintor francés del siglo XIX; sus pinturas se caracterizaban por mostrar mucho detalle y un estilo fotográfico.

Joan Miró: pintor catalán (1893–1983), de tendencia surrealista.

2. *Lugares*

Ampurdán: una región de la provincia de Gerona, en Cataluña

Cadaqués: un pueblo de la provincia de Gerona, en la costa del Mediterráneo

Cataluña: región principal de España, situada en la parte nordeste, comprende cuatro provincias (Barcelona, Gerona, Lérida, Tarragona). La capital es la ciudad de Barcelona (la Ciudad Condal)

C. Orientación al texto

1. *El título:*
   a. ¿Qué puede significar "emblemático"?
   b. El título sugiere una tesis general, ¿cuál sería?
   c. A base del título, ¿qué se puede decir acerca del contenido y la estructura del ensayo?

2. *La versión reducida:*

Lea las oraciones temáticas de cada párrafo presentadas a continuación, buscando en el diccionario los términos necesarios para la comprensión. Luego, en sus propias palabras haga un resumen de lo que Ud. cree será la función y contenido de cada uno de los párrafos. Haga también una lista de preguntas que Ud. como lector quiere ver contestadas en el artículo.
   a. ¿Se puede reconocer la actitud del autor acerca de su tema [Dalí]?
   b. ¿Le da la versión reducida una idea más clara de la tesis del artículo? ¿Cuál es?

P1   Con la desaparición de Dalí se nos ha ido uno de los nombres españoles decisivos en el mundo de las vanguardias de primeros de siglo.

P2   Utilizó la paranoia como exaltación orgullosa de sí mismo para salvarse de la anulación o sentido de suplantación que siempre tuvo, por nacer después y con el nombre de un hermano muerto.

P3   El mundo surrealista le llegó a Dalí del Ampurdán, una tierra donde lo excesivo y extravagante habían formado parte de su infancia.

P4   Dalí liberó el mundo de los sueños y de la pulsión sexual hasta lo indecible y lo escandaloso.

P5   El siglo XX se encarnó en él como buscador de caminos nuevos para el arte, como indagador de negocios y mercados para sus objetos artísticos hasta reventarlos con la duda.

P6   Su ambigüedad respecto a la monarquía, el catolicismo y la ciencia le merecieron excomuniones pacatas de varios pontífices del arte, la política y la religión.

A leer

Dalí, Figura Emblemática del Siglo XX

Por Julia Sáez-Angulo

1. lista
2. personificó
3. destrucción
4. reemplazo
5. prevalente
6. inspiración y pesadilla
7. fracasos
8. prisionero de la extrañeza
9. invenciones

P1   Con la desaparición de Dalí se nos ha ido uno de los nombres españoles decisivos en el mundo de las vanguardias de primeros de siglo. Despúes de Juan Gris, Picasso y Miró, la muerte de Dalí pone fin a esa nómina[1] de oro española en el arte de principios del siglo XX. ¿Qué ha aportado Dalí a ese capítulo de la Historia del Arte? En principio, un fabuloso mundo de imágenes. Encarnó[2] el surrealismo como nadie, pese a su expulsión por el papa Breton. Antes lo había sido Aragón y más tarde lo fueron Eluard, Chirico y Max Ernst. Al igual que Magritte, renunció a la pintura en lo que tiene de forma de pintar para concentrarse en lo que debía pintar.

P2   Utilizó la paranoia como exaltación orgullosa de sí mismo para salvarse de la anulación[3] o sentido de suplantación[4] que siempre tuvo, por nacer despúes y con el nombre de un hermano muerto. Su reafirmación del yo, egótico y paranoico, se tradujo en una singularidad de vida y obra. Fue un rebelde continuo y no se sujetó a ninguna ascendencia[5] de opinión, ni de Buñuel ni de Lorca . . . Quizá sólo de Gala, esa mujer musa-arpía[6] que estuvo siempre a su lado desde que lo conoció, aunque sus relaciones amorosas transcurrieran por otros derroteros[7]. Dalí fue un rebelde a los grupos. Su docilidad le hubiera hecho sentirse funcionario.

P3   El mundo surrealista le llegó a Dalí del Ampurdán, una tierra donde lo excesivo y extravagante habían formado parte de su infancia. La codificación del surrealismo en París no vino sino a confirmar la conducta excitada e imaginativa del joven Dalí. El artista de Cadaqués hizo de su vida una obra de arte, aunque a muchos les irritara su ambigüedad en lo político y en lo religioso. Bataille le denunció de «prendido por la extrañeza[8], risible y a la vez ardiente, de sus propios artificios[9]». Quizá algo de esto pudiera haber en su obra tardía. Pero nadie podrá quitar a Dalí la gloria de haber dado las primeras imágenes pictóricas del surrealismo en la etapa más temprana. «La miel es más dulce que la sangre» (1927) es prueba de ello. Sus aportaciones[10] con la imagen repetida o su método crítico paranoico hicieron de su obra una gran subversión de lo real. Su reconocimiento inmediato en París prueba de su genialidad como motor de arranque[11], y su genialidad de desenganche personal[12] cuando todo el grupo surrealista parecía institucionalizarse en torno al[13] sumo pontífice Breton.

P4   Dalí liberó el mundo de los sueños y de la pulsión sexual hasta lo indecible y escandaloso. Sus imágenes surrealistas quedaron apartadas en otras etapas en que el pintor se acercaba al arte visionario. El psicoanálisis de Freud por un lado y la técnica de Meissonier, por otro, se fundían con originalidad para el mundo del arte. Algunos ven en esta pintura más literatura que otra cosa, pero las fronteras en arte son algo mágico y pretencioso. Dalí jugó con su ambigüedad como la que recomendaba a sus amigas travestidas[14]. Creaba morbo en el espectador y ¿qué era lo que el público estaba esperando sino eso?

P5   El siglo XX se encarnó en él como buscador de caminos nuevos para el arte, como indagador[15] de negocios y mercados para sus objetos artísticos hasta reventarlos[16] con la duda. Dalí no estaba dispuesto a morir de miseria y de inanición[17] como antes ocurrió a Van Gogh o Gauguin. El fue calificado de «ávidodollars» por su gran sentido del *marketing* en la América a la que huyó al llegar los nazis a París. Hizo de sí un modelo de hombre-artista-anuncio. Su sentido de la publicidad fue magistral, aunque algunos lo vieran patético. Resultaba una figura emblemática de su siglo, ávido y voraz en la fama y en las finanzas dentro del batiburrillo[18] del mercado del arte.

P6   Su ambigüedad respecto a la monarquía, el catolicismo y la ciencia le merecieron excomuniones pacatas[19] de varios pontífices del arte, la política y la religión. Se hizo recibir por Reyes y el Pontífice de Roma, en una liturgia más que daliniana, para rabieta[20] de otros monarcas y pontífices airados[21]. Cayeron en su juego y en su trampa. Cataluña cometió el error de no entenderlo bien, de no jugar con sus propias armas en su propio terreno. Barcelona carece de un monumento daliniano y de una casa concebida por Dalí, por la torpeza administrativa de unos jerarcas[22] que miraban con antipatía al personaje. La Ciudad Condal tendrá casas de Gaudí, monolitos de Miró, pero inexplicablemente carecerá de esa obra de Dalí. El pintor de Cadaqués era demasiado genial para tener sólo un perfil y una conducta roma[23]. Era una singularidad altiva[24]. Un ejemplar diseñado por sí mismo para el siglo XX.

Tomado de Razón y fe, *marzo, 1989*

Después de leer   PREGUNTAS DE COMPRENSION

1.   Según el autor, ¿quiénes eran los españoles que estuvieron en la vanguardia del arte a principios del siglo XX?

2.   ¿Cuál fue la contribución de Dalí a la historia del arte, en la opinión del autor?

3. Según lo que se dice en el P2, ¿cuál era el motivo psicológico de su vida y de su obra artística? ¿Qué evento en la vida de Dalí causó tal reacción psicológica?

4. ¿Por qué era "rebelde a los grupos"?

5. Según el P3, ¿cambió a Dalí el movimiento surrealista?

6. ¿Por quién fue criticado Dalí y por qué? En opinión del autor, ¿tiene algo de razón la crítica?

7. El autor señala dos pruebas de la grandeza artística de Dalí. ¿Cuáles son?

8. Para el autor, ¿qué representa Breton?

9. ¿Cuáles eran las fuentes temáticas del arte de Dalí?

10. ¿Qué personajes prominentes influyeron en su arte? ¿De qué manera?

11. ¿Cómo afectó su arte al espectador?

12. ¿Por qué dice el autor que Dalí resultaba una figura emblemática del siglo XX?

13. ¿Por qué no hay muchos monumentos dalinianos en Barcelona y en otros sitios?

ENFOQUE EN LA ESTRUCTURA

A. Discusión de la tesis

Según la información dada al comenzar esta unidad, explique si el escritor ha ido de tema general a tesis, o si plantea la tesis inmediatamente seguida por ejemplos que la justifican y apoyan. Fuera del título, ¿se encuentra una tesis explícita? ¿Cómo se desarrolla la tesis a través del ensayo (deductiva o inductivamente)?

B. Estudio de los párrafos

En una frase corta resuma la idea central de cada párrafo (P 1–6).

C. Estructura general

En su opinión, ¿cuál de las estructuras siguientes representa mejor la estructura general de la composición? ¿Por qué?

Estructura A	Estructura B	Estructura C
P1	P1-2	P1
P2-4	P3-6	P2
P5-6	P6	P3-4
		P5-6

1. En la estructura que ha escogido, ¿cuál es el tema que unifica cada segmento?

2. ¿Cuál es el criterio que separa cada uno de los párrafos dentro de un segmento?

ENFOQUE EN EL LENGUAJE

Para más información sobre los temas gramaticales tratados en estas actividades, consúltese el Apéndice gramatical.

A. Vocabulario

El texto contiene mucho vocabulario (nombres y adjetivos) que se refiere a la personalidad y el genio extraordinario de Salvador Dalí. En una hoja aparte, reúna y organice este vocabulario.

B. Práctica de pronombres

Identifique la clase y el referente de cada pronombre, según el contexto.

1. **P1** Con la desaparición de Dalí se **nos** ha ido uno de los nombres españoles decisivos en el mundo de las vanguardias de primeros de siglo.

2. **P2** Fue un rebelde continuo y no **se** sujetó a ninguna ascendencia de opinión, ni de Buñuel ni de Lorca . . .

3. **P2** Quizá sólo de Gala, esa mujer musa-arpía que estuvo siempre a su lado desde que **lo** conoció . . .

4. **P3** El mundo surrealista **le** llegó a Dalí del Ampurdán, una tierra donde lo excesivo y extravagante habían formado parte de su infancia.

5. **P3** Bataille **le** denunció de «prendido por la extrañeza, risible y a la vez ardiente, de sus propios artificios».

6. **P4** El psicoanálisis de Freud por un lado y la técnica de Meissonier, por otro, **se** fundían con originalidad para el mundo del arte.

7. **P5** El siglo XX se encarnó en **él** como buscador de caminos nuevos para el arte . . .

8. **P5** Hizo de **sí** un modelo de hombre-artista-anuncio.

9. **P5** Su sentido de la publicidad fue magistral, aunque algunos **lo** vieran patético.

10. **P6** Su ambigüedad respecto a la monarquía, el catolicismo y la ciencia **le** merecieron excomuniones pacatas de varios pontífices del arte, la política y la religión.

11. **P6** Cayeron en su juego y en su trampa. Cataluña cometió el error de no entender**lo** bien, de no jugar con sus propias armas en su propio terreno.

C. Estructuras reflexivas

Siendo el egoísmo de Dalí un tema central de la lectura, no extraña ver una cantidad de expresiones reflexivas con referencia al artista. Lea las siguientes frases y traduzca al inglés los segmentos en negrita.

1. **P1** Al igual que Magritte, renunció a la pintura en lo que tiene de forma de pintar **para concentrarse** en lo que debía pintar.

2. **P2** Utilizó la paranoia como exaltación **orgullosa de sí mismo** para salvarse de la anulación o sentido de suplantación que siempre tuvo, por nacer después y con el nombre de un hermano muerto.

3. **P2**   Su reafirmación del yo, egótico y paranoico, **se tradujo** en una singularidad de vida y obra.

4. **P2**   Fue un rebelde continuo y no **se sujetó** a ninguna ascendencia de opinión, ni de Buñuel ni de Lorca . . .

5. **P2**   Dalí fue un rebelde a los grupos. Su docilidad le hubiera hecho **sentirse funcionario.**

6. **P4**   El psicoanálisis de Freud por un lado y la técnica de Meissonier, por otro, **se fundían** con originalidad para el mundo del arte.

7. **P4**   **Hizo de sí** un modelo de hombre-artista-anuncio.

8. **P6**   **Se hizo recibir** por Reyes y el Pontífice de Roma, en una liturgia más que daliniana, para rabieta de otros monarcas y pontífices airados.

9. **P6**   Un ejemplar diseñado **por sí mismo** para el siglo XX.

D. Pronombres abstractos y derivados

Indique el significado de las expresiones indefinidas en los siguientes casos. Cuando sea posible, identifique el referente de la expresión.

1. **P1**   Encarnó el surrealismo como nadie, pese a su expulsión por el papa Breton. Antes **lo** había sido Aragón y más tarde **lo** fueron Eluard, Chirico y Max Ernst.

2. **P1**   Al igual que Magritte, renunció a la pintura en **lo que** tiene de forma de pintar para concentrarse en **lo que** debía pintar.

3. **P3**   El mundo surrealista le llegó a Dalí del Ampurdán, una tierra donde **lo excesivo y extravagante** habían formado parte de su infancia.

4. **P3**   El artista de Cadaqués hizo de su vida una obra de arte, aunque a muchos les irritara su ambigüedad en **lo político** y en **lo religioso.**

5. **P3**   Bataille le denunció de «prendido por la extrañeza, risible y a la vez ardiente, de sus propios artificios». Quizá algo de **esto** pudiera haber en su obra tardía.

6. **P3**   Pero nadie podrá quitar a Dalí la gloria de haber dado las primeras imágenes pictóricas del surrealismo en la etapa más temprana. «La miel es más dulce que la sangre» (1927) es prueba de **ello.**

7. **P4**   Dalí liberó el mundo de los sueños y de la pulsión sexual hasta **lo indecible y escandaloso.**

8. **P4**   Dalí jugó con su ambigüedad como **lo que** recomendaba a sus amigas travestidas.

E. Pronombres relativos

En una hoja aparte, escriba, con base en los elementos dados, una frase compleja con cláusula relativa. Será necesario reemplazar el elemento en negrita con un pronombre relativo. Hay que decidir si puede ser tanto una cláusula restrictiva como no restrictiva. Discuta cómo la elección del pronombre relativo afecta el enfoque de la cláusula. (Es decir, ¿dónde recae el énfasis?)

1.   Salvador Dalí, [**Salvador Dalí** era pintor surrealista] fue una figura emblemática del siglo XX.

2. Dalí nació con el nombre de un hermano [**el hermano** había muerto].

3. El artista francés Breton [el grupo surrealista parecía institucionalizarse en torno a **Breton**] rechazó a Dalí.

4. El error [Calatuña cometió **el error**] fue no entender bien a Dalí.

5. Barcelona tiene muchos monumentos artísticos [ninguno de **los monumentos** fue concebido por Dalí].

F. **Expresiones conjuntivas y de transición**

Busque las expresiones omitidas. ¿Qué significan dentro del contexto dado?

1. **P1** ¿Qué ha aportado Dalí a ese capítulo de la Historia del Arte? _____ , un fabuloso mundo de imágenes.

2. **P1** Encarnó el surrealismo como nadie, _____ su expulsión por el papa Breton. Antes lo había sido Aragón y más tarde lo fueron Eluard, Chirico y Max Ernst.

3. **P1** _____ Magritte, renunció a la pintura en lo que tiene de forma de pintar para concentrarse en lo que debía pintar.

4. **P2** Fue un rebelde continuo y no se sujetó a ninguna ascendencia de opinión, _____ de Buñuel _____ de Lorca . . . / . . .

5. **P2** **Quizá** sólo de Gala, esa mujer musa-arpía que estuvo siempre a su lado desde que lo conoció, _____ sus relaciones amorosas trasncurrieran por otros derroteros.

6. **P3** La codificación del surrealismo en París _____ vino _____ a confirmar la conducta excitada e imaginativa del joven Dalí.

7. **P3** Su reconocimiento inmediato en Paríses _____ su genialidad como motor de arranque, y su genialidad de desenganche personal cuando todo el grupo surrealista parecía institucionalizarse en torno al sumo pontífice Breton.

8. **P4** El psicoanálisis de Freud _____ y la técnica de Meissonier, _____ , se fundían con originalidad para el mundo del arte.

9. **P4** Algunos ven en esta pintura _____ literatura _____ otra cosa, pero las fronteras en arte son algo mágico y prentencioso.

10. **P6** Su ambigüedad _____ la monarquía, el catolicismo y la ciencia le merecieron excomuniones pacatas de varios pontífices del arte, la política y la religión.

Actividades de escritura

A. **Dalí como artista y ciudadano**

Escriba un breve ensayo que resuma la crítica que se le ha hecho a Dalí como artista y como figura pública.

B. Evaluación de un crítico

Escriba un breve ensayo que resuma el punto de vista del autor del ensayo acerca del arte y de la personalidad de Dalí.

C. En defensa de la visión artística

Ud. es un artista (o escultor) que ha producido una obra de arte pública muy abstracta para el parque central de una ciudad. El periódico principal de la ciudad critica la obra por no tener ni forma ni sentido. Escriba una carta al redactor del periódico defendiendo el derecho del artista de expresarse a través del arte, aunque sea arte público.

Lectura 3

Todas Somos Ramonas
Por Ellen Calmus
http://www.ezlnorg.org/ezln_zonezero.html 7/20/2000

Introduccion a La Lectura

En 1994 los indígenas del estado de mexicano de Chiapas se rebelaron apoderándose de un recinto militar, una prisión, y cuatro pueblos. El Ejército Zapatista de Liberación Nacional (EZLN) protestaba 500 años de pobreza y explotación violenta por el gobierno y por los grandes terratenientes que les quitaban tierra y recursos. Después de doce días de conflicto armado se declaró un cese del fuego seguido de negociaciones que continúan hasta la fecha.

Los zapatistas tomaron el nombre de Emiliano Zapata, el héroe de la Revolución Mexicana que representaba al pueblo indígena luchando por "tierra y libertad". Una de las figuras más prominentes del levantamiento actual ha sido el Comandante Marcos, que ha publicado en Internet una serie de comunicados relacionados al conflicto. La lectura que hacemos a continuación trata de otra figura zapatista, la comandante Ramona. La autora del ensayo es una escritora y periodista mexicano-americana que procura entender el fenómeno de Ramona y de la mujer activista dentro del movimiento zapatista.

Antes de leer

A. Las imágenes, los símbolos y la política:

1. Pensando en la última campaña presidencial, ¿importaba mucho la imagen proyectada por cada candidato? ¿Cuáles eran las imágenes que cada uno buscaba comunicar/evitar? ¿Qué hacían los candidatos para lograr sus fines?

2. ¿Cuáles son algunas de las estrategias empleadas por los dirigentes de campaña para hacer destacar a su candidato.

3. ¿Cuáles son los símbolos que importan más al público norteamericano? ¿Cómo los emplean los candidatos a la presidencia de los Estados Unidos?

B. *Análisis de los títulos*

El título y los subtítulos de la lectura se dan a continuación:

El título: **Todas somos Ramonas**

Los subtítulos: **Fronteras fractales**

Mujeres de mucha enagua

La comandante Ramona a caballo

Las fronteras borrosas favorecen a los sin poder

Preguntas/Discusión:

a. ¿Cuál parece ser el tema principal de la lectura? (¿fronteras?, ¿mujeres, ¿Ramona?)

b. ¿Cuál es la imagen creada por el subtítulo "Mujeres de mucha enagua"?

c. ¿Quién es Ramona? ¿Qué imagen evoca el título "La comandante Ramona a caballo"?

d. Según el primer y el último subtítulo, ¿cuáles características de las fronteras se exponen en la lectura?

e. ¿Se presenta una posible tesis en los subtítulos? ¿Cuál es? ¿Qué significa?

C. *Versión abreviada*

A continuación se presenta la lectura por segmentos en una versión abreviada, la cual consiste en el título, los subtítulos y la primera oración de cada párrafo. Esto representa una buena técnica para leer cualquier ensayo o texto basado en la exposición de ideas, dado que la primera oración normalmente presenta el tópico del párrafo y/o sirve de vínculo al contenido del párrafo anterior. Además, visto así en breve, pone en relieve la estructura general del texto.

I. **Fronteras fractales**

P1 Hay de fronteras a fronteras; hay fronteras entre países, fronteras internacionales establecidas por la historia, la geografía, el lenguaje y la ley.

P2 Las guerras, las rebeliones y los levantamientos crean fronteras complejas y cambiantes.

P3 Al escribir este ensayo, el área zapatista en Chiapas ha sido algo parecido durante más de cinco años, aunque de forma más caótica en unos aspectos y menos endurecida por la guerra en otros.

P4 Pero existen fronteras interiores también, y también son cambiantes: las fronteras dentro del corazón y la mente.

Preguntas/Discusión:

a. El tema del ensayo se presenta en el primer segmento del ensayo. ¿Cuál es?

    b.   El tema también se limita y se refina. Discuta.

    c.   Para la autora, ¿qué significa "frontera"?

2.   Mujeres de mucha enagua

P5   Les pregunté a un grupo de mujeres indígenas chiapanecas qué fue lo que les hizo volverse "activistas"–les decía "activistas" porque con este término hablando en público en México uno evita señalar a la gente como "zapatista", pero nos entendimos.

P6   Estábamos sentadas en círculo en un departamento con piso de madera en el Centro Histórico de la Ciudad de México, a un par de cuadras del lugar donde miles de indígenas chiapanecos ocupaban el viejo Zócalo, frente al Palacio Nacional.

P7   Vestían con elegancia la vestimenta indígena tradicional, enaguas azul marino, las largas piezas de algodón tejido a mano dobladas alrededor de las caderas, ceñidas con refajos rojos, huipiles con bordados rojos sobre fondo blanco, y lucían elaboradas trenzas.

P8   Artistas y revolucionarias, usando el español como el instrumento tosco que es para ellas este segundo idioma aprendido tardíamente, hablan a veces con frases salpicadas de errores; a veces su arcaico estilo de hablar, mezclando un vocabulario preservado durante siglos en aquellas aisladas sierras, omitiendo los artículos, resulta pura poesía.

Preguntas/Discusión

    a.   ¿Cuál es la pregunta que la autora quiere contestar?

    b.   ¿Por qué se hace referencia a "activistas" y no a "zapatistas"?

    c.   ¿Dónde está la autora? ¿Qué hace ella?

    d.   ¿Cuál es la situación? ¿Qué ocurre en la Ciudad de México?

    e.   ¿Cuál es la imagen de la mujer indígena que la autora busca crear?

3.   La comandante Ramona a caballo

P9   Yo tenía mucha curiosidad sobre estas mujeres zapatistas, que vienen desde sus pueblos ancestrales en los altos de Chiapas, que pertenecen a sociedades indígenas muy tradicionalistas donde la mujer se queda en casa y hace labores específicamente femeninas, cuida de los niños, cocina, cose, y que permanece incluso más aislada que los hombres indígenas debido a que ella generalmente está limitada a su idioma, ya que rara vez habla el suficiente español para tener acceso al mundo exterior.

P10   Si ser golpeada por el esposo fuera el único requisito para que una mujer decidiera unirse a la revolución, imagínense la insurrección mundial que se les armaría a los hombres.

P11   Comencé a tener una idea de lo que significaba la comandante Ramona para las mujeres chiapanecas mientras caminaba por un mercado en la calle junto a una placita de San Cristóbal.

P12   Pero, ¿quién es la comandante Ramona y qué fue lo que de ella inspiró de esta forma a una niña chamula?

P13   Para los chiapanecos Ramona es mucho más que una comandante zapatista; se ha vuelto una leyenda investida con poderes casi míticos.

P14   Fue una mujer europea, profesora universitaria en la Ciudad de México, quien me describió a la comandante Ramona en términos que me permitieron, con mi entendimiento occidental, tener una idea de cómo es Ramona como persona.

P15   ¿Entonces, ha sido la comandante Ramona como símbolo que inspiró a las mujeres indígenas a unirse a los zapatistas?

P16   Creo que existen, además de estas importantes mejoras en las condiciones de vida de las mujeres zapatistas, otros factores que son de igual o más importancia en su decisión de volverse zapatistas.

P17   Marcos escribió en una de sus cartas (las cartas de Marcos, publicadas regularmente en algunos diarios mexicanos, traducidas en el Internet y recopiladas en volúmenes, son consideradas por algunos como una de las principales armas de los zapatistas) que la primera revolución zapatista no ocurrió el primero de enero de 1994 sino en marzo de 1993, cuando las mujeres zapatistas "impusieron" su "Ley revolucionaria sobre las mujeres".

P18   Al permitirles a las mujeres hacer su propia agenda, los zapatistas crearon un mayor incentivo para la participación de la mujer.

Preguntas/Discusión

En el tercer segmento la autora sigue elaborando y buscando respuestas a la pregunta que ha planteado en el segmento anterior y la relaciona con la figura de la comandante Ramona. Piense en lo siguiente:

    a. ¿Por qué le parece extraño a la autora que estas mujeres sean activistas?

    b. Las oraciones temáticas de este segmento sugieren hasta cuatro hipótesis (P10, P12–P15, P16, P17–P18) que la autora considera en respuesta de su pregunta. ¿Cuáles son?

    c. El movimiento zapatista, ¿se vale de la tecnología? ¿Cómo?

    d. ¿Qué papel parecen tener las mujeres en el movimiento zapatista?

4. **Las fronteras borrosas favorecen a los sin poder**

P19   El otro lado de la pregunta de por qué las mujeres indígenas se hacen zapatistas es la pregunta de por qué los organizadores zapatistas hicieron grandes esfuerzos para reclutar mujeres.

P20   De hecho las mujeres resultan ser especialmente aptas para este nuevo tipo de no-guerra, en donde las relaciones públicas son todo, y en donde tener una audiencia internacional sensible a los derechos humanos significa que si cualquiera de los contendientes recurre a los ataques militares y a la violencia de cualquier tipo, esto sería un desprestigio, significaría perder puntos frente a la audiencia internacional.

P21   Los zapatistas han demostrado sus habilidades para hacer uso extensivo de algo que puede ser una ventaja definitiva en la guerra de guerrillas: las identidades amorfas y las fronteras "borrosas".

P22   Las fronteras claramente definidas favorecen el status quo y, por lo tanto, encuentran defensores entre los ricos: son los dueños de las haciendas quienes colocan vidrios de botellas en los muros de las huertas, no los campesinos hambrientos que permanecen afuera.

P23   Las mujeres zapatistas con las que hablé también demostraban tener una falta de fronteras en sus vidas particulares, lo cual parece ser una característica común de muchas culturas indígenas; para ellas lo personal es político, aunque jamás se les ocurriría decirlo así.

P24   Las mujeres activistas tienen la ventaja de que las identidades particularmente amorfas les han sido asignadas por una cultura machista con un concepto muy limitado de las habilidades de las mujeres; al no ser tomadas en serio por las autoridades, las mujeres pueden ser más radicales y plantear sus opiniones de manera más abierta con un riesgo menor de ser penalizadas.

P25   La comandante Ramona es otro ejemplo de las ventajas de tener una identidad amorfa.

P26   Pero, ¿qué simboliza Ramona?

Preguntas/Discusión

El último segmento debe integrar los elementos conceptuales presentados en el ensayo. Piense en estas preguntas:

    a. El procedimiento interrogante de la autora lleva a una nueva pregunta, ¿cuál es?

    b. Según la lectura, ¿qué ventajas llevan las mujeres como activistas?

    c. Refiriéndose a los términos "fronteras", "borrosa" y "amorfa" ¿cuál ha sido la estrategia política de los zapatistas?

    d. ¿Cómo relaciona la autora los conceptos de "frontera", "mujer" y "la comandante Ramona" en el último segmento? En una sola oración, ¿cuál es la tesis de la autora?

A leer

Todas Somos Ramonas—Primera parte Por Ellen Calmus
Fronteras fractales

1. un lugar de control
2. desaparecen

P1   Hay de fronteras a fronteras; hay fronteras entre países, fronteras internacionales establecidas por la historia, la geografía, el lenguaje y la ley. Las fronteras dentro de las fronteras que surgen por la discordia y por la guerra–fronteras internas, se podría decir, aunque a veces los retenes[1] militares llegan a convertirse en fronteras internacionales–y a veces las viejas fronteras se desvanecen[2] o cambian. Alemania Oriental y Alemania Occidental, Vietnam del Norte y Vietnam del Sur, Irlanda del Norte e Irlanda del Sur, la Unión de Repúblicas Soviéticas Socialistas. Ya que Texas fue anteriormente parte de

México, los amigos mexicanos que me perdonan el que sea gringa dicen que el hecho de que haya nacido en Texas significa que en realidad soy mexicana. (Por otro lado, cuando visito el país del que soy ciudadana, me felicitan por mi inglés y me preguntan dónde lo aprendí; supongo que para ellos me he vuelto una extranjera elocuente.) Las personas cruzan las fronteras y las fronteras cruzan a las personas.

P2   Las guerras, las rebeliones y los levantamientos crean fronteras complejas y cambiantes. El caso más barroco[3] que he visto fue durante las pláticas de paz en El Salvador de 1988, cuando las oficinas del nuncio[4] en El Salvador se utilizaron como territorio neutral para las pláticas[5] entre el gobierno salvadoreño y los líderes del Frente Farabundo Martí de Liberación Nacional. El FMLN tenía docenas de guardias armados con palos, los rostros cubiertos con paliacates[6], acordonando un área que se extendía en sinuosidades[7] y penínsulas que se acomodaban al terreno agreste[8] y a las distintas calles y edificios. El ejército salvadoreño tenía guardias armados con ametralladoras, los que formaban un cordón más grande que rodeaba a los guardias del FMLN; el doble cordón serpenteaba dando vuelta a un hotel, yendo de un lado a otro, cruzando varias intersecciones. Los periodistas que queríamos aproximarnos al nuncio fuimos sometidos a revisiones[9] en siete retenes militares de uno y otro ejército a lo largo de dos cuadras, y enseñábamos nuestras diferentes credenciales mientras le tomábamos la medida[10] al siguiente grupo de guardias–¿paliacates y mezclilla[11] o verde olivo?–para así poder presentar las credenciales apropiadas para evitar el rechazo.

P3   Al escribir este ensayo, el área zapatista en Chiapas ha sido algo parecido durante más de cinco años, aunque de forma más caótica en unos aspectos y menos endurecida[12] por la guerra en otros. (Después de todo, la confrontación armada ha sido extremadamente escasa[13]; cabe preguntarse si de veras hay una guerra en proceso o si más bien se trata de un ritual prolongado de gestos belicosos[14] y exhortaciones.) Para llegar a territorio zapatista se tienen que pasar varios retenes del ejército, uno saliendo de Tuxtla Gutiérrez, otro entrando a San Cristóbal, otro saliendo de San Cristóbal, otro entrando a Ocosingo y varios más por el camino más adelante. Pasando Ocosingo pueden encontrarse también retenes zapatistas, dependiendo del estado en que se halle la guerra (si es que hay guerra). Y las demarcaciones fractales[15] del territorio son igualmente complejas en el plano[16] local; en los pueblos zapatistas no todos son zapatistas y cada quién sabe quién está de qué lado: "Las familias que viven al sur del pueblo son zapatistas, pero las de las casas junto a la escuela, no".

P4   Pero existen fronteras interiores también, y también son cambiantes: las fronteras dentro del corazón y la mente. El levantamiento[17] zapatista tiene un poco más de cinco años de haber comenzado; los zapatistas han estado organizando y recabando[18] apoyo en Chiapas desde hace apenas quince años. Esos combatientes no nacieron zapatistas. En algún momento decidieron cruzar

19. joven, poco
experimentado
20. tranquilidad, calma,
serenidad
21. faldas (ropa
interior)
22. blusas indígenas
decoradas
23. revela
24. pueblos indígenas
25. habitantes
26. no refinado
27. esencial
28. poder

esa línea para unirse a un movimiento guerrillero novato[19] y mal equipado. ¿Por qué?

Mujeres de mucha enagua

P5 Les pregunté a un grupo de mujeres indígenas chiapanecas qué fue lo que les hizo volverse "activistas"–les decía "activistas" porque con este término hablando en público en México uno evita señalar a la gente como "zapatista", pero nos entendimos. Me contestaron: "Por los golpes". Al principio pensé que se referían a los golpes de perder sus tierras, sus cosechas, de tener a sus niños desnutridos: los golpes del destino y de la economía. Pero no, hablaban muy literalmente. Me dijeron que era por los golpes que recibían cuando sus maridos las golpeaban.

P6 Estábamos sentadas en círculo en un departamento con piso de madera en el Centro Histórico de la Ciudad de México, a un par de cuadras del lugar donde miles de indígenas chiapanecos ocupaban el viejo Zócalo, frente al Palacio Nacional. Estas mujeres formaban parte de ese contingente y habían caminado desde Chiapas–una marcha que duró veinte días–hasta llegar a la capital para protestar por la manera en que el gobierno mexicano trata a los indígenas. Estaban cansadas, asombradas por el viaje que habían hecho desde sus remotos pueblos en los altos hasta la ciudad más grande del mundo; sin embargo, llevaban su asombro con ecuanimidad[20].

P7 Vestían con elegancia la vestimenta indígena tradicional, enaguas[21] azul marino, las largas piezas de algodón tejido a mano dobladas alrededor de las caderas, ceñidas con refajos rojos, huipiles[22] con bordados rojos sobre fondo blanco, y lucían elaboradas trenzas. La ropa no sólo es hermosa sino que despliega[23] significado. Las identifica como grupo étnico (estas mujeres eran tzotziles y tzeltales[24]) y además indica de qué pueblo son originarias[25]; el arte con que confeccionan las prendas es un signo de sus habilidades con la aguja de coser. De hecho todas ellas eran artistas, escultoras de barro (en la terminología sutilmente racista de México se les llama artesanas para distinguirlas de los "verdaderos" artistas, es decir, de aquellos que trabajan en la tradición europea de las artes).

P8 Artistas y revolucionarias, usando el español como el instrumento tosco[26] que es para ellas este segundo idioma aprendido tardíamente, hablan a veces con frases salpicadas de errores; a veces su arcaico estilo de hablar, mezclando un vocabulario preservado durante siglos en aquellas aisladas sierras, omitiendo los artículos, resulta pura poesía. Me dijeron que cuando una mujer es muy activista, dicen de ella que es una mujer de mucha enagua. (Una imagen reveladora y clave[27] para entender a las mujeres zapatistas: a diferencia de la tradición de la mujer europea que asuma la proeza[28] política y militar pero se supone que el hacerlo implica una pérdida de la feminidad, estas mujeres consideran que el activismo de una mujer significa que ella "tiene mucha enagua": es una mujer auténtica.)

Después de leer **PREGUNTAS DE COMPRENSION:**

1. ¿Qué ejemplos internacionales da la autora de que las fronteras cambian?
2. En qué sentido ejemplifica la vida de la autora la afirmación de que "las personas cruzan las fronteras y las fronteras cruzan la personas"?
3. ¿Por qué dice la autora que las negociaciones en El Salvador representaban el caso más barroco de fronteras?
4. Según la autora, ¿hay una guerra en Chiapas?
5. ¿Cómo se ven las fronteras al nivel local en el pueblo de San Cristóbal?
6. ¿Qué quiere decir la autora por fronteras "interiores"?
7. Según las mujeres, ¿por qué se volvieron activistas?
8. ¿Cómo se sabe que son mujeres altamente dedicadas a su causa?
9. ¿Qué significado tiene la ropa que las mujeres llevan?
10. ¿Por qué contrasta la autora los términos "artesana" y "artista". ¿Son palabras políticamente cargadas según la autora? ¿Qué quiere decir la autora?
11. ¿Cómo se puede describir el lenguaje de estas indígenas?
12. ¿Qué significa "mujer de mucha enagua"?
13. Según el ensayo, ¿en qué sentido difiere la mujer activista indígena de la mujer europea que se asciende en el mundo político o militar?

ENFOQUE EN EL LENGUAJE

A. Formas pronominales

Repase los pronombres en el Apéndice gramatical (pp. 175-242) para determinar la clasificación de cada forma pronominal en letra de molde (funcional, derivado, general), y su referente. En el caso de pronombres funcionales hay que especificar la función (sujeto, complemento directo, complemento indirecto, complemento de preposición, reflexivo, etc.).

P1 Por otro lado, cuando visito el país **del que** soy ciudadana, **me** felicitan por mi inglés y **me** preguntan dónde **lo** aprendí; supongo que para ellos **me** he vuelto una extranjera elocuente.

P2 El ejército salvadoreño tenía guardias armados con ametralladoras, **los que** formaban un cordón más grande que rodeaba a los guardias del FMLN . . .

P2 . . . mientras **le** tomábamos la medida al siguiente grupo de guardias . . .

P3 . . . no todos son zapatistas y **cada quién** sabe **quién** está de qué lado: "Las familias que viven al sur del pueblo son zapatistas, pero **las de** las casas junto a la escuela, no".

P5 **Les** pregunté a un grupo de mujeres indígenas chiapanecas qué fue **lo que les** hizo volverse "activistas"–**les** decía "activistas" porque con este término hablando en público en México **uno** evita señalar a la gente como "zapatista", pero **nos** entendimos.

P5   **Me** dijeron que era por los golpes que recibían cuando sus maridos **las** golpeaban.

P7   De hecho **todas ellas** eran artistas, escultoras de barro (en la terminología sutilmente racista de México **se les** llama artesanas para distinguir**las** de los "verdaderos" artistas, es decir, de **aquellos** que trabajan en la tradición europea de las artes).

P8   . . . dicen de ella que es una mujer de mucha enagua.

P8   . . . a diferencia de la tradición de la mujer europea que asuma la proeza política y militar pero se supone que el hacer**lo** implica una pérdida de la feminidad, estas mujeres consideran que el activismo de una mujer significa que **ella** "tiene mucha enagua": es una mujer auténtica.)

B. Reflexivos

Refiérase a la sección relacionada a los pronombres reflexivos en el *Apéndice gramatical* [pp. 175-242] para hacer esta práctica. Hay que indicar de qué tipo de reflexivo se trata en cada caso (reflexivo verdadero?, reflexivo falso = le(s), sujeto indefinido?, etc.).

P1   . . .–fronteras internas, **se** podría decir, aunque a veces los retenes militares llegan a convertir**se** en fronteras internacionales–y a veces las viejas fronteras **se** desvanecen o cambian.

P2   El FMLN tenía docenas de guardias armados con palos, los rostros cubiertos con paliacates, acordonando un área que **se** extendía en sinuosidades y penínsulas que **se** acomodaban al terreno agreste y a las distintas calles y edificios.

P3   . . . preguntar**se** si de veras hay una guerra en proceso o si más bien **se** trata de un ritual prolongado de gestos belicosos y exhortaciones.)

P3   Para llegar a territorio zapatista **se** tienen que pasar varios retenes del ejército . . .

P3   Pasando Ocosingo pueden encontrar**se** también retenes zapatistas, dependiendo del estado en que **se** halle la guerra (si es que hay guerra).

P7   . . . en la terminología sutilmente racista de México **se** les llama artesanas para distinguirlas de los "verdaderos" artistas . . .

C. Conjunciones/Transiciones

Busque en el texto las expresiones conjuntivas y transicionales que se han omitido en las oraciones siguientes. ¿Qué significa cada uno dentro del contexto?

P1   . . . –fronteras internas, se podría decir, ——————— a veces los retenes militares llegan a convertirse en fronteras internacionales . . .

P1   ——————— Texas fue anteriormente parte de México, los amigos mexicanos que me perdonan el que sea gringa dicen que . . .

P1   ———————, cuando visito el país del que soy ciudadana, me felicitan por mi inglés . . .

P3   ———————, la confrontación armada ha sido extremadamente escasa . . .

P3   . . . la confrontación armada ha sido extremadamente escasa; ———————— si de veras hay una guerra en proceso o si más bien se trata de un ritual prolongado de gestos belicosos y exhortaciones.)

P5   ———————— pensé que se referían a los golpes de perder sus tierras, sus cosechas, de tener a sus niños desnutridos: los golpes del destino y de la economía.

P6   Estaban cansadas, asombradas por el viaje que habían hecho . . .; ————————, llevaban su asombro con ecuanimidad.

P7   La ropa ———————— es hermosa ———————— despliega significado.

P7   Las identifica como grupo étnico (estas mujeres eran tzotziles y tzeltales) y ———————— indica de qué pueblo son originarias;

P7   ———————— todas ellas eran artistas, escultoras de barro (en la terminología sutilmente racista de México se les llama artesanas para distinguirlas de los "verdaderos" artistas, ————————, de aquellos que trabajan en la tradición europea de las artes).

P8   Una imagen reveladora y clave para entender a las mujeres zapatistas: ———————— la tradición de la mujer europea que asuma la proeza política y militar

P8   . . . pero ———————— que el hacerlo implica una pérdida de la feminidad, estas mujeres consideran que . . . ella "tiene mucha enagua": es una mujer auténtica.)

D. Otros modismos y expresiones útiles

Busque los modismos y expresiones omitidas en las oraciones siguientes. ¿Qué significan?

P1   . . . aunque a veces los retenes militares ———————— convertirse en fronteras internacionales–y a veces las viejas fronteras se desvanecen o cambian.

P1   Ya que Texas fue ———————— parte de México, los amigos mexicanos que me ———————— el que sea gringa dicen que ———————— haya nacido en Texas significa que ———————— soy mexicana.

P1   Por otro lado, cuando visito el país del que soy ciudadana, me ———————— por mi inglés y me preguntan dónde lo aprendí; ———————— que para ellos ———————— una extranjera elocuente.

P2   El ejército salvadoreño tenía guardias armados con ametralladoras, los que formaban un cordón más grande que ———————— los guardias del FMLN; el doble cordón serpenteaba ———————— un hotel, yendo ————————, cruzando varias intersecciones.

P2   Los periodistas que queríamos ———————— al nuncio fuimos sometidos a revisiones en siete retenes militares de uno y otro ejército ———————— dos cuadras,

P2   . . . y enseñábamos nuestras diferentes credenciales mientras le ———————— al siguiente grupo de guardias–¿paliacates y mezclilla o verde olivo? –para _____ poder presentar las credenciales apropiadas para evitar el rechazo.

P3 _____ este ensayo, el área zapatista en Chiapas ha sido _____ durante más de cinco años, aunque _____ más caótica en unos aspectos y menos endurecida por la guerra en otros.

P3 Después de todo, la confrontación armada ha sido extremadamente escasa; cabe preguntarse si _____ hay una guerra en proceso o si _____ se trata de un ritual prolongado de gestos belicosos y exhortaciones.

P4 Pasando Ocosingo pueden encontrarse también retenes zapatistas, _____ estado en que se halle la guerra (si es que hay guerra).

P4 Y las demarcaciones fractales del territorio son _____ complejas en el plano local . . .

P4 . . . los zapatistas han estado organizando y recabando apoyo en Chiapas _____ .

P5 Les pregunté a un grupo de mujeres indígenas chiapanecas qué fue lo que les hizo _____ "activistas" . . .

P5 Al principio pensé que _____ los golpes de perder sus tierras, sus cosechas, de tener a sus niños desnutridos: los golpes del destino y de la economía.

P6 Estábamos sentadas en circulo en un departamento . . . a _____ cuadras del lugar donde miles de indígenas chiapanecos ocupaban el viejo Zócalo, _____ Palacio Nacional.

P6 Estaban cansadas, asombradas por el viaje que habían hecho _____ sus remotos pueblos en los altos _____ la ciudad más grande del mundo . . .

P7 . . . las largas piezas de algodón tejido _____ dobladas alrededor de las caderas, ceñidas con refajos rojos, huipiles con bordados rojos sobre fondo blanco, y _____ elaboradas trenzas.

P7 . . . en la terminología sutilmente racista de México se les llama artesanas para distinguirlas de los " _____ " artistas, es decir, de aquellos que trabajan en la tradición europea de las artes).

P8 Artistas y revolucionarias, usando el español como el instrumento tosco que es para ellas este segundo idioma aprendido _____ . . .

P8 . . . a veces su arcaico estilo de hablar . . ., _____ pura poesía.

A leer

Todas Somos Ramonas—Segunda parte
La comandante Ramona a caballo

P9 Yo tenía mucha curiosidad sobre estas mujeres zapatistas, que vienen desde sus pueblos ancestrales en los altos de Chiapas, que pertenecen a sociedades indígenas muy tradicionalistas donde la mujer se queda en casa y hace labores específicamente femeninas, cuida de los niños, cocina, cose, y que permanece incluso más aislada que los hombres indígenas debido a que ella generalmente está limitada a su idioma, ya que rara vez habla el suficiente español para tener acceso al mundo exterior. De manera repentina, cuando el Ejército Zapatista de Liberación Nacional entró en escena con su marcha de año nuevo de 1994 en San Cristóbal, se comenzó a oír que entre los guerrilleros había mujeres indígenas. La primera vez que los líderes zapatistas aparecieron ante la prensa internacional había una mujer entre ellos: la comandante Ramona, con un rifle colgado al hombro, usando pasamontañas[1] con su tradicional vestimenta Chiapaneca. Yo había entrevistado mujeres guerrilleras de El Salvador, pero la mayoría tenía orígenes citadinos[2] y su educación universitaria incluía la economía marxista y las lecturas de Lenin y el Che Guevara. Más que los hombres, las mujeres zapatistas parecían salidas de la nada. ¿Cómo sucedió esto? ¿Cómo fue que cruzaron las barreras de lo desconocido para ir desde sus vidas familiares pueblerinas[3] hacia lo desconocido y violento de la rebelión guerrillera?

P10 Si ser golpeada por el esposo fuera el único requisito para que una mujer decidiera unirse a la revolución, imagínense la insurrección mundial que se les armaría a los hombres. Sin embargo, para bien o para mal, el maltrato a las mujeres es muchísimo más común que las mujeres revolucionarias: parecería que para que una mujer cruce esa línea se requiere la combinación de varios factores. Y por cierto no todas las mujeres zapatistas son víctimas de maridos golpeadores, ya que muchas de ellas son solteras (aunque una de las mujeres que me contó de "los golpes" me dijo que era soltera pero que la verdad es que no hay mucha diferencia si los golpes proceden del marido o de los padres: el caso es que ella debe liberarse de su tradicional papel de subordinación). De la comandante Ramona, por ejemplo, se dice que decidió hace muchos años, al comienzo del movimiento zapatista, que no se casaría ni tendría hijos, eligiendo a cambio luchar.

P11 Comencé a tener una idea de lo que significaba la comandante Ramona para las mujeres chiapanecas mientras caminaba por un mercado en la calle junto a una placita[4] de San Cristóbal. Pasé junto a mantas amontonadas con ropa de lana bordada a mano, pulseras de macramé, bolsas de piel, resorteras[5] de madera labrada, cajas rosadas y amarillas con bisagras[6] de piel, cuando escuché una voz que pregonaba: "¡Pulseras! ¡Marcos!" Una adolescente chamula[7] exhibía sobre una manta varias pulseras con los diseños más intrincados y hermosos que yo hubiera visto, y muñecos de Marcos de todos tamaños (son los muñecos de tela vestidos a la usanza de[8] los indígenas chiapanecos que se han vendido a los turistas durante décadas, agregándoles nada más un pasamontañas para que se parezcan al subcomandante Marcos). Me arrodillé para verlas mejor y ella comenzó a mostrarme sus mercancías: las pulseras de colores suaves, los muñecos de Marcos y las muñecas de Ramona. Cuando vio que me interesaban las Ramonas se entusiasmó, recordándome la forma en que solíamos hablar de nuestras Barbies con sus diferentes atuendos[9]: "¡Aquí está Ramona a caballo!

¡Aquí está Ramona con su rifle! ¡Aquí está Ramona con el pelo largo! ¿Ve usted cómo le arreglé el pelo? Y aquí tengo una Ramona con un lazo por atrás, para que se pueda colgar. ¡Y aquí está Ramona con su huipil de San Andrés!" tomé las muñecas y la felicité por su excelente trabajo. Con los ojos centelleantes[10] me dijo que había visto a Ramona: "Ella estuvo aquí". La niña estaba transfigurada de admiración. La presencia de la comandante Ramona en San Cristóbal la había impresionado más que la figura de fantasía internacional del subcomandante Marcos. Ver a Ramona cambió su percepción de ella misma, dotando a su trabajo como fabricante de muñecas de un emocionante significado subversivo.

P12   Pero, ¿quién es la comandante Ramona y qué fue lo que de ella inspiró de esta forma a una niña chamula? Pocos hechos se conocen: Ramona es una indígena tzotzil originaria del pueblo de San Andrés (como cualquier chiapaneco puede averiguar, mirando su huipil). Antes de que se uniera a los zapatistas trabajaba como bordadora. Es comandante del Ejército Zapatista de Liberación Nacional y miembro del Comité Indígena Revolucionario Clandestino; tiene, por tanto, un rango[11] superior al del subcomandante Marcos y los zapatistas le tienen gran respeto. Durante las pláticas de paz de principios de 1994 siempre apareció ante la prensa al lado del mediador, Samuel Ruiz, obispo de San Cristóbal. Tiempo después se decía que Ramona estaba enferma, quizás de cáncer; hubo rumores a fines de 1994 de que se había muerto. En febrero de 1995 los zapatistas distribuyeron un video de Ramona, mostrando una figura borrosa[12] con pasamontañas detrás de una mesa, diciendo: "Estoy enferma y quizás muera pronto", añadiendo que muchos indígenas chiapanecos sufren de desnutrición y enfermedades. Exhortaba a las mujeres mexicanas a organizarse: "no se puede construir un México libre y justo con los brazos cruzados". En la grabación se escucha que su voz se quiebra al hablar, imprimiendo un matiz[13] de intimidad, como si hablara con gran emoción refrenada; a pesar de la distorsión causada por la mala calidad del video, su voz hablando un español con fuerte acento tzotzil era extraordinariamente conmovedora[14].

P13   Para los chiapanecos Ramona es mucho más que una comandante zapatista; se ha vuelto una leyenda investida con poderes casi míticos. Los campesinos indígenas, quejándose de los abusos de los gobernantes locales, dirían: "Nomás[15] espérense a que venga la comandante Ramona y van a ver". Cuando les pregunté a las mujeres chiapanecas que habían venido a la Ciudad de México qué pensaban de Ramona, algunas de sus respuestas me tomaron por sorpresa. Hubo las respuestas esperadas: "Es valiente y se ha atrevido a defender nuestros derechos", pero cuando les pedí ser más específicas alguien me dijo: "La luz brilla de su voz, ella nos muestra el camino", y todas asintieron, como si de esta manera me dieran los datos concretos del asunto. En realidad, me dijeron que no la conocían personalmente (aunque una reconoció después que había negado conocerla en público por no admitirlo enfrente de las otras), pero eso no venía al caso: "Ramona es una estructura, como María. Ella es un símbolo de nuestra lucha. Cuando oímos hablar a Ramona, nos da un poco de sentimiento, hasta[16] lloramos."

P14   Fue una mujer europea, profesora universitaria en la Ciudad de México, quien me describió a la comandante Ramona en términos que me permitieron, con mi entendimiento occidental, tener una idea de cómo es Ramona como persona: "Ella es una mujer pequeña; me llega al hombro (la profesora no es más alta que yo, y yo mido apenas 159 centímetros, así que Ramona debe ser muy bajita), y es muy dulce, muy tierna. Pero es una mujer fuerte. A mí me cuesta[17] seguir su paso cuando caminamos por la selva. Y es comandante; si necesita dar una orden es capaz de decir '¡Háganlo!' a un escuadra de hombres. Y los hombres lo hacen". La profesora europea sentía tanto entusiasmo por Ramona como el de las mujeres chiapanecas, y tendía a terminar sus frases con un "y de hecho . . . ah, eso no te puedo decir", dando la más provocadora impresión respecto de la fascinante pero prohibida historia de la comandante. Inclusive la naturaleza exacta de la enfermedad de Ramona ha sido mantenida en secreto por los zapatistas debido, creo, a que si esto fuera conocido por el ejército mexicano, podría dificultar que las medicinas llegaran a ella sin ser rastreadas[18]. Esto puede explicar por qué la profesora se veía tan sombría[19] cuando le pregunté su opinión, un par de semanas después, respecto de una campaña organizada por un grupo de mujeres para garantizarle un salvoconducto[20] a Ramona para salir de la selva y recibir atención médica ("Sólo están creando más problemas", me dijo). ¿O quizás su aspecto gris se debía a que Ramona ya había muerto? Me dijo que no importaba si Ramona llegaba a morir: "Su importancia es como símbolo".

P15   ¿Entonces, ha sido la comandante Ramona comon un símbolo que inspiró a las mujeres indígenas a unirse a los zapatistas? Puede ser, en parte, aunque no creo que su imagen baste para inspirar a las mujeres a cruzar esa frontera, por carismática que sea, si no existieran además incentivos concretos para que tomaran esa decisión. Elena Poniatowska afirma que para las mujeres indígenas el zapatismo representa "la mejor opción de vida", y describe el contraste entre las vidas de las mujeres indígenas que no son zapatistas (ganando un sueldo menor por trabajo que no se respeta, obligadas a casarse con hombres que los padres escogen) y las vidas de las mujeres zapatistas (protegidas contra las violaciones, respetadas, cuya salud es preocupación de la comunidad, con acceso a anticonceptivos y con derecho a escoger marido).

P16   Creo que existen, además de estas importantes mejoras en las condiciones de vida de las mujeres zapatistas, otros factores que son de igual o más importancia en su decisión de volverse zapatistas. Estas consideraciones tienen que ver con lo que los mexicanos llaman "voz y voto". O, para decirlo en otras palabras: el poder. Quizá la más importante innovación de la que he tenido noticia dentro de las comunidades indígenas zapatistas (que se instituyó años antes del levantamiento armado de 1994) sea el derecho absoluto que tienen las mujeres para asistir y hablar en las asambleas comunitarias. Antes, la participación de la mujer era muy limitada; sólo podín entrar a la asamblea cuando los hombres habían terminado de discutir, dificultándoseles[21] hablar de los asuntos que les importanban. Pero ahora no sólo están dentro del orden del día, sino que ellas mismas lo elaboran. Y aquí fue cuando las cosas empezaron a cambiar para ellas. Sospecho que, el sentirse responsables de los cambios hace que las mujeres sean más zapatistas; el experimentar[22] el poder es más motivador que la gratitud.

P17   Marcos escribió en una de sus cartas (las cartas de Marcos, publicadas regularmente en algunos diarios mexicanos, traducidas en el Internet y recopiladas en volúmenes, son consideradas por algunos como una de las principales armas de los zapatistas) que la primera revolución zapatista no ocurrió el primero de enero de 1994 sino en marzo de 1993, cuando las mujeres zapatistas "impusieron" su "Ley revolucionaria sobre las mujeres". Los diez artículos de esta ley incluyen el derecho de las mujeres a participar en la revolución y ganar rangos militares, el derecho a trabajar y recibir un salario justo, el derecho a decidir cuántos niños desean tener, a participar en decisiones de la comunidad y ser elegidas para puestos de responsabilidad, tener derechos prioritarios a servicios de salud y nutrición, recibir educación, elegir a su esposo y estar a salvo de las violaciones y el abuso doméstico.

P18   Al permitirles a las mujeres hacer su propia agenda, los zapatistas crearon un mayor incentivo para la participación de la mujer. Las mujeres golpeadas por sus esposos y las niñas a quienes se impedía ir a la escuela y que comían sólo cuando sus hermanos habían terminado, percibieron la revolución zapatista como algo que enfrentaba específicamente sus problemas más apremiantes[23]. Este aspecto del zapatismo parece estar hecho a la medida de las mujeres indígenas. Al mismo tiempo, existe la preocupación de que los cambios culturales en el papel de la mujer no sean tan radicales como para perder lo que valoran de sus tradiciones indígenas. En una reunión estatal las mujeres chiapanecas discutieron en torno a las cosas que quieren preservar de sus tradiciones y las que desean cambiar. Un documento emanado de la reunión menciona el uso de la ropa indígena y la crianza de borregos[24] para la obtención de lana como tradiciones que querían conservar. Mis conversaciones con mujeres zapatistas me llevaron a incluir otro incentivo más para que se volvieran zapatistas: la emoción. La pobreza rural no sólo es miserable, es aburrida. Unirse a los zapatistas significó para muchas viajar a otras comunidades, conocer otra gente, aprender español, así como recibir entrenamiento militar sobre manejo de armas y tácticas guerrilleras. Y la comandante Ramona es un modelo muy apasionante para una niña indígena.

Después de leer   **PREGUNTAS DE COMPRENSION:**

1. ¿En qué fecha comenzó el levantamiento armado? ¿Tendría algún significado la fecha?

2. ¿Cómo se distinguían las mujeres zapatistas de otras mujeres guerrilleras entrevistadas por la autora?

3. ¿Qué pregunta plantea la autora acerca de las mujeres guerrilleras zapatistas?

4. ¿Por qué duda la autora que los golpes fueran la única explicación del activismo de las indígenas?

5. ¿Por qué nunca se casó la comandante Ramona?

6. ¿Qué vendía la muchacha del mercado?

7. ¿Con qué compara la autora las muñecas de Ramona?

8. ¿Qué significado tiene el hecho de que ofrecía muñecas de Marcos, y de Ramona vestida y equipada de tantas maneras?

9. ¿Qué le había pasado a la muchacha chamula para entusiasmarla tanto?

10. ¿Qué se sabe de la comandante Ramona?

11. ¿Cómo puede uno saber que Ramona es del pueblo de San Andrés?

12. ¿Quién tiene mayor poder dentro del movimiento, Marcos o Ramona?

13. ¿Cómo está de salud Ramona?

14. ¿Cómo eran el video y la grabación de Ramona? ¿Dejaron una impresión clara de la mujer?

15. En el video, ¿qué les decía Ramona a las mujeres indígenas?

16. ¿Cómo describieron a Ramona las mujeres indígenas? ¿Por qué le sorprendieron tanto a la autora las descripciones? ¿Qué significaba eso?

17. ¿Cuáles son los indicios de que la comandante Ramona es un personaje fuerte?

18. ¿Cuál es la actitud de la profesora europea hacia Ramona?

19. ¿Por qué pone la autora tanto énfasis en el hecho de que la profesora sea europea?

20. ¿Por qué se sabe tan poco del estado de salud de la comandante Ramona?

21. ¿Cuál es la verdadera importancia de Ramona, según la profesora?

22. ¿Cree la autora que el símbolo de Ramona sea la razón por la cual las indígenas se unieron al movimiento zapatista?

23. ¿Cuál es la explicación que ofrece la escritora Elena Poniatowska?

24. En el P16 la autora agrega lo que ella considera una razón aun más importante para explicar la participación de las mujeres indígenas. ¿Cuál es?

25. ¿Qué importancia ha tenido el comandante Marcos en la revolución?

26. Según el comandante Marcos, ¿cuándo comenzó la revolución?

27. ¿Cuáles derechos guarantizaba la "Ley revolucionaria sobre las mujeres"?

28. ¿Quieren las mujeres indígenas cambiar todos los aspectos de su vida? ¿Por qué (no)?

29. En el P18 la autora reconoce otro factor más en la decisión de las mujeres de unirse a la revolución. ¿Cuál es?

ENFOQUE EN EL LENGUAJE

A. *El modo*

Para hacer esta práctica vale la pena repasar la información sobre el modo en el *Apéndice gramatical* [pp. 175-242]. En los casos siguientes, explique el uso del subjuntivo. Primero identifique el tipo de cláusula subordinada (nominal, adjetiva, o adverbial) en que aparece la forma verbal. Entonces, busque la regla que se aplica al caso.

P10 Si ser golpeada por el esposo **fuera** el único requisito para que una mujer **decidiera** unirse a la revolución, **imagínense** la insurrección mundial que se les armaría a los hombres.

P11 Una adolescente chamula exhibía sobre una manta varias pulseras con los diseños más intrincados y hermosos que yo **hubiera visto**. . .

P11 . . . [las muñecas] se han vendido a los turistas durante décadas, agregándoles nada más un pasamontañas para que **se parezcan** al subcomandante Marcos).

P11 Y aquí tengo una Ramona con un lazo por atrás, para que se **pueda** colgar.

P12 Antes de que [Ramona] **se uniera** a los zapatistas trabajaba como bordadora

P12 "Nomás espérense a que **venga** la comandante Ramona y van a ver".

P12 En la grabación se escucha que su voz se quiebra al hablar, imprimiendo un matiz de intimidad, como si **hablara** con gran emoción refrenada . . .

P13 "La luz brilla de su voz, ella nos muestra el camino", y todas asintieron, como si de esta manera me **dieran** los datos concretos del asunto.

P14 Inclusive la naturaleza exacta de la enfermedad de Ramona ha sido mantenida en secreto por los zapatistas debido, creo, a que si esto **fuera** conocido por el ejército mexicano, podría dificultar que las medicinas llegaran a ella sin ser rastreadas.

P15 Puede ser, en parte, aunque no creo que su imagen **baste** para inspirar a las mujeres a cruzar esa frontera, **por carismática que sea,** si no **existieran** además incentivos concretos para que **tomaran** esa decisión.

P16 Quizá la más importante innovación de la que he tenido noticia dentro de las comunidades indígenas zapatistas (que se instituyó años antes del levantamiento armado de 1994) **sea** el derecho absoluto que tienen las mujeres para asistir y hablar en las asambleas comunitarias.

P16 Sospecho que, el sentirse responsables de los cambios hace que las mujeres **sean** más zapatistas; el experimentar el poder es más motivador que la gratitud.

P18 Al mismo tiempo, existe la preocupación de que los cambios culturales en el papel de la mujer no **sean** tan radicales como para perder lo que valoran de sus tradiciones indígenas.

P18 Mis conversaciones con mujeres zapatistas me llevaron a incluir otro incentivo más para que se **volvieran** zapatistas: la emoción.

B. *Pronombres*

I. *General*

Repase los pronombres en el *Apéndice gramatical* [pp. 175-242] para determinar la clasificación de cada forma pronominal en letra de molde (funcional, derivada, general), y su referente. En el caso de pronombres funcionales hay que especificar la función (sujeto, complemento directo, complemento indirecto, complemento de preposición, etc.).

P9   La primera vez que los líderes zapatistas aparecieron ante la prensa internacional había una mujer entre (ellos) . . .

P9   ¿Cómo fue que cruzaron las barreras de **lo desconocido** para ir desde sus vidas familiares pueblerinas hacia **lo desconocido y violento** de la rebelión guerrillera?

P11   Comencé a tener una idea de **lo que** significaba la comandante Ramona para las mujeres chiapanecas mientras caminaba por un mercado en la calle junto a una placita de San Cristóbal.

P11   Cuando vio que (me) interesaban las Ramonas se entusiasmó, recordándo**me** la forma en que solíamos hablar de nuestras Barbies con sus diferentes atuendos . . .

P11   ¡Aquí está Ramona con el pelo largo! ¿Ve usted cómo **le** arreglé el pelo?

P11   . . . tomé las muñecas y **la** felicité por su excelente trabajo.

P11   La presencia de la comandante Ramona en San Cristóbal **la** había impresionado más que la figura de fantasía internacional del subcomandante Marcos.

P13   En realidad, me dijeron que no **la** conocían personalmente (aunque una reconoció después que había negado conocer**la** en público por no admitir**lo** enfrente de las otras), pero eso no venía al caso: "Ramona es una estructura, como María".

P13   **Ella** es un símbolo de nuestra lucha. Cuando oímos hablar a Ramona, **nos** da un poco de sentimiento, hasta lloramos".

P14   "**Ella** es una mujer pequeña; **me** llega al hombro (la profesora no es más alta que **yo**, y yo mido apenas 159 centímetros, así que Ramona debe ser muy bajita), y es muy dulce, muy tierna.

P14   Y es comandante; si necesita dar una orden es capaz de decir `¡Háganlo!' a un escuadra de hombres. Y los hombres **lo** hacen".

P14   La profesora europea sentía tanto entusiasmo por Ramona como **el de** las mujeres . . .

P14   Inclusive la naturaleza exacta de la enfermedad de Ramona ha sido mantenida en secreto por los zapatistas debido, creo, a que si **esto** fuera conocido por el ejército mexicano, podría dificultar que las medicinas llegaran a ella sin ser rastreadas.

P14   **Esto** puede explicar por qué la profesora se veía tan sombría . . .

P14   . . . una campaña organizada por un grupo de mujeres para garantizar**le** un salvoconducto a Ramona para salir de la selva y recibir atención médica

P16   Quizá la más importante innovación de **la que** he tenido noticia dentro de las comunidades indígenas zapatistas (que se instituyó años antes del levantamiento armado de 1994) sea el derecho absoluto que tienen las mujeres para asistir y hablar en las asambleas comunitarias.

P18   Al permitir**les** a las mujeres hacer su propia agenda, los zapatistas crearon un mayor incentivo para la participación de la mujer.

2. Reflexivos

Refiérase a la sección relacionada a los pronombres reflexivos en el ***Apéndice gramatical*** [pp. 175-242] para hacer esta práctica. Hay que indicar de qué tipo de reflexivo se trata en cada caso (reflexivo verdadero?, reflexivo falso = le(s), sujeto indefinido?, etc.).

P9   De manera repentina, cuando el Ejército Zapatista de Liberación Nacional entró en escena con su marcha de año nuevo de 1994 en San Cristóbal, **se** comenzó a oír que entre los guerrilleros había mujeres indígenas.

P10   Sin embargo, para bien o para mal, el maltrato a las mujeres es muchísimo más común que las mujeres revolucionarias: parecería que para que una mujer cruce esa línea **se** requiere la combinación de varios factores.

P10   De la comandante Ramona, por ejemplo, **se** dice que decidió hace muchos años, al comienzo del movimiento zapatista, que no se casaría ni tendría hijos, eligiendo a cambio luchar.

P11   Cuando vio que me interesaban las Ramonas **se** entusiasmó, recordándome la forma en que solíamos hablar de nuestras Barbies con sus diferentes atuendos . . .

P11   Y aquí tengo una Ramona con un lazo por atrás, para que **se** pueda colgar.

P12   Exhortaba a las mujeres mexicanas a organizarse: "no **se** puede construir un México libre y justo con los brazos cruzados".

P12   En la grabación **se** escucha que su voz **se** quiebra al hablar, imprimiendo un matiz de intimidad, como si hablara con gran emoción refrenada.

P14   Esto puede explicar por qué la profesora **se** veía tan sombría cuando le pregunté su opinión . . .

P14   ¿O quizás su aspecto gris **se** debía a que Ramona ya había muerto?

P16   Quizá la más importante innovación de la que he tenido noticia . . . (que **se** instituyó años antes del levantamiento armado de 1994) sea el derecho absoluto que tienen las mujeres para asistir y hablar en las asambleas comunitarias.

P18   Las mujeres golpeadas por sus esposos y las niñas a quienes **se** impedía ir a la escuela . . .

C. Conjunciones/Transiciones

Busque en el texto las expresiones conjuntivas y transicionales que se han omitido en las oraciones siguientes. ¿Qué significa cada uno dentro del contexto?

P9   . . . la mujer se queda en casa y hace labores específicamente femeninas, cuida de los niños, cocina, cose, y que permanece _____ más aislada que los hombres indígenas _____ ella generalmente está limitada a su idioma, _____ rara vez habla el suficiente español para tener acceso al mundo exterior.

P9 _____ , cuando el Ejército Zapatista de Liberación Nacional entró en escena con su marcha de año nuevo de 1994 en San Cristóbal, se comenzó a oír que entre los guerrilleros había mujeres indígenas.

P10 Sin embargo, _____ , el maltrato a las mujeres es muchísimo más común que las mujeres revolucionarias: parecería que para que una mujer cruce esa línea **se** requiere la combinación de varios factores.

P10 Y _____ no todas las mujeres zapatistas son víctimas de maridos golpeadores, _____ muchas de ellas son solteras (_____ una de las mujeres que me contó de "los golpes" me dijo que era soltera pero que la verdad es que no hay mucha diferencia si los golpes proceden del marido o de los padres: _____ ella debe liberarse de su tradicional papel de subordinación).

P10 De la comandante Ramona, _____ , se dice que decidió hace muchos años, al comienzo del movimiento zapatista, que no se casaría ni tendría hijos, eligiendo a cambio luchar.

P12 Es comandante del Ejército Zapatista de Liberación Nacional y miembro del Comité Indígena Revolucionario Clandestino; tiene, _____ , un rango superior al del subcomandante Marcos y los zapatistas le tienen gran respeto.

P12 . . . _____ la distorsión causada por la mala calidad del video, su voz hablando un español con fuerte acento tzotzil era extraordinariamente conmovedora.

P13 _____ , me dijeron que no la conocían personalmente . . .

P14 "Ella es una mujer pequeña; me llega al hombro (la profesora no es _____ yo, y yo mido apenas 159 centímetros, _____ Ramona debe ser muy bajita), y es muy dulce, muy tierna.

P14 . . . y tendía a terminar sus frases con un "y de hecho . . . ah, eso no te puedo decir", dando la más provocadora impresión _____ la fascinante pero prohibida historia de la comandante.

P14 _____ la naturaleza exacta de la enfermedad de Ramona ha sido mantenida en secreto por los zapatistas _____ si esto fuera conocido por el ejército mexicano, podría dificultar que las medicinas llegaran a ella sin ser rastreadas.

P14 Esto puede explicar por qué la profesora se veía tan sombría [19] cuando le pregunté su opinión, un par de semanas después, _____ una campaña organizada por un grupo de mujeres para garantizarle un salvoconducto a Ramona para salir de la selva y recibir atención médica.

P16 Creo que existen, _____ estas importantes mejoras en las condiciones de vida de las mujeres zapatistas, otros factores que son de igual o más importancia en su decisión de volverse zapatistas.

P16 O, _____ : el poder.

P16 _____ la más importante innovación de _____
he tenido noticia dentro de las comunidades indígenas zapatistas . . . sea el
derecho absoluto que tienen las mujeres para asistir y hablar en las asambleas
comunitarias.

P16 _____ , la participación de la mujer era muy limitada . . .

P16 Pero ahora _____ están dentro del orden del día,
_____ ellas mismas lo elaboran. Y aquí fue cuando las cosas
empezaron a cambiar para ellas.

P16 _____ , el sentirse responsables de los cambios hace que las
mujeres sean más zapatistas; el experimentar el poder es más motivador que la
gratitud.

P18 _____ , existe la preocupación de que los cambios
culturales en el papel de la mujer no sean tan radicales como para perder lo
que valoran de sus tradiciones indígenas

P18 La pobreza rural _____ es miserable, es aburrida. Unirse a
los zapatistas significó para muchas viajar a otras comunidades, conocer otra
gente, aprender español, _____ recibir entrenamiento militar sobre
manejo de armas y tácticas guerrilleras.

D. *Otros modismos y expresiones útiles*

Busque los modismos y expresiones omitidas en las oraciones siguientes. ¿Qué
significa cada una?

P10 De la comandante Ramona, por ejemplo, se dice que decidió
_____ , al comienzo del movimiento zapatista, que no se casaría ni
tendría hijos, eligiendo _____ luchar.

P11 Una adolescente chamula exhibía . . . muñecos de Marcos de todos
tamaños (son los muñecos de tela vestidos _____ los indígenas
chiapanecos que se han vendido a los turistas durante décadas, agregándoles
_____ un pasamontañas para que _____ subcomandante
Marcos).

P11 Cuando vio que me interesaban las Ramonas se entusiasmó,
recordándome la forma en que _____ hablar de nuestras Barbies
con sus diferentes atuendos [9]:

P11 Ver a Ramona cambió su percepción de _____ ,
_____ su trabajo como fabricante de muñecas de un emocionante
significado subversivo.

P12 Pero, ¿quién es la comandante Ramona y qué fue _____ de
ella inspiró _____ a una niña chamula?

P12 Durante las pláticas de paz _____ 1994 siempre
apareció ante la prensa al lado del mediador, Samuel Ruiz, obispo de San
Cristóbal.

P12 Tiempo después se decía que Ramona estaba enferma, quizás de
cáncer; hubo rumores _____ 1994 de que se había muerto.

P13 Para los chiapanecos Ramona es mucho más que una comandante
zapatista; _____ una leyenda investida con poderes casi míticos.

P13   Los campesinos indígenas, _____ los abusos de los gobernantes locales, dirían: "Nomás espérense a que venga la comandante Ramona y van a ver".

P13   . . . algunas de sus respuestas me _____ .

P13   Hubo las respuestas esperadas: "Es valiente y _____ defender nuestros derechos", pero cuando les pedí ser más específicas alguien me dijo:

P13   En realidad, me dijeron que no la conocían personalmente (aunque una reconoció después que había negado conocerla en público por no admitirlo _____ las otras), pero eso _____ : "Ramona es una estructura, como María.

P13   Ella es un símbolo de nuestra lucha. Cuando oímos hablar a Ramona, nos da un poco de sentimiento, _____ lloramos".

P14   _____ _____ cuando caminamos por la selva.

P14   Y es comandante; si necesita dar una orden _____ decir '¡Háganlo!' a un escuadra de hombres. Y los hombres lo hacen.

P14   _____ la naturaleza exacta de la enfermedad de Ramona ha sido mantenida en secreto por los zapatistas . . .

P14   Esto puede explicar por qué la profesora se veía tan sombría cuando le pregunté su opinión, _____ semanas después, respecto de una campaña organizada por un grupo de mujeres para garantizar**le** un salvoconducto . . .

P16   Estas consideraciones _____ lo que los mexicanos llaman "voz y voto".

P17   tener derechos prioritarios a servicios de salud y nutrición, recibir educación, elegir a su esposo y _____ las violaciones y el abuso doméstico.

P18   Este aspecto del zapatismo parece _____ las mujeres indígenas.

 A leer

Todas Somos Ramonas—Tercera parte
Las fronteras borrosas favorecen a los sin poder

P19   El otro lado de la pregunta de por qué las mujeres indígenas se hacen zapatistas es la pregunta de por qué los organizadores zapatistas hicieron grandes esfuerzos para reclutar mujeres. ¿Acaso la milagrosa liberación del machismo fue lo que les inspiró a hacer un levantamiento de igualdad femenina? Discúlpame, Marcos, pero no lo creo. Es más probable que se hayan dado cuenta de las ventajas estratégicas de incluir mujeres en sus filas, y una vez comenzado, no podían dar marcha atrás.

P20   De hecho las mujeres resultan ser especialmente aptas para este nuevo tipo de no-guerra, en donde las relaciones públicas son todo, y en donde tener

1. *sensitive*
2. emplear, usar
3. pérdida de prestigio
4. trae
5. confronta, hacer frente a
6. sin muertos ni heridos
7. impresionante
8. la plaza central

una audiencia internacional sensible[1] a los derechos humanos significa que si cualquiera de los contendientes recurre a[2] los ataques militares y a la violencia de cualquier tipo, esto sería un desprestigio[3], significaría perder puntos frente a la audiencia internacional. La violencia contra las mujeres conlleva[4] un doble castigo; cuando un grupo de mujeres desarmadas desafía[5] a un convoy del ejército, donde todos son hombres y están armados (como se dice que ocurrió en marzo de 1995 en el pueblo zapatista de La Realidad), esto viene a constituir una victoria sin bajas[6] para los zapatistas al mismo tiempo que pone en ridículo a los soldados: puntos extras. ¿Qué importa que ellas sean ciudadanas apolíticas o simpatizantes zapatistas o miembros del ejército zapatista? Y aunque sean zapatistas, el hecho de que no lo parezcan hace que su victoria sea más llamativa[7] en las notas de prensa; y en esta guerra, la cobertura de la prensa es el principal campo de batalla.

P21   Los zapatistas han demostrado sus habilidades para hacer uso extensivo de algo que puede ser una ventaja definitiva en la guerra de guerrillas: las identidades amorfas y las fronteras "borrosas". El pasamontañas de Marcos le permite a la gente proyectar sus fantasías; su imagen amorfa es parte importante de su popularidad. Las amplias e inclusivas plataformas de los zapatistas no marcan límites claros; parecerían ofrecer algo para todos (con excepción de los latifundistas chiapanecos y de los ricos y poderosos del país). En marcado contraste con las revoluciones modernizadoras de Cuba, Nicaragua y El Salvador, que plantearon conceptos como el "socialismo científico" en lugar de la religión y las tradiciones, invitando así la oposición de los seguidores de sistemas de creencias tradicionales, el zapatismo en cambio incorpora una multitud de ideologías y movimientos políticos y recibe apoyo en nombre de la democracia radical de muchas personas y tendencias: de grupos en apoyo de los derechos de los indígenas (y otras minorías) de todo el mundo, de chicanos, ecologistas, feministas, teólogos de la liberación, izquierdistas de todo tipo, estudiantes, grupos de derechos humanos, anarquistas, artistas del performance, músicos y actores. Los zapatistas son como un país que ofrece oportunidades de inversión libres de impuestos para los ciudadanos de cualquier nación. El uso que hacen de las comunicaciones vía Internet les ha permitido aprovechar del apoyo de personas que jamás han pisado suelo mexicano. Alma Guillermoprieto escribe que cuando le cuestionó a Marcos su afirmación de que los zapatistas tomarían la Ciudad de México, él le respondió: "¿Acaso no estábamos ya ahí el dos de enero? Estábamos en todas partes, en la boca de todos–en el metro, en la radio. Y nuestra bandera estaba en el Zócalo[8]".

P22   Las fronteras claramente definidas favorecen el status quo y, por lo tanto, encuentran defensores entre los ricos: son los dueños de las haciendas quienes colocan vidrios de botellas en los muros de las huertas, no los campesinos hambrientos que permanecen afuera. Es Estados Unidos quien patrulla su frontera con México, no el gobierno mexicano (el cual, mientras escribo esto, está considerando una legislación que debilitaría las fronteras, permitiendo a los mexicanos tener doble nacionalidad.) De manera contraria, las fronteras borrosas favorecen a los sin poder. Si los zapatistas hubieran decidido sostener sus líneas y presentar batalla, ya hubieran sido derrotados[9] hace mucho tiempo. Su ventaja reside en la fluidez y en la falta de definición.

P23 Las mujeres zapatistas con las que hablé también demostraban tener una falta de fronteras en sus vidas particulares, lo cual parece ser una característica común de muchas culturas indígenas; para ellas lo personal es político, aunque jamás se les ocurriría decirlo así. Su conversación revela una perspectiva que no divide y nunca ha dividido sus vidas en distintas esferas. Sus vidas particulares, su activismo político, su identidad de artistas se integran porque nunca han estado separadas: somos artistas que nos volvimos revolucionarias por los golpes.

P24 Las mujeres activistas tienen la ventaja de que las identidades particularmente amorfas les han sido asignadas por una cultura machista con un concepto muy limitado de las habilidades de las mujeres; al no ser tomadas en serio por las autoridades, las mujeres pueden ser más radicales y plantear sus opiniones de manera más abierta con un riesgo menor de ser penalizadas. Las mujeres de la Ciudad de México han hecho "manifestaciones"[10] públicas que son reminiscentes de las manifestaciones de las Madres de la Plaza de Mayo argentinas (quienes, por cierto, han expresado su apoyo a las zapatistas) usando teatro callejero para hacer fuertes críticas al gobierno: después de la captura por parte del gobierno de un supuesto "arsenal" zapatista que consistía de unas cuantas pistolas (el "arsenal" fue presentado a la prensa en medio de grandes fanfarrias como justificación de las incursiones del ejército mexicano en territorio zapatista el 9 de febrero de 1995), un grupo de mujeres fue a la Secretaría de Gobernación y depositó una colección de pistolas de agua, ametralladoras de plástico, arcos y flechas de juguete[11], diciendo que tenían miedo de ser acusadas de tener arsenales en sus casas. En marchas y manifestaciones las primeras pancartas[12] que vi expresando apoyo a los zapatistas eran llevadas por grupos de mujeres, como si las mujeres en esta sociedad pudieran darse el lujo de ser más radicales que los hombres porque corren menos riesgos de ser reprimidas.

P25 La comandante Ramona es otro ejemplo de las ventajas de tener una identidad amorfa. A pesar de lo poco que se sabe de ella, mantenida fuera del ojo público, es un símbolo ambiguo que parece gustar a un más amplio espectro de personas que la figura de Marcos. Durante una marcha realizada en la Ciudad de México en febrero de 1995, mientras los hombres coreaban[13] "Todos somos Marcos", las mujeres comenzaron a corear "Todas somos Ramona" (un grito que fue repetido por los asistentes a la marcha en general, hombres y mujeres, y las dos consignas[14] se convirtieron en gritos de rigor en marchas subsecuentes). Un contingente de lesbianas que participaba en la marcha coreaba: "Todos somos Ramona", así como "Lesbianas feministas también somos zapatistas". Un cineasta[15] que ha pasado algún tiempo con los zapatistas es crítico respecto de Marcos, pero le intriga Ramona. Durante un acto patrocinado[16] por una iglesia en el Día Internacional de la Mujer, donde se mostró al público el video de Ramona, una monja sentada a mi lado se puso a llorar. Y confieso que, por razones que no entiendo totalmente, mis ojos también se humedecieron.

P26   Pero, ¿qué simboliza Ramona? Usa pasamontañas: estamos seguros de que debe ser hermosa. Habla poco español: sólo nos podemos imaginar la elocuencia detrás de esa voz. Es una mujer pequeña, mortalmente enferma y sin embargo es comandante de un movimiento guerrillero que ha sacudido el sistema político mexicano. Lleva fusil, pero no he escuchado que alguna vez lo haya utilizado. Una mujer indígena de un país del tercer mundo: de los más oprimidos entre los oprimidos. Sin embargo, de alguna forma ella ha convertido esto en ventaja, rehusando ser víctima. Ella simboliza el poder de lo auténtico: las fronteras no cruzan a Ramona, Ramona cruza las fronteras. Con sus enaguas muy bien puestas.

Después de leer   PREGUNTAS DE COMPRENSION:

1. ¿Cree la autora que los hombres zapatistas han incluido a las mujeres por razones altruistas?
2. ¿Qué sospecha la autora es el motivo del movimiento zapatista en promover la participación de las mujeres?
3. ¿Cómo se puede caracterizar la "guerra" que hacen los zapatistas?
4. ¿Cuáles son la ventajas que tienen las mujeres en esta clase de guerra?
5. ¿Cómo funciona esta estrategia de "las identidades amorfas" y "las fronteras borrosas" para atraer apoyo a su causa?
6. ¿Por qué no plantean los zapatistas conceptos claros como el "socialismo científico" de los demás grupos revolucionarios de Latinoamérica?
7. ¿Cómo figura Internet en el plan estratégico de los zapatistas?
8. ¿Quiénes se benefician de los límites claros y fronteras bien definidas? ¿Por qué?
9. ¿Qué le habría pasado al movimiento zapatista si hubiera establecido fronteras físicas y conceptuales bien marcadas?
10. En el párrafo 23 la autora vuelve a la noción de fronteras internas al referirse a las mujeres indígenas. Explique.
11. ¿Por qué pueden protestar tan abiertamente las mujeres?
12. ¿Cuáles son algunos ejemplos de las protestas hechas por las mujeres?
13. La figura y el símbolo de Ramona es tal vez el mayor ejemplo de la estrategia de los zapatistas. ¿En qué sentido?
14. ¿Qué simboliza la comandante Ramona?

A. *El modo*

Refiriéndose a la información sobre el modo en el *Apéndice gramatical* [pp. 175-242] trate de describir y explicar los siguientes casos del subjuntivo. Hay que identificar el tipo de cláusula subordinada (nominal, adjetiva, o adverbial) para decidir cuál criterio se aplica.

P19   **Discúlpame,** Marcos, pero no lo creo.

P19   Es más probable que se **hayan** dado cuenta de las ventajas estratégicas de incluir mujeres en sus filas, y una vez comenzado, no podían dar marcha atrás.

P20   ¿Qué importa que ellas **sean** ciudadanas apolíticas o simpatizantes zapatistas o miembros del ejército zapatista?

P20   Y aunque **sean** zapatistas, el hecho de que no lo **parezcan** hace que su victoria **sea** más llamativa en las notas de prensa; y en esta guerra, la cobertura de la prensa es el principal campo de batalla.

P22   **Si** los zapatistas **hubieran** decidido sostener sus líneas y presentar batalla, ya **hubieran** sido derrotados hace mucho tiempo.

P24   En marchas y manifestaciones las primeras pancartas que vi expresando apoyo a los zapatistas eran llevadas por grupos de mujeres, como si las mujeres en esta sociedad **pudieran** darse el lujo de ser más radicales que los hombres porque corren menos riesgos de ser reprimidas.

B. *Los pronombres*

Repase los pronombres en el *Apéndice gramatical* [pp. 175-242] para poder dar cuenta completa de cada una de las formas indicadas a continuación. Además de clasificar la forma e indicar su función y referente, se debe explicar su uso dentro del contexto.

P19   El otro lado de la pregunta de por qué las mujeres indígenas **se** hacen zapatistas es la pregunta de por qué los organizadores zapatistas hicieron grandes esfuerzos para reclutar mujeres.

P19   ¿Acaso la milagrosa liberación del machismo fue **lo que les** inspiró a hacer un levantamiento de igualdad femenina?

P19   Discúlpa**me,** Marcos, pero no **lo** creo.

P20   . . . tener una audiencia internacional sensible a los derechos humanos significa que si **cualquiera** de los contendientes recurre a los ataques militares y a la violencia de cualquier tipo, esto sería un desprestigio . . .

P20   Y aunque sean zapatistas, el hecho de que no **lo** parezcan hace que su victoria sea más llamativa en las notas de prensa; y en esta guerra, la cobertura de la prensa es el principal campo de batalla.

P22   Las fronteras claramente definidas favorecen el status quo y, por lo tanto, encuentran defensores entre los ricos: son los dueños de las haciendas **quienes** colocan vidrios de botellas en los muros de las huertas, no los campesinos hambrientos que permanecen afuera.

P22   Es Estados Unidos **quien** patrulla su frontera con México, no el gobierno mexicano (el cual, mientras escribo esto, está considerando una legislación que debilitaría las fronteras, permitiendo a los mexicanos tener doble nacionalidad).

P22   De manera contraria, las fronteras borrosas favorecen a **los sin poder.**

P23   Las mujeres zapatistas con **las que** hablé también demostraban tener una falta de fronteras en sus vidas particulares, **lo cual** parece ser una característica común de muchas culturas indígenas; para ellas **lo personal** es político, aunque jamás **se les** ocurriría decirlo así.

P25 La comandante Ramona es otro ejemplo de las ventajas de tener una identidad amorfa. A pesar de **lo poco** que **se** sabe de ella, mantenida fuera del ojo público, es un símbolo ambiguo que parece gustar a un más amplio espectro de personas que la figura de Marcos.

P25 Un cineasta que ha pasado algún tiempo con los zapatistas es crítico respecto de Marcos, pero **le** intriga Ramona.

P25 Durante un acto patrocinado por una iglesia en el Día Internacional de la Mujer, donde **se** mostró al público el video de Ramona, una monja sentada a mi lado **se** puso a llorar.

P25 Y confieso que, por razones que no entiendo totalmente, mis ojos también **se** humedecieron.

P26 Lleva fusil, pero no he escuchado que alguna vez **lo** haya utilizado.

P26 Una mujer indígena de un país del tercer mundo: de **los más oprimidos** entre los oprimidos.

P26 Sin embargo, de alguna forma ella ha convertido esto en ventaja, rehusando ser víctima. Ella simboliza el poder de **lo auténtico:** las fronteras no cruzan a Ramona, Ramona cruza las fronteras. Con sus enaguas muy bien puestas.

C. *La voz pasiva*

Repase la discusión de la forma pasiva en el Apéndice gramatical [pp. 175-242]. Luego, busque y subraye siete (7) ejemplos de la estructura pasiva en el P24 que se encuentra a continuación. Luego escriba las siete oraciones activas que corresponden a los ejemplos pasivos.

P24 Las mujeres activistas tienen la ventaja de que las identidades particularmente amorfas les han sido asignadas por una cultura machista con un concepto muy limitado de las habilidades de las mujeres; al no ser tomadas en serio por las autoridades, las mujeres pueden ser más radicales y plantear sus opiniones de manera más abierta con un riesgo menor de ser penalizadas. Las mujeres de la Ciudad de México han hecho "manifestaciones" públicas que son reminiscentes de las manifestaciones de las Madres de la Plaza de Mayo argentinas (quienes, por cierto, han expresado su apoyo a las zapatistas) usando teatro callejero para hacer fuertes críticas al gobierno: después de la captura por parte del gobierno de un supuesto "arsenal" zapatista que consistía de unas cuantas pistolas (el "arsenal" fue presentado a la prensa en medio de grandes fanfarrias como justificación de las incursiones del ejército mexicano en territorio zapatista el 9 de febrero de 1995), un grupo de mujeres fue a la Secretaría de Gobernación y depositó una colección de pistolas de agua, ametralladoras de plástico, arcos y flechas de juguete, diciendo que tenían miedo de ser acusadas de tener arsenales en sus casas. En marchas y manifestaciones las primeras pancartas que vi expresando apoyo a los zapatistas eran llevadas por grupos de mujeres, como si las mujeres en esta sociedad pudieran darse el lujo de ser más radicales que los hombres porque corren menos riesgos de ser reprimidas.

• **D.** *Conjunciones/Transiciones*

Busque en el texto las expresiones conjuntivas y transicionales que se han omitido en las oraciones siguientes. ¿Qué significa cada una dentro del contexto?

P20 _De hecho_ las mujeres resultan ser especialmente aptas para este nuevo tipo de noguerra, en donde las relaciones públicas son todo . . .

P20 Y _aunque_ sean zapatistas, _hecho de que_ no lo parezcan hace que su victoria sea más llamativa en las notas de prensa . . .

P22 Las fronteras claramente definidas favorecen el status quo y, _Por lo tanto_, encuentran defensores entre los ricos . . .

P22 Es Estados Unidos quien patrulla su frontera con México, no el gobierno mexicano (_el cual_, mientras escribo esto, está considerando una legislación que debilitaría las fronteras, permitiendo a los mexicanos tener doble nacionalidad).

P22 _De manera contraria_, las fronteras borrosas favorecen a los sin poder.

P23 Las mujeres zapatistas con las que hablé también demostraban tener una falta de fronteras en sus vidas particulares, _lo cual_ parece ser una característica común de muchas culturas indígenas; para ellas lo personal es político, aunque jamás se les ocurriría decirlo así.

P24 Las mujeres de la Ciudad de México han hecho "manifestaciones" públicas que son reminiscentes de las manifestaciones de las Madres de la Plaza de Mayo argentinas (_quienes_, _por cierto_, han expresado su apoyo a las zapatistas) usando teatro callejero para hacer fuertes críticas al gobierno

P26 _Sin embargo_, de alguna forma ella ha convertido esto en ventaja, rehusando ser víctima.

E. *Otros modismos y expresiones útiles*

Busque los modismos y expresiones omitidas en las oraciones siguientes. ¿Qué significan?

P19 ¿ _____ la milagrosa liberación del machismo fue lo que les inspiró a hacer un levantamiento de igualdad femenina?

P19 Es más probable que _____ las ventajas estratégicas de incluir mujeres en sus filas, y una vez comenzado, no podían

_____ .

P20 De hecho las mujeres _____ ser . . . aptas para este nuevo tipo de no-guerra . . .

P20 . . . la violencia de cualquier tipo, esto sería un desprestigio, _____ perder puntos _____ la audiencia internacional.

P20 . . . esto   constituir una victoria sin bajas para los zapatistas
[1] _____ [2] _____ a los soldados: puntos
extras.

P20 Y aunque sean zapatistas, _____ no lo parezcan hace que
su victoria sea más llamativa en las notas de prensa; y en esta guerra, la
cobertura de la prensa es el principal campo de batalla.

P21 Los zapatistas han demostrado sus habilidades para _____
algo que puede ser una ventaja definitiva en la guerra de guerrillas: las
identidades amorfas y las fronteras "borrosas".

P21 _____ las revoluciones modernizadoras de Cuba, Nicaragua
y El Salvador, que plantearon conceptos como el "socialismo científico"
_____ la religión y las tradiciones, invitando _____ la
oposición de los seguidores de sistemas de creencias tradicionales, el zapatismo
_____ incorpora una multitud de ideologís y movimientos políticos
y recibe apoyo en nombre de la democracia radical de muchas personas y
tendencias . . .

P21 El uso que hacen de las comunicaciones vía Internet les ha permitido
_____ apoyo de personas que _____ han pisado suelo
mexicano

P22 Si los zapatistas hubieran decidido sostener sus líneas y presentar
batalla, ya hubieran sido derrotados _____ .

P24 Las mujeres activistas _____ de que las identidades
particularmente amorfas les han sido asignadas por una cultura machista con
un concepto muy limitado de las habilidades de las mujeres; al no ser
_____ por las autoridades, las mujeres pueden ser más radicales y
plantear sus opiniones de manera más abierta con un riesgo menor de ser
penalizadas.

P24 En marchas y manifestaciones las primeras pancartas que vi
expresando apoyo a los zapatistas eran llevadas por grupos de mujeres, como
si las mujeres en esta sociedad pudieran _____ de ser más radicales
que los hombres porque _____ de ser reprimidas.

ENFOQUE EN EL CONTENIDO Y LA ESTRUCTURA

A. *El tema y la tesis*

1. Resuma en una frase lo que Ud. considera ser el tema y la tesis básicos
   del ensayo entero.

2. ¿Se ha expresado la tesis claramente en algún sitio? ¿Dónde?

3. En su opinión, ¿se ha desarrollado la tesis de forma deductiva o de
   forma inductiva?

4. ¿Cómo se relacionan el título y los subtítulos al tema y a la tesis del
   ensayo?

B. *El esquema estructural*

1. Los subtítulos del ensayo sugieren su estructura general. ¿Cómo se distinguen los cuatro segmentos de la lectura uno del otro? ¿Cómo se relacionan los segmentos?

2. Resuma la idea central de cada párrafo. ¿Cómo se distingue cada párrafo del que lo precede y del que lo sigue? ¿Cómo se relaciona cada párrafo con sus vecinos?

3. Trate de clasificar todos los párrafos del ensayo según las varias funciones resumidas en la introducción de la Unidad 5. Un párrafo puede caber en más de una categoría. Los estudiantes deben comparar y discutir sus resultados. ¿Se representan todas las funciones siguientes en el ensayo?

    Párrafos [Apunte los números]

    a. introducir   _____

    b. clasificar/definir   _____

    c. narrar/describir   _____

    d. dar información de fondo   _____

    e. ejemplificar/dar casos   _____

    f. comparar/contrastar   _____

    g. argumentar/discutir   _____

    h. concluir/resumir   _____

4. Si Ud tuviera que reducir el ensayo eligiendo diez de sus párrafos, cuáles serían? Discuta su decisión. Se perdería algún elemento importante de la composición? ¿Cuál(es)? ¿Qué tal si Ud. pudiera escoger solo cinco de los párrafos? ¿Qué tal tres?

5. Los primeros cuatro párrafos del ensayo sirven de introducción. Plantean y limitan el tema y proponen una tesis. Discutan.

6. La autora refina y desarrolla su tesis planteando *preguntas*, recogiendo *datos*, y probando *hipótesis*. Discutan

7. El P26 es un excelente ejemplo de párrafo de conclusión porque resume y relaciona los elementos importantes (tema, tesis, imágenes) del ensayo de una forma elegante sin caer en la redundancia. Discutan sus propiedades.

Actividades de escritura

A. El poder del símbolo

Piense en algún símbolo que tiene verdadero significado para Ud. Escriba un párrafo coherente y estructurado en el que explica el símbolo, su significado, y su poder emotivo.

B. La mujer poderosa

La autora del ensayo asevera que la mujer europea que tiene poder político o militar ha tenido que sacrificar su calidad de "mujer", su femenindad. A base de ejemplos concretos, escriba un ensayo corto que apoye o que desmienta esta tesis.

C. ¿Cómo puede ser?

Es curioso observar que los Estados Unidos, la cuna de la democracia, nunca ha elegido a una mujer como presidente. Por otra parte, las mujeres han sido líderes principales de países europeos como Inglaterra (Margaret Thatcher) y aún de países sumamente paternalistas como la India (Indira Gandhi) y Paquistán (Benazir Bhutto). Escriba un ensayo corto que explique este fenómeno.

Para Resumir

En esta unidad se han presentado tres lecturas distintas, cada una de las cuales plantea una tesis explícita y la desarrolla de forma más o menos deductiva. Sin embargo, la tesis tiene que clarificarse a lo largo de la exposición y encuentra su mejor expresión al final. Aunque en cada caso el autor revela una perspectiva personal, la apoya con datos, hechos y argumentos.

La Malinchi

La tesis de la primera lectura "A La Malinchi, discreta, pero sincera devoción" se acusa ya en el titular; o sea que los mexicanos expresan una actitud ambivalente con respecto a una figura, tanto histórica como mítica, que desempeñó un papel decisivo en la conquista de los aztecas por Hernán Cortés.

El propósito principal del artículo es reportar una fiesta tradicional, pero el autor ha convertido del reportaje en ensayo. El autor desarrolla la tesis de ambivalencia y dualidad respecto de La Malinchi deductivamente y en varios niveles. Al nivel lingüístico el autor emplea un contraste de términos (discreta-sincera, venerar-no perdonar, bella y sagaz-entrometida y desenvuelta, Mallianalli Tenepal-La Malinchi-Doña Marina). Al reportar la fiesta se enfoca en la dualidad representada por las dos protagonistas de "la danza de la Conquista", una manifestación cultural del sentimiento ambiguo del pueblo. Al presentar los datos históricos, el autor señala la dificultad de separar lo cierto y de lo mítico. Resume el conflicto vigente de ideas y opiniones que giran alrededor de la apropiada valorización histórica de La Malinchi. Basándose en la autoridad de un investigador, el autor concluye que no se le debe negar su lugar histórico por razones de un "nacionalismo malentendido", lo cual representa su tesis concreta.

Salvador Dalí

La tesis del segundo ensayo, también se pregona en el título. El autor tiene que cumplir con ella en la composición; es decir, se obliga a mostrar que Salvador Dalí es "una figura emblemática del siglo XX". Por otro lado, la tesis no se revela en toda su claridad sino hasta el final del ensayo.

A través de la exposición el lector llega a entender lo que el autor quiere decir por "figura emblemática", que Dalí representa en su persona tanto los logros auténticos del siglo XX como su comercialismo egoísta. Se hizo "un modelo de hombre-artista-anuncio". El autor dedica los primeros cuarto párrafos a la prueba de que Dalí era un artista auténtico e individualista que tuvo un papel innovador y decisivo en el mundo del arte surrealista. En el quinto párrafo se expone el tema de comercialismo en la carrera del artista, y en cierto sentido lo justifica. El autor se empeña en atacar a los críticos de Dalí que ignoran los aportes artísticos de Dalí prefiriendo enfocarse en sus estrategias publicitarias y personalidad extravagante. A lo largo de la exposición, hace una serie de referencias tachando a esos críticos de arrogancia y pomposidad ("el Papa Bretón", "pontífices airados", etc.). El ensayo se resume y se concluye nítidamente en las últimas tres oraciones del último párrafo.

La comandante Ramona

El tercer ensayo "Todas somos Ramonas" es una lectura sumamente sofisticada que entreteje una serie de temas relacionados: los indígenas, las mujeres, la revolución en el mundo moderno tecnológico. En realidad, el ensayo presenta un juego de varias tesis interrelacionadas. El título es una declaración que tiene que justificarse contestando las preguntas: ¿quiénes somos nosotras?, ¿quién es Ramona? y, ¿en qué sentido somos iguales?. Además, se declara una tesis acerca del tema de las fronteras en el primer párrafo de la introducción: "Las personas cruzan las fronteras y las fronteras cruzan a las personas". La autora está comprometida a desarrollar esta idea. Específicamente, tiene que precisar la noción de fronteras, mostrar que tiene aspectos tanto internos como externos, y relacionar este tema y tesis con los del título.

La estructura principal del ensayo se da en los segmentos subtitulados. Si bien el primer párrafo sirve de introducción al segmento "Fronteras fractales", el segmento como tal es una introducción al ensayo general. Los cuatro párrafos de la introducción representan una progresión que delimita y refina la noción de "fronteras" (fronteras externas internacionales → un caso latinoamericano → el caso mexicano → las fronteras internas). La autora plantea la pregunta clave del ensayo: ¿por qué cruzaron estos indígenas la divisoria entre paz y rebelión?

El segundo segmento "Mujeres de mucha enagua" limita el enfoque del ensayo aún más al caso de la mujer indígena y la razón de su participación en el levantamiento. Se establece la primera hipótesis: los golpes. El propósito del segmento es caracterizar a la mujer indígena. Por otra parte, la autora contrasta las perspectivas indígena y europea como un subtema para identificar a las indígenas como mujeres auténticas en sus propios términos culturales.

El tercer segmento "La Comandante Ramona a caballo" plantea la pregunta clave en términos de las mujeres indígenas: ¿por qué cruzaron estas mujeres (de una cultura tan machista y tradicional) la frontera entre lo conocido y lo desconocido y violento de la rebelión? Además, se pregunta la autora acerca del papel de la figura de la comandante Ramona en este cambio tan significativo. La autora investiga la pregunta por medio de una serie de intercambios con mujeres, la cual también muestra una clara progresión: la anécdota de la joven en el mercado, la conversación con un grupo de mujeres indígenas, y la entrevista con la profesora europea. La autora termina con el caso de la profesora para enfatizar el poder simbólico de la figura de Ramona, que logra impresionar hasta a una mujer profesionista europea. Para acercarse a una conclusión, la autora propone y examina una serie de hipótesis con respecto al activismo de las indígenas para acercarse a una conclusión (los golpes → Ramona → ¿la mejor opción? → el poder → la emoción).

En el último segmento la autora vuelve al tema de las fronteras para tratarlo de forma más analítica mostrando que los zapatistas se valen de fronteras indefinidas y de la facilidad de la mujer para pasar fronteras sin riesgo como una estrategia fundamental de revolución. Desmiente, sin embargo, la idea de que los hombres zapatistas incluyeron a las mujeres por razones altruistas. Por fin la tesis queda clara, las fronteras borrosas son fáciles de cruzar; facilitan la inclusión de otras perspectivas; no imponer límites fisicos ni conceptuales permite que otros grupos se acerquen a los zapatistas y se identifiquen con ellos.

Actividades de escritura extendida

A. La persona como símbolo

Investigue en detalle el caso de alguna persona verdadera que haya adquirido estatura simbólica o mítica en la consciencia de su pueblo o de la humanidad en general. Escriba un ensayo coherente y bien desarrollado que analice al personaje como símbolo. Trate de definir lo que significa ser un símbolo: significa mucho más que tener fama o gozar de celebridad.

B. La indígena activista

Infórmese bien acerca de la comandante Ramona y Rigoberta Menchú, una mujer indígena guatemalteca ganadora del Premio Nobel por su activismo a favor de los indígenas. Componga una ensayo que desarrolle una tesis mediante el contraste y la comparación de estos casos (y otros que se encuentren).

C. **Los zapatistas y el nuevo paisaje político**

Investigue tanto el levantamiento zapatista como el cambio político que tuvo lugar recientemente en México con la elección de un nuevo presidente que no pertenece al Partido Revolucionario Institucional (PRi). El PRI había gozado del dominio exclusivo del proceso político en México por más de 75 años, desde el fin de la Revolución Mexicana. Escriba un ensayo que explore el efecto del cambio de partido gobernante en la suerte del movimiento zapatista.

Grammatical Appendix

INTRODUCTION

The main purpose of this overview of the Spanish language is to support the language activities in *De Lector a escritor* that relate to composition, as well as give students a quick general reference to the Spanish language as a system in comparison and contrast to English. The general organization of this guide is as follows:

Table of Contents

Table of Contents

A. PRONUNCIATION

1. *Vowels*

Unlike English, each Spanish vowel has one pronunciation (short and crisp), regardless of its position in a word. Compare the vowel sounds in the following Spanish/English pairs: [**banana**/*banana*] and [**monopolio**/*monopoly*].

2. *Consonants*

The Spanish consonants **g**, **h**, **j**, **s**, **z** require special attention because their pronunciations can differ significantly from English. Compare these sets of words: **gesto**/*gesture*, (**Japón**/*Japan*,) **h**o*tel*/*h*o*tel*, **miseria**/*misery*, **z**ona/*z*one.

Spanish does not create mushy sounds out of consonant-vowel combinations: **pasión**/*passion*, **casual**/*casual*, **temperatura**/*temperature*, **computadora**/*computer*.

The **u** in the combinations **qu** and **gu** is not pronounced; its function is to maintain a hard **c** and **g** sound: **quieto** *(calm)*; **guerra** *(war)*. Note, however, that the **ü** is pronounced as a **w**: **vergüenza** [ver-GWEN-sa] *(shame/embarrassment)*.

B. ORTHOGRAPHY

1. *Spelling*

Spanish only permits two double consonants **cc** (**lección**/*lesson*), and **nn** [**innato**/*innate*]. The Spanish **rr** [**carro**/*car*] and **ll** [**llorar**/*to cry*] are distinct letters of the alphabet.

Spanish does not capitalize certain forms:

el lunes/*Monday*, **marzo**/*March*, **español**/*Spanish*, **el señor García**/*Mr. Garcia*, **Los de abajo**/*The Underdogs*.

The vowels **a/o/u** *vs.* **e/i** affect the pronunciation and spelling of preceding consonants **c/g**: **cine** *(cinema)* vs. **carro** *(car)*, and **gitano** *(gypsy)* vs. **gasolina** *(gasoline)*. To conserve a hard **c** and **g**, spelling changes to **qu** and **gu**, respectively as in **tocar** *(touch, play music)* and jugar *(play a game)*: **Toqué la guitarra**. *(I played the guitar)*; **Jugué al tenis**. *(I played tennis)*. The letter **z** only appears before the vowels **a/o/u** in Spanish. It must change to **c** if the following vowel changes, as in the past tense of **comenzar** *(begin):* **Comencé a llorar** *I began to cry.*

2. *Syllables and stress*

The two languages divide words differently. Spanish attempts to begin each syllable with a consonant and the weak vowels **u/i** (unless accented) form a single syllable with a neighboring vowel. All of this is seen in **so-cio-lo-gí-a** *(soc-i-o-lo-gy)*.

Spanish and English stress patterns differ: **generoso**/*ge*nerous. Spanish words ending in a vowel or the consonants **n** or **s** carry natural stress on the *next-to-last* syllable: **hablo** *(I speak)*, **hablas** *(you speak)*, **hablan** *(they* *speak)*. If the word ends in anything else (another consonant), it carries natural stress on the *last* syllable: **hab*lar*** *(to speak)*.

3. *Accent marks*

There are two basic rules for using the written accent. First, if a Spanish word violates one of the natural stress rules above, a written accent is required: **hablé** *(I spoke)*, ends in a vowel; **el fósil** *(fossil)*, ends in a consonant other than **n** or **s**. Secondly, the written accent distinguishes a series of one-syllable words: **el** *(the)* vs. **él** *(he)*; **si** *(if)*, vs. **sí** *(yes)*, etc.

The addition of a syllable to a word affects the written accent according to the word stress rules above: **la nación → las naciones; ¡Coma los vegetales!** *(Eat the vegetables!)* → **¡Cómalos!** *(Eat them!)*

4. *Punctuation*

Although Spanish and English punctuation rules are quite similar, there are major differences involving question/exclamation marks, the comma and marking dialogue.

Most obviously, Spanish questions and exclamations begin with the inverted signs ¿ and ¡, respectively: **¿Adónde fuiste?** *(Where did you go?)*; **¡Qué barbaridad!** *(My god!)*.

In numbers, the period and comma are switched in most countries: Spanish: **5.280,07**; English: **5,280.07**. Unlike English. Spanish puts the period and comma outside of a quotation mark: **"No voy", dijo Juan.** *("I'm not going," said John.)*

Spanish frequently marks dialogue with dashes [—] rather than quotation marks; the dash indicates either a change of speaker or a shift from the dialogue to narration:

—¿Cómo te llamas?—preguntó el joven.	*"What is your name?" asked the young man.*
—Eva—contestó la muchacha.—¿Y tú?	*"Eve," replied the girl. "And you?"*
—Adán.	*"Adam."*

In traditional texts, Spanish indicates hyphenation by underscoring the letter where the line break occurs. Note the punctuation of **después** and *after* in the example below:

Fuimos a comer en McDonald's de̲s pués de la clase de historia.	*We went out to eat at McDonald's after the history class.*

Complementation

A. *GENERAL OVERVIEW*

This section deals with noun forms, noun functions and pronouns.

1. *Noun forms*

The noun features of number and gender are important for making correct agreement with adjectives in the noun phrase.

2. *Noun functions:*

In both Spanish and English, nouns (or noun phrases) have one of the following six functions in an action/event: subject, predicate noun, direct object, indirect object, object of a preposition, or comparative term.

    A key point: Unlike the English present participle (*–ing* form), the Spanish present participle (**–ando/–iendo** form) may not function as a noun: **La pesca es muy divertido**. OR **Pescar es muy divertido**. (*Fishing* is great fun). NOT **Pescando es muy divertido**.]

3. *Pronouns:*

Pronouns are place-holders for nouns. They allow the speaker/writer to maintain reference without repeating the noun. Pronouns can be definite (refer to a specific noun) or indefinite (no specific referent). Important pronoun types include:

    a. *General pronouns* are indefinite pronouns like **alguien** *(someone)*, **nadie** *(nobody)*, etc.

    b. Each noun function (subject, direct object, indirect object, prepositional object, etc.) has a related set of pronouns we will call function-related pronouns.

    c. *Derived pronouns* are formed from other parts of speech and larger noun phrases. English replaces the noun with the pronoun *one* while Spanish deletes the noun: **el carro rojo** → **el rojo** (*the red car* → *the red* one).

B. NOUN FORMS

1. *Number*

    a. *Overview*: English pluralizes any noun by adding *–s*. Spanish adds *–s* to words ending in vowels: **el libro** → **los libros** *(the books)*, and **–es** to words ending in consonants: **el tren** → **los trenes** *(the trains)*. Spanish and English can differ on whether the concept represented by the noun is singular or plural: *las* **vacaciones** *(vacation)*.

    b. *Basic rules of pluralization*: English marks all plural nouns by simply adding *–s*. Spanish uses **–s** or **–es**, depending on the ending of the noun/adjective according to the following rules:

- Words ending in an unstressed vowel add **–s:**
  la casa modesta → **las casas modestas** *(the poor homes)*

- Words ending in a consonant add **–es:**
  universidad estatal → **universidades estatales** *(state universities)*.

- Words ending in stressed **á/í**, traditionally added **–es**, but usage is changing: **rubí → rubíes / rubís** *(rubies)*, **esquí → esquíes / esquís** *(skis)*.

- Nouns ending in unstressed vowel + **s** do NOT add **–es**: **la crisis → las crisis, el virus → los virus, el análisis → los análisis, el paraguas → los paraguas** *(umbrellas)*, **el cumpleaños → los cumpleaños, el lunes → los lunes** [also: **martes, miércoles, jueves, viernes**]

- Some forms derived from Latin have no special plural: **el déficit → los déficit** (deficits), **el ultimátum → los ultimátum** (ultimatums)

- Some Anglicisms tend to conserve English plural **–s** (rather than **–es**): **gángster → gángsters/gángsteres** *(gangsters)*, **récord → récords** *(records)*, **clubs/clubes** *(clubs)*

Note: The plural **–es** adds a syllable to the word and shifts the natural stress point. This means that the plural form may not need a written accent mark, as in **nación → naciones**.

c. *Count vs. non-count nouns*: Both Spanish and English distinguish between nouns that can be counted such as **un libro** *(one book)*, **dos libros** *(two books)*, etc., and others that cannot, for example **el agua, el calor.** However, the languages do not always agree on whether a given concept is count or non-count.

- Spanish treats some concepts as count while English treats them as non-count:

Fui de vacaciones.	*I went on vacation.*
Compramos muchos muebles.	*We bought a lot of furniture.*
Las noticias son malas	*The news is bad.*
El público le dió muchos aplausos.	*The audience gave her lots of applause.*
Está perdiendo las fuerzas.	*He is losing strength.*
Tenemos todos los datos.	*We have all the information/data.*
Me dio buenos consejos.	*He gave me good advice.*
¿Quién hizo las investigaciones?	*Who did the research?*

- Spanish treats some concepts as non-count (singular) *vs.* English count (plural):

Subió la escalera.	*She went up the stairs.*
Me puse el pijama	*I put on my pajamas.*
La gente está harta.	*The people are fed up.*
Esta ropa está fuera de moda.	*These clothes are out of style.*

2. *Gender*

a. *Overview:* All Spanish nouns have gender; they are either masculine or feminine. Adjectives agree (change form) in gender with the noun they modify: **el carro nuevo** *(the new car)* vs. **la casa nueva** *(the new house)*. There are few fairly reliable endings that indicate whether the noun is masculine (**–o, –r,**

–l, –ama, –ema), or feminine (**–a, –d, –ión, –is, –umbre, –z**). Of course, exceptions abound: **la mano** (*hand*), **el día** (*day*), etc. Noun gender and real world gender [sex of the referent] produce interesting situations. Nouns referring to occupations and social roles are changing in gender is as women become established in them: el medico → **el/la médico** → **el médico/la médica** (*male/female doctor*).

b. Gender is generally signaled by the noun ending and/or the article/adjective that accompanies the noun.

- *Generally masculine*: Words ending in **–o, –r, –l, –ama, –ema**: **el carro** (*car*), **el dólar** (*dollar*), **el canal** (*canal, channel*), **el programa** (*program*), **el problema** (*problem*). But there are always exceptions like: **la mano** (*hand*), **la modelo** (*fashion model*), **la sal** (*salt*), etc.

- *Generally feminine:* Words ending in **–a, –d, –ión, –is, –umbre, –z**: **la banana** (*banana*), **la salud** (*health*), **la nación** (*nation*), **la tensión** (*tension*), **la crisis** (*crisis*), **la lumbre** (*light*), **la luz** (*light*). *Exceptions*: **el ataúd** (*coffin*), **el camión** (*truck*), **el pez** (live *fish*).

- *False masculine*: A number of short words beginning with a stressed **a** carry the masculine singular definite article, but are actually feminine in gender and take a feminine pronoun in all other cases: **el agua/las aguas** (*water/s*), **el alma/un alma/las almas/aquellas almas** (*soul/s*), **el águila/una águila/las águilas/esa águila** (*eagle/s*).

c. *Real world gender*: When the noun refers to male and female animals or people, there are several possibilities.

- The male/female distinction can be represented by different words: **hombre/mujer** (*man/woman*), **marido/mujer** (*husband/wife*), **yerno/nuera** (*son/daughter-in-law*).

- The same base noun can change its ending to signal gender: **niño/niña** (*boy/girl*), **doctor/doctora** (*male/female doctor*), **español/española** (*Spaniard*), **gato/gata** (*male/female cat*), **gallo/gallina** (*rooster/hen*), **tigre/tigresa** (*tiger/tigress*).

- The article/adjective marks gender, but there is no change in the noun form: **el/la modelo** (*male/female model*), **el/la testigo** (*witness*), **el/la miembro** (*member*), **el/la artista** (*artist*), **el/la idiota** (*idiot*). Some nouns of this class are undergoing change as women become more common in traditionally male roles. For examples, **el/la médico** (*male/female doctor*), **el/la abogado** (*lawyer*), **el/la presidente** (*president*) now permit **el médico/la médica**, **el abogado/la abogada**, **el presidente/la presidenta**, respectively.

- In the last case, the noun has fixed gender regardless of sex of referent: **Jorge es *una persona* interesantísima (interasantísima)** (*George is a very interesting person*).

C. NOUN FUNCTIONS

In both Spanish and English, nouns (or noun phrases) have one of the following six functions in an action/event: subject, predicate noun, direct object, indirect object, object of a preposition, or comparative term.

1. *Subject: Mi padre* **trabaja en una oficina**. My father *works in an office.*

In many cases the subject is clearly the doer of the action: **Mi padre escribió una carta**. (*My father wrote a letter.*) But not always; it can also be the receiver of the action: **Mi padre recibió una carta**. (*My father received a letter.*)

Unlike English, the Spanish subject may follow the verb, but the focus of meaning changes:

Dos hombres se fueron. (*Two men* left.) [What happened? Focus on action]
Se fueron dos hombres. (*Two men left.*) [Who left? Focus on subject]

English always requires the subject position to be filled. The subject is omitted in Spanish sentences whenever the context is clear, because the verb ending maintains reference: **Saben la verdad.** (They *know the truth.*) And there are subjectless sentences in Spanish: **Llueve.** (It *is raining.*)

2. *Predicate noun:* **El hombre alto es** *mi padre*. *The tall man is* my father.

The predicate noun follows the verb **ser** (*be*) and serves to identify or classify the subject. English predicate noun sentences, the verb *to be* always agrees with the subject.

In Spanish predicate noun sentences, the verb **ser** agrees with the plural noun form **El problema son los exámenes.** (*The problem is the tests.*); **Los exámenes son el problema.** (*The tests are the problem.*)

3. *Direct Object:* **Buscamos a** *mi padre*.
We are seeking (looking for) my father.

The direct object is typically the noun that receives the action of the verb. Unlike English, human direct objects require connector called the personal **a**, as in the example above. Compare with: **Buscamos un restaurante.** (*We are looking for a restaurant.*)

4. *Indirect Object:* **Dimos un libro a** *mi padre*.
We gave a book to my father.

The English indirect object is identified by sentence pairs (*I wrote the letter* to Susan./*I wrote Susan a letter; I baked a cake* for Susan/*I baked Susan a cake.*) The English indirect object is almost always the receiver (of the direct object) or beneficiary (of what happens to the direct object); that is, the person to whom or for whom the direct object is affected.

The Spanish indirect object is identified by the presence of an indirect object pronoun and/or the **a + noun phrase,** and it has several possible meanings:

Receiver:	**Le escribimos una carta *a Jorge*.**	*We wrote a letter* to George.
Source/loser:	**Le robaron $100 *a Jorge*.**	*They stole $100* from George.
Beneficiary:	**Le lavaron el carro *a Jorge*.**	*They washed the car* for George. *They washed* George's *car.*
Victim:	**Le destruyeron el jardín *a Jorge*.**	*They wrecked the garden* on George. *They wrecked* George's *garden.*

5. *Prepositional object:* Hablé con *mi padre*. *I talked with* my father.

In both Spanish and English, any noun other than the subject, predicate noun and direct object must be introduced by a preposition, as **con** (*with*) in the example above. A preposition is a word that is pre-posed (put in front of) the noun and gives information about the role of the additional noun in the action or event. The noun is called an oblique object or object of the preposition.

6. *Comparative term:* Soy más alto que *mi padre*.
I am taller than my father.

Noun (phrases) used in comparative expressions are called comparative terms. There are comparisons of equality [**tan…(adj/adv)…como** *(as…(adj/adv)…as)*] and comparisons of inequality [**más/menos…(adj/adv)…que** *(more/less…(adj/adv)…than*]. Other examples:

No soy tan gordo como *mi padre*.   = *I'm not as fat as* my father.
Yo soy menos trabajador que *mi padre*. = *I am less hard-working than* my father.

7. *The infinitive as a noun*

It is important to recognize noun functions, because the function of the noun in a sentence determines what can replace it. For example, the English the present participle (*–ing* form) can function as a noun. The Spanish present participle (**–ando/–iendo** form) may not. A specific noun, or the Spanish infinitive is required.

Fishing *is great fun.* = **La pesca es muy divertido. *Pescar* es muy divertido.**
                    NOT: **Pesca*ndo* es muy divertido.**

Furthermore, specific sets of pronouns replace a noun according to its function in the sentence. See next section.

D. PRONOUNS

1. *Overview*

Pronouns are forms that replace (or hold the place of) nouns. They allow the speaker/writer to maintain reference without repeating the noun. Pronouns can be definite (refer to a specific noun) or indefinite (no specific referent). We will take a more detailed look at each of the following pronoun types:

a. *Function-related pronouns*:

These pronouns change form according to the function of the noun they replace. Function-related pronouns are always definite (refer to definite things). English pronouns only distinguish subjects *(he/him)* from objects (in general). Spanish pronouns distinguish subjects and several kinds of object: **él** = *he* (subject), **lo** = *him* (direct object), **le** = *to/for him* (indirect object) etc.

Reflexive pronouns are a special set of function-related pronouns. The basc function of the refelxive pronoun is that the subject is acting on itself as an object: **Sara *se* cortó**. (*Sarah cut* herself.) However, the third person reflexive pronoun **se** is a form that disguises a number of different phenomena.

b. *General pronouns*:

These pronouns have the same form regardless of their function in a sentence. They are indefinite in reference, and may be negative or interrogative as well. A few examples are: **algo** *(something)*, **nada** *(nothing)*, **alguien** *(someone)*, **nadie** *(nobody)*, **¿quién?** *(who)*.

c. *Derived pronouns*:

These are pronouns formed from other parts of speech. For example, Spanish demonstrative and possessive pronouns are derived from demonstrative and possessive adjective phrases: **Quiero *este libro***. (*I want this book*) → **Quiero *éste***. (*I want* this one.); ***El carro mío* es nuevo**. (My car *is new.*) → ***El mío* es nuevo**. (Mine *is new.*)

You can see that English pronominalizes phrases by replacing the noun with the pronoun *one*; Spanish does so by deleting the noun. Another example: **la casa grande** *(the big house)* → **la grande** *(the big one)*.

d. *The pronoun* **lo**:

This is an indefinite pronoun that has a number of functions. It refers to concepts or situations that cannot be named with a specific noun. It makes indefinite pronoun expressions out of adjectives: **lo importante** *(the important thing)*. **Lo** can replace anything that follows **ser** or **estar: ¿Estás enfermo?** *(Are you sick?)* → **Sí, lo estoy**. *(Yes, I am [it])*.

2. *Function-related pronouns*

The function-related pronouns change form according to the function of the noun they replace. English only has only two sets: subjects *(I/you/he/she/it/we/they)* and objects *(me/you/him/her/it/us/them)*. Spanish distinguishes subjects and several types of object as well.

a. *General chart*

We will discuss function-related pronouns in the order they appear on the summary chart below:

b. *Subject pronouns* **yo, tú, Ud., él, ella, nosotros, vosotros, Uds., ellos, ellas**

Subject	Comparative Term	Prepositional Obj.	Predic.	D.O.	I.O.	Reflex.
yo	que yo	de mí	lo	me	me	me
tú	que tú	para ti	lo	te	te	te
Ud./él/ella	que Ud./el/élla	con Ud./él/ella	lo	lo/la	le	se
nosotros	como nosotros	a nosotros	lo	nos	nos	nos
vosotros	como vosotros	sin vosotros	lo	os	os	os
Uds./ellos/ellas	como Uds/ellos/ellas	de Uds/ellos/ellas	lo	los/las	les	se

Spanish subject pronouns, also called personal pronouns in Spanish, are generally used only to refer to human subjects. So, for example, **él/ella/ellos/ellas** can only mean *he/she/they* (human), not *it/they* (non-human). English requires all sentences to have a subject noun or pronoun. Spanish does not. Subject pronouns are only used for *clarity, emphasis, contrast*: **¿Los dos vienen? No, *él* viene pero *ella* no.** (*Both are coming? No,* he *is, but* she *isn't.*)

There is no subject *It* in Spanish: **Llueve.** (*It is raining.*) NOT something like ~~**Lo llueve.**~~

c. *Comparative pronouns:* **yo, tú, Ud., él, ella, nosotros, vosotros, Uds., ellos, ellas**

These are identical to the subject pronouns because they are actually the subjects of abbreviated sentences. **Soy más inteligente que *él*** (*I am more intelligent than* he/him.) Note that English usage varies (*he or him*) depending on register.

Like subject pronouns, they generally refer only to human subjects. **Allí está mi casa. Los arboles son mas altos que la casa.** (NOT ~~son más altos que ella~~). (*There is my house. The trees are taller than it*).

d. *Prepositional pronouns:* **mí, tí, Ud., él, ella, nosotros, vosotros, Uds., ellos, ellas, sí**

This set is identical to the subject pronoun set, except for 1st and 2nd person singular forms **mí/ti** and the reflexive form **sí**. However, the pronouns **yo/tú** are used after the prepositions **entre** (*between, among*), **según** (*according to*), **excepto/menos/salvo** (*except*).

There are special forms with **con: conmigo, contigo, consigo. Quiero bailar contigo.** (*I want to dance with you.*); **Pedro no trajo su dinero consigo.** (*Peter didn't bring his money with him.*)

Unlike subject pronouns, **él/ella/ellos/ellas** can freely refer to non-human things: **Veo un árbol; hay un venado detrás de él.** (*I see a tree; there is a deer behind* it). **Tengo una chaqueta, pero dejé la casa sin *ella*.** (*I have a jacket, but I left home without* it).

e. *Predicate pronoun* **lo**

The noun objects or adjective/adverb phrases that follow the linking verbs **ser** *(to be)* and **estar** *(to be)* are called predicate nouns/adjectives/adverbs. They behave in a special way in Spanish. Important here is that any predicate phrase is replaceable by the fixed pronoun **lo**. This form does not change to reflect gender or number.

—**Carmen es la nueva doctora, ¿verdad?**	*Carmen is the new doctor, right?*
—**Sí, lo es.** (NOT ~~Sí, es~~)	*Yes, she is.*
—**¿Son estudiantes esos jóvenes?**	*Are those young people students?*
—**No, no lo son.** (NOT ~~No, no son.~~)	*No, they aren't (students).*
—**¿Está *enferma* Luisa?**	*Is Louise sick?*
—**Sí, *lo* está.** (NOT ~~Sí, está~~)	*Yes, she is (it = sick),*
—**¿Están listos Uds.?**	*Are you (all) ready?*
—**No, no lo estamos.**	*No, we aren't (ready).*
(NOT ~~No, no estamos.~~)	

f. *Direct object pronouns* **me, te, lo, la, nos, os, los, las**

The 3rd person pronouns **lo/la/los/las** can also mean you formal (the direct object counterpart of **usted/Ud.**) **La vi ayer.** (*I saw it/her/you [fem.] yesterday.*)

The direct object pronoun replaces the direct object noun, so use either the direct object pronoun or full phrase, but not both in most cases: **Vi a *María*.** (*I saw Mary.*) OR ***La* vi.** (*I saw her.*) The forms **La vi a María,** OR **La vi a ella,** would be used only when special stress is needed. Use direct object pronouns, NOT ***a*-**phrases with prepositional pronouns: **Pedro *la* vio.** (*Peter saw* her) NOT ~~Pedro vio a ella.~~

Lo is also used as an indefinite direct object to refer to abstract ideas or preceding statements: (**Carlos miente y todos *lo* sabemos.** (Carlos is lying and we all know it). In this example, *It* refers to the clause *Carlos is lying.*

g. *Indirect object pronouns* **me, te, le, nos, os, les**

The 3rd person pronouns **le/les** can also mean you formal (the indirect object counterpart of **usted/Ud.**): **Le escribí ayer.** (*I wrote to him/her/you yesterday.*)

Note that the indirect object does not distinguish gender: **le** = *to/for him/her*. Unlike the direct object, the indirect object pronoun does not necessarily replace the noun phrase; that is, indirect object pronouns and ***a*-**phrases can appear together.

The indirect object pronoun is generally used redundantly, although it may sound repetitive: (**Nosotros *le* escribimos (*a Carlos*) ayer.** (*We wrote to him [to Carlos] yesterday)* NOT ~~Nostros escribimos a Carlos ayer.~~ (without **le**).

h. *Direct and indirect object pronouns together*

When two object pronouns appear with a verb, the indirect object pronoun is placed first:

Me regalaron los gemelos. → **Me los regalaron**.

They gave me the cufflinks. → *They gave them to me.*

[Literally: To me they gave the cufflinks] *[Literally: to me them they gave]*

Indirect object pronouns **le/les** → **se** before the direct object pronouns **lo/la/los/las**:

Enviamos el paquete → **Le enviamos el paquete** → **Se lo enviamos**.
a Ana.

We sent the package → *We sent the package* → *We sent it to her.*
to Ann. *to her*
[Lit.: to her we sent the pkg.] *[Lit.: to her it we sent]*

i. *Reflexive pronouns*

The set is: **me, te, se, nos, os, se, sí** [after preposition]

The reflexive pronoun has a number of functions. One result is that, particularly the 3rd person **se**, can be very ambiguous. It is important to recognize these functions. The following breakdown of the various functions should help some:

- *False reflexive **se***: The indirect object pronouns **le/les** change to **se** before the direct object pronouns **lo/la/los/las:** *Le* **vendí la casa a Marta.** → *Se* **la vendí**. (*I sold the house to Martha.* → *I sold it* to her.) This is *not* the reflexive **se**.

- *The reciprocal reflexive*: The plural reflexive pronouns **se/nos** express the reciprocal action notions: one another / each other: *Se* **ven todos los días.** (*They see* one another *every day.*); *Nos* **escribimos cada semana.** (*We write* to each other *each week.*)

- *The true object reflexive*: These are cases in which the subjects acts upon itself as an object. The true object reflexive may be a direct, indirect, or object of a preposition. It translates with the English term –self:

Direct object:	**Pedro *se* cortó con el cuchillo.**	*Pete cut* himself *with the knife.*
Indirect object:	**Pedro *se* hablaba a *sí mismo*.**	*Pete was talking* to himself.
Prepositional object:	**Pedro estaba fuera de *sí*.**	*Pete was outside/beside himself. (i.e. going crazy)*

- *The weak object reflexive* (the authors' term): Unlike English, many Spanish verbs are purely transitive; that is they require direct objects. These same verbs can be used intransitively (without a direct object) if they are reflexivized. Observe the verb **cerrar** (*to close*) in this example: **Yo cerré la puerta.** (*I closed the door.*) (transitive) *vs.* **La puerta *se* cerró.** (*The door closed*) (intransitive). If we simply eliminate the direct object, the sentence is incomplete: ~~**La puerta cerró.**~~ (*The door closed*).

- *The impersonal se*: The pronoun **se** is frequently used as an indefinite human subject as in these examples: *Se trabaja mucho en esta fábrica.* (*One works a lot at this factory, or They work a lot at this factory.*); *Se venden periódicos en la esquina.* (*They sell newspapers at the corner, or Newspapers are sold at the corner.*)

3. *General pronouns*

General pronouns, for the most part are indefinite in nature; they are used when there is no specific item/indiviual to refer to.

The common ones are: **qué** (*what*), **quién** (*who*), **algo** (*something*), **alguien** (*someone*), **nada** (*nothing*), **nadie** (*nobody/no one*), **todo el mundo** (*everybody/everyone*), **cualquiera** (*anything/anyone at all*), **ello** (it *referring to a preceding idea/situation in the context*).

General pronouns have the same form in any noun position:

Subject:	**Alguien está a la puerta.**	Someone *is at the door.*
Dir.Obj:	**¿Conoces a *alguien* aquí?**	*Do you know* someone *here?*
Ind.Obj:	**María escribe a *alguien*.**	*Mary is writing to* someone.
Obj. of Prep:	**¿Bailaste con *alguien*?**	*Did you dance with* someone?
Pred Noun:	**Ese hombre es *alguien* famoso.**	*That man is* someone *famous.*
Comp.Term:	**Sé más que *alguien* que conocemos.**	*I know more than* someone *we know.*

4. *Derived pronouns*

Pronominalization is a process that changes other parts of speech (nouns, adjectives, etc) into pronouns. English pronominalizes noun phrases by replacing the noun with the pronoun *one(s)*. Spanish does the same thing by deleting the noun.

   a. *Demonstrative adjectives* → *Demonstrative pronouns*

Adjective	**Pronoun**
Te gusta *esta* silla?	**No, no me gusta *ésta*.** [silla is deleted]
Do you like this *chair?*	*No, I don't like* this one. [*one* replaces chair]
Prefiero *esa/aquella* silla.	**Prefiero *ésa/aquélla*.**
I prefer that chair.	*I prefer* that one [nearer] / that one [farther].

Demonstrative pronouns are identical to the demostrative adjectives except they carry an accent mark. Indefinite demonstrative pronouns do *not* carry an accent:

	Near Speaker	Near Listener	Remote
Masculine:	**éste/éstos**	**ése/ésos**	**aquél/aquéllos**
Feminine:	**ésta/éstas**	**ésa/ésas**	**aquélla/aquéllas**
Indefinite:	**esto**	**eso**	**aquello**

Do not confuse masculine/indefinite forms: **éste/esto**, **ése/eso** and **aquél/aquello**.

b. *Possessive adjectives* → *Possessive pronouns*

Short possessive adjective	*Long possessive adjective*	*Possessive pronoun*
Éste no es *mi carro*.	**El carro *mío* está allí.**	**El *mío* está allí.**
This (one) is not my car.	My car *is over there.*	Mine is *over there.*
Ésas no son *tus llaves*.	**Las llaves *tuyas* están aquí.**	**Las *tuyas* están aquí.**
Those aren't your keys	Your keys *are right here.*	Yours *are here.*

Note indefinite: **Lo mío es mío**. *What's mine* is mine.

c. *Adjectives, prepositional phrases, adjective clauses* → *Pronominal structures*

El carro rojo es elegante.	**El rojo es elegante.**
The red car is elegant.	*The red one (= car) is elegant.*
La fiesta de ayer fue muy divertida.	**La de ayer fue muy divertida.**
Yesterdays party was fun.	*Yesterday"s (= party) was fun.*
El examen que pasaste fue fácil.	**El que pasaste fue fácil.**
The test you passed was easy.	*The one (= test) your passed was easy.*

5. *The pronoun lo*

a. Used to refer to a previous sentence, concept, vague idea.

Mauricio me contó que le duele el estómago, pero no *lo* creo.
Maurice told me that his stomach hurts him, but I don't believe it.
Mucho le pasó durante el viaje y me *lo* contó todo.
A lot happened to him during the trip and he told it all to me.

b. *Indefinite adjective*

Lo curioso es que no nieva mucho.	The strange thing *is that it doesn't snow much.*
Lo bueno es que ganamos.	The good thing *is that we won.*
No fue *lo único* que pasó.	It was *not* the only thing *that happened.*

c. *Indefinite prepositional phrase*

Mis padres hacen *lo de siempre*.	*My parents are doing* what they always do.
No me gustó *lo de ayer*.	*I don't like* what happened yesterday.
Eso es *lo de ellos*.	*That is* their business/affair.

d. *Indefinite clause*

Lo que hiciste fue malo.	What you did *was bad.*
No creo *lo que dijeron*.	*I don't believe* what they said.
Lo que hacen es asunto de ellos.	What *they do is their business.*

e. Pronominalizes a predicate noun/adjective/adverb (following **ser/estar**):

—**¿Está *enferma* Luisa?**   *Is Louise sick?*
—**Sí, *lo* está.**   *Yes, she is.*

Antonio está *de mal genio* hoy, y *lo* ha estado toda la semana.
Tony is in a bad mood today, and has been all week.

—**¿Quién es la nueva asistenta?**   *Who is the new assistant?*
—**Yo *lo* soy.**   *I am.*

    f. *Abstract amounts*

Alberto compró más *de* diez camisas.   *Albert bought more than ten shirts.*

Alberto compró más de *lo que* yo pensaba.   *Albert bought more than I thought.*

    g. *Superlative expressions*

Entreguen las tareas *lo más pronto posible*.   *Hand in homework as soon as possible.*

Él tiró la piedra *lo más lejos que pudo*.   *He threw the rock as far as he could.*

    h. Expressing *how + adjective*

No sabía *lo mucho* que la quería.   *I didn't know how much he loved her.*

Con *lo poco* que trabajas, tendrás poco éxito.   *With the little that you work, you will never succeed.*

Predicates

A. BASIC VERB FORMS

There are three basic forms of the verb, the infinitive, the present participle and the past participle. Each one has a variety of uses.

1. *The infinitive*

The infinitive is is the basic or dictionary form of the verb ending in **–ar**, **–er**, **–ir**. With a helping verb, the infinitive can serve as the main verb of a sentence or clause. It frequently functions like a noun; that is, it can act as subject, direct object, etc. of another verb.

2. *The present participle*

The present participle form is idendtified by the **–ando/ –iendo** ending. It is primarily used with helping verb **estar** to form the progressive tense, which expresses an action in progress: **Estamos com*iendo*.** (*We are eat*ing.) It can also function like an adverb to modify a verb: **Salieron corr*iendo***. (*They left runn*ing), which answers the question How did they leave?

Students overuse the present participle because of its rough, but deceiving, correspondence to the English present participle –ing. Unlike the –ing form, Spanish **–ando/–iendo** form cannot function as a noun: **(El) correr es bueno para la salud**. (*Running is good for your health*). NOT ~~Corriendo es bueno para la salud.~~ Neither can it form adjectival phrases that modify nouns: **el hombre que está corriendo por la calle** (*the man running down the street*), NOT ~~el hombre corriendo por la calle.~~

3. *The past participle*

The past participle is identified by the **–ado/ –ido** verb ending, but there are a number of irregular past participles. It is used with the helping verb **haber** to form the compound perfect tense: **Hemos comido** (*We have eaten*). It is also frequently used as an adjective: **Eso es pan comido** (*That is really easy*) [literally: *That is eaten bread*]. It corresponds to to English –ed/–en forms.

Students can confuse the use of the past participle and the preterite: **Yo *viví* en España**. (*I lived in Spain.*) *vs.* **Yo he *vivido* en España**. (*I have lived in Spain*).

4. *Changing verb form*

Two ways of changing verb forms are by conjugating the verb (changing its ending) or by adding a helping verb. Spanish prefers the former method, English the latter. Verb forms are changed to give information about person, tense, aspect, mood and voice. The next sections discusses each of these concepts in turn.

B. *PERSON*

1. The Spanish verb ending indicates the person or subject of verb. This permits Spanish to omit the subject in sentences. The first person refers to the speaker; 2nd. person refers to the listener or the person spoken to, and 3rd person refers to the person/thing spoken about.

2. The English verb to be is the only verb that really conjugates to indicate person (*I* am, *You* are, *He* is, ...). Other English verbs change form only to indicate 3rd person singular subjects (*I travel, you travel, he travel**s**, we travel, they travel*) and then only in the present tense (*I/you/he/we/they travel*led). As a result, English cannot omit the subject noun/pronoun in sentences.

3. Spanish verbs change to indicate person and distinguish between singular and plural subjects in all tenses.

1st person (speaker):	**yo viaj*o*** (*I travel*)	**nosotros viaj*amos*** (*we travel*)
2nd person (spoken to):	**tú viaj*as*** (*you travel*)	**vosotros viaj*áis*** (*you all travel*)
	usted viaj*a* (*you travel*)	**ustedes viaj*an*** (*you travel*)
3rd. person (spoken about):	**ella viaj*a*** (*she travels*)	**ellos viaj*an*** (*they travel*)

Unlike English, Spanish 2nd person verbs distinguish formal (**usted/ustedes**) and informal (**tú/vosotros**) forms of address. The **vosotros** form is used only in Spain. However, in some areas of Latin America (Argentina, for example) a related **vos** verb form is used instead of or along with the **tú** form in informal address: **Vos tenés muchos amigos**. (*You have many friends*).

4. Note that the 2nd person **usted/ustedes** uses a 3rd person verb form. This is not as strange as it appears. **Usted** derives from old Spanish honorific **vuestra merced** (*Your mercy/grace*) and is still abbreviated **Vd(s)** in older texts. **Vuestra merced** addresses the honored person indirectly (in 3rd person) through the title to show respect. English does the same thing in certain instances. Compare the following sentences:

Judge, you know my client is innocent.   [direct address]
Your Honor knows my client is innocent.   [indirect 3rd person form to address titled person.]

C. *TENSE*

The verb form indicates the time frame of the event. Events take place in one of three time frames: the present, the past or the future. The simple tense forms are given below.

1. *The simple tense forms*

a. *The present tense*

Regular **–ar**:   **hablar** (*talk, speak*) →   **hablo, hablas, habla, hablamos, hablais, hablan**

Regular **–er**:   **comer** (*eat*)   → **como, comes, come, comemos, comeis, comen**

Regular **–ir**:   **vivir** (*live*)   → **vivo, vives, vive, vivimos, vivís, viven**

o →ue: **poder** (*be able*)   → **puedo, puedes, puede, podemos, podéis, pueden**

e →ie: **pensar** (*think*)   → **pienso, piensas, piensa, pensamos, pensáis, piensan**

e →i: **pedir** (*ask for*)   → **pido, pides, pide, pedimos, pedís, piden**

b. *The past tense: Imperfect*

Regular **–ar**:   **llorar** *(cry)*   →**lloraba, llorabas, lloraba, llorábamos, llorábais, lloraban**

Regular **–er/–ir**: **vender** *(sell)*   → **vendía, vendías, vendía, vendíamos, vendíais, vendían**

Irregulars: **ser** *(be)*   → **eras, era, éramos, érais, eran**

               ir *(go)*   → **iba, ibas, iba, íbamos, íbais, iban**

               ver *(see)*   → **veía, veías, veía, veíamos, veíais, veían**

c. *The past tense: Preterite*

Regular **–ar**:	**bailar** *(dance)*	→	**bailé, bail***aste*, **bailó, bail***amos*, **bail***ásteis*, **bail***aron*
Regular **–er/ir**:	**comer** *(eat)*	→	**comí, com***iste*, **comió, com***imos*, **com***isteis*, comieron
Stem **e → i**:	**pedir** *(ask for)*	→	**pedí, pediste, p***i***dió, pedimos, pedisteis, p***i***dieron**
Stem **o → u**:	**dormir** *(sleep)*	→	**dormí, dormiste, d***u***rmió, dormimos, dormisteis, d***u***rmieron**
Root **u**:	**poder** *(be able)*	→	**pude, pudiste, pudo, pudimos, pudisteis, pudieron**
Root **–j–**:	**decir** *(say/tell)*	→	**dije, dijiste, dijo, dijimos, dijisteis, dijeron**
Irregulars:	**ser/ir** *(be/go)*	→	**fui, fuiste, fue, fuimos, fuisteis, fueron**
	dar *(give)*	→	**di, diste, dio, dimos, disteis, dieron**

d. *The future tense*

Same endings added to all infinitive classes

Infinitive base:	**dar** *(give)*	→	**daré, darás, dará, dar***emos*, **dar***éis*, **dar***án*
Vowel loss:	**saber** *(know)*	→	**sabré, sabrás, sabrá, sabremos, sabréis, sabrán**
Added **–d –**:	**salir** *(leave)*	→	**saldre, saldrás, saldrá, saldremos, saldréis, saldrán**
Irregular:	**hacer** *(make/do)*	→	**haré, harás, hará, haremos, haréis, harán**
	decir *(say/tell)*	→	**diré, dirás, dirá, diremos, direis, dirán**

2. *Representing tense*

Actually, each tense (present, past, future) is represented by a number of different verb forms. The variations in verb form indicate different perspectives on the action or event. These perspectives are called aspect. Aspect will be discussed in the next section. Some examples:

a. *Present*

Antonio trabaja mucho.	*Tony works/*is working *a lot.*	[simple present[
Antonio *está trabajando* ahora	*Tony is working now.*	[present progressive]

b. *Past*

Antonio trabajó ayer.	*Tony work*ed *yesterday.*	[preterite]
Antonio *estába trabajando* duro.	*Tony was working work hard.*	[past progressive]

Antonio trabaj*aba* duro.	*Tony* was working *hard.*	[imperfect]
	Tony used to work *hard.*	[imperfect]
Él *ha trabajado* todos los días.	*He* has worked *everyday.*	[present perfect]
Él *había trabajado* duro de niño.	*He* had worked *hard as a child.*	[past perfect]

c. *Future*

Antonio lleg*a* mañana.	*Tony* arrives *tomorrow.*	[present]
	Tony is arriving *tomorrow.*	[present]
Él lleg*ará* por avión.	*He* will *arrive by plane.*	[future]
***Va a* llegar a las once.**	*He* is going to *arrive at eleven.*	[**ir** + **a** + infinitive]

d. *Some notes*:

- The simple present tense form can refer to the future in both English and Spanish.
  Viaj*amos* a España en año entrante.   *We* travel *to Spain next year.*

- Unlike English, the progressive form cannot be used to refer to the future.
  ~~**Estoy trabajando mañana.**~~   *I am working tomorrow.*

- The Spanish progressive generally implies immediacy and refers to actions taking place at the moment of speaking:
  Estamos mirando la televisión (en este momento)   *We are watching TV (right now).*

D. ASPECT

1. *Overview*

The verb form can indicate whether the action of the verb is viewed or reported as completed (perfect aspect) or incomplete (imperfect aspect).

a. *Imperfect aspect*: Events can be viewed as incomplete in two different senses:

- The action/event is reported as regularly-repeated, customary, or habitual:

Paco *sale* mucho a fiestas.	*Frank* goes *out to parties a lot.*	[present]
Paco *salía* de noche.	*Frank* used to go *out a lot at night.*	[imperfect]
	Frank would go *out a lot at night.*	[imperfect]

- The action/event is reported as on-going or in progress at a moment:

Carmen *mira* la televisión.	*Carmen* is watching *TV.*	[present)

Carmen *miraba* la televisión.	*Carmen* was watching *TV.*	[imperfect]
Ana *está esperando*.	*Anne* is waiting.	[present progressive]
Ana *estaba esperando*.	*Anne* was waiting.	[past progressive]

Notice that, in Spanish, the simple present or simple imperfect forms can convey both meanings of the imperfect. English requires different verb forms for the two senses of imperfect aspect. The progressive verb form *(is watching / was waiting)* is required to express the on-going aspect.

b. *Perfect aspect*: Events can also be reported as completed in two basic ways:

• The event is viewed as simply completed.

Colón llega a las Américas en 1492.	*Columbus arrives in America in 1492.*	[historical present]
Paco escribió la carta.	*Frank* wrote *the letter.*	[preterite]

• The event can be viewed as completed by a moment in the past, present or future.

Paco *ha escrito* la carta.	*Frank* has written *the letter.*	[present perfect]
Paco *había escrito* la carta.	*Frank* had written *the letter.*	[past perfect]
Paco *habrá escrito* la carta.	*Frank* will have written *the letter.*	[future perfect]

2. *Preterite vs. imperfect and verbs that change meaning*

a. *Basic comparisons*

Preterite	**Imperfect**
Single act [completed]	*Habit/customary action [used to/ would do]*
Fui al centro ayer.	**De joven iba al centro.**
I went downtown yesterday.	*As a youth, I used to go downtown.*
	As a youth, I would go downtown.
Pedro comió una manzana.	**Pedro siempre comía manzanas.**
Peter ate an apple.	*Peter always used to eat apples.*
	Peter would always eat apples.
Series of single acts [completed]	*Event in progress [was doing]*
Fui a casa y recibí una llamada.	**Caminaba por mi casa cuando vi el accidente.**
I went home and got a call.	*I was walking around my house when I saw the accident.*

Event contained in time frame	Situation/circumstance
Viajé mucho el año pasado. (ya no)	**Hacía sol cuando llegué.**
I travelled a lot last year.	*It was sunny when I arrived.*
Trabajé todos los días el mes pasado.	**Entonces tenía quince años.**
I worked every day last month.	*I was fifteen then.*

Some notes

To decide between preterite and imperfect in past time narration, it sometimes helps to ask whether the verb reflects an action or event (preterite), or a situation/circumstance/state of affairs (imperfect).

The English forms *used to do*, *would do*, *was/were doing* correspond pretty closely to the Spanish imperfect. Although the Spanish preterite frequently corresponds to the English –ed ending, this is not always the case. English –ed can also mark imperfect actions, particularly in the case of stative verbs (verbs that represent states rather than actions).

Yo quería ir al cine.	*I wanted to go to the movies.*
Entonces vivíamos en Chile.	At that time we lived in Chile.

b. *Preterite vs. imperfect:* Verbs that change meaning

The preterite and imperfect can affect the meaning/translation of certain verbs markedly.

Verb	*Preterite* *[Act completed/attempted]*	*Imperfect* *[State or potential]*
conocer	**Conocimos a Elena ayer.** *We met Elena yesterday.*	**Conocíamos a Elena ya.** *We knew Elena already.*
saber	Supimos **la verdad.** *We found out the truth.*	**Sabíamos la verdad ya.** *We knew the truth already.*
tener	María **tuvo una idea.** *Mary got an idea.*	**María tenía una idea.** *Mary had (possessed) an idea.*
poder	**Pudieron hacerlo.** *They managed to do it.* *[succeeded in doing it]*	**Podían hacerlo.** *They were capable of doing it.* *[may have done nothing]*
querer	**Quisimos abrir la ventana.** *We tried/attempted to* *open the window.* **No quise estudiar.** *I refused to study.*	**Queríamos abrir la ventana.** *We wanted to open the window.* *[but may have done nothing]* **No quería estudiar.** *I didn't want to study.* *[but may have studied anyway]*

The preterite form implies an act or at least an attempt to act in each of the cases above.

The imperfect implies noting more than a state of affairs or an intention.

3. **The progressive form**

a. *Form:* The progressive is formed with the auxiliary verb **estar** + *the present participle* of the main verb (the **–ando/–iendo** form). There some irregular present participle forms:

- **e → i**: pedir *(ask/request)* **pidiendo**, sugerir (suggest) **sugiriendo**, sentir *(feel/regret)* **sintiendo**, repetir *(repeat)* **repitiendo**, venir *(come)* **viniendo**, seguir *(follow/continue)* **siguiendo**, mentir *(lie)* **mintiendo**, preferir *(prefer)* **prefiriendo**, referir *(refer)* **refiriendo**, divertirse *(have a good time)* **divirtiéndose.**

- **o → u**: poder *(to be able to)* **pudiendo**, morir *(to die)* **muriendo**, dormir *(to sleep)* **durmiendo.**

- A spelling change of **i → y** is required in some verbs to avoid three vowels in a row: **leer** *(read)* → **le+iendo→ leyendo.** Also: **creer** *(believe)*, **traer** *(to bring).*

b. *Tense:* This progressive form can occur in any tense (time frame):

Past progressive	**(Yo) estaba escribiendo una carta.**	*I was writing a letter.*
Present progressive:	**Estoy pensando en mi novia.**	*I am thinking about my girlfriend.*
Future progressive:	**Estaremos esperando tu carta.**	*We will be awaiting your letter.*

c. *Meaning:* The progressive form refers to actions/events viewed as ongoing or in progress at a particular moment, and is more resticted to the moment than the English progressive:

- In Spanish, the progressive is seldom used with the verbs **ir, venir, tener, ser, estar.**

We are going to the movies.   **Vamos al cine.** (NOT: ~~Estamos yendo al cine.~~)

- The progressive in Spanish cannot have future reference:

We are having a party tomorrow.   ~~Estamos teniendo una fiesta mañana.~~
Tenemos una fiesta mañana.
Tendremos una fiesta mañana.
Vamos a tener una fiesta mañana.

4. **The compound perfect form**

a. *Form*

- **Haber** + *Past participle*: **–ado** (**ar** verbs) / **–ido** (**er/ir** verbs)

- There are some common irregular past participle forms:
hacer *(make, do)* **hecho**, volver *(return)* **vuelto**, decir *(say)* **dicho**, resolver *(solve)* **resuelto**, abrir *(open)* **abierto**, poner *(put, place)* **puesto**, cubrir *(cover)* **cubierto**, ver *(see)* **visto**, morir *(die)* **muerto**, romper *(break)* **roto**, escribir *(write)* **escrito.**

Past participle of compound verbs based on the above irregulars are irregular in the same way: deshacer *(undo)* **deshecho,** describir *(describe)* **descrito,** desdecir *(contradict)* **contradicho,** devolver *(return something)* **devuelto,** descubir *(discover)* **descubierto,** suponer *(suppose)* **supuesto.** BUT: corromper *(corrupt)* **corrompido.**

b. *Meaning:*

• The action viewed as completed by a given point in time. This aspect can occur in any tense:

Past perfect (imperfect form of **haber**): **había, habías, había, habíamos, habíais, habían**

The action is seen as completed by some point in the past.

Habíamos comido antes de salir.	*We had eaten before leaving.*
Ana sabía por qué había recibido la carta.	*Ana knew why she had received the letter.*

Present perfect (present tense of **haber**): **he, has, ha, hemos, habéis, han**
The action is seen as completed by the present time:

Han llegado ya.	*They have arrived already* (i.e. by moment of speaking)
Habéis aprobado el examen.	*You (guys) have passed the test.*

Future perfect (future of **haber**): **habré, habrás, habrá, habremos, habréis, habrán**.

Action is seen as completed by some future time.

Habremos terminado para el miércoles.	*We will have finished by Wednesday.*

• In Spanish and English the present perfect always refers to or is relevant to the present moment (the moment of speaking). This is not the case with the preterite.

Comí ya.	*I ate already.*	**He comido ya**.	*I have eaten already.*
Comí ayer.	*I ate yesterday.*	~~He comido ayer.~~	~~I have eaten yesterday.~~

Note: Nevertheless **He comido ayer** is acceptable in certain dialects with preterite meaning.

E. MOOD

1. *Overview*

The verb form can indicate mood, something about the reality or actuality or conditions of the event. The three moods are: the indicative, the subjunctive and the conditional.

a. *The indicative*

The indicative is any verb form is that is not subjunctive or conditional (the present, preterite, imperfect, future, etc.). The indicative refers to the reality or actuality of things and events.

b. *The subjunctive*

- *Form*: The subjunctive had present and past tense forms (but no future):
  The present subjunctive take the **yo** form as the base, switch theme vowels
  (**a ←→ e**)

cantar *(sing)* → **cante, cantes, cante, cantemos, cantéis, canten**
tener *(have)* → **tengo** → **tenga, tengas, tenga, tengamos, tengais, tengan.**

> *The past/imperfect subjunctive* take the preterite **–aron/–ieron** and
> change to **–ara/–iera**

bailar *(dance)* → bailaron → **bail*ara*, bail*aras*, bail*ara*, bail*áramos*,
bail*árais*, bail*aran*.**
pedir *(ask for)* → pidieron → **pidiera, pidieras, pidiera, pidiéramos,
pidiérais, pidieran**

- *Meaning*:   The indicative and subjunctive contrast in three subordinate
  clause types according to the meaning expressed in the main clause. We will
  discuss the following chart:

		Indicative	**Subjunctive**
Noun clause	→	Report/inform	Comment (attitude, value judgement, reaction)
		Affirm	Disaffirm (doubt, denial, possible, probable)
			Influence (will, persuasion, cause, necessity)
Adjective clause	→	Specific noun	Non-specific noun (any noun, non-existent)
Adverb clause	→	Realized action/event	Unrealized action/event

c. *The conditional*

- *Form*: Take *the infinitive* as the base, add the syllable **–ía-**, add person
  endings: volver *(to return)* **volver*ía*, volver*ías*, volver*ía*, volver*íamos*,
  volver*íais*, volver*ían*.**

- *Meaning*: The conditional form indicates that the event requires certain
  conditions.
  There is a stated or implied **pero**/*but*-clause or **si**/*if*-clause:

Ir*ía* a la iglesia (pero no tengo tiempo).	*I would go to church (but I don't have time.)*
Ir*ía* a la iglesia (si tuviera tiempo).	*I would go to church (if I had time.)*

2. *Subjunctive vs. indicative*

The subjunctive is used in the following situations. Compare indicative and
subjunctive use in the sentences below.

a. *Noun clause* A clause serving as a noun in the position of subject, direct object, prepositional object, etc.

- The main clause *comments*, expressing an opinion, attitude, reaction or value judgement:

Leo que el Presidente *viaja* a México. [I]   *I read the President is travelling to Mexico.*

Es absurdo que él *viaje* a México. [S]   *Its absurd that he is travelling to Mexico.*

- The main clause *disaffirms*, expressing doubt, denial, negation, mere possibility or probability:

Es cierto que él se *va* mañana. [I]   *Its certain that he is leaving tomorrow.*

Dudo que el se *vaya* tan pronto. [S]   *I doubt that he is leaving so soon.*

- The main clause expresses *influence* (will, desire, cause, necessity, persuasion):

Insisten en que el Presidente *hace* la visita. [I]   *They insist the P. is making the visit.*

Insisten en que el Presidente *haga* la visita. [S]   *They insist that the P make the visit.*

b. *Adjective clause* A clause serving as an adjective to modify a noun.

- The modified noun is *non-specific* (any noun, non-existent noun):

Tengo un carro que *funciona* bien. [I]   *I have car that runs well.*

Necesito un carro que *funcione* bien. [S]   *I need a car that runs well.* [any car]

- The modified noun is *non-existent* (no noun exists that statisfies the description):

Juárez es un político que dice la verdad. [I]   *Juarez is a politician who tells the truth.*

No hay ningún político que diga la verdad. [S]   *There is no politician who tells the truth.*

¿Existen políticos que digan la verdad?. [S]   *Do politicians exist who tell the truth?*

c. *Adverb clause*
A clause serving as an adverb modifying a verb.

- The subordinate clause event is *unrealized* (future or subsequent to the main clause event):

Comemos cuando *llega* papá. [I]	*We eat when Dad arrives.*
Comeremos cuando *llegue* papá. [S]	*We will eat when Dad arrives.*
Comemos antes de que *llegue* papá. [S]	*We eat before Dad arrives.*
Comimos antes de que *llegara* papá. [S]	*We ate before Dad arrived.*
Entramos sin que nadie *escuchara*. [S]	*We entered without anyone hearing.*

[Note that **sin que** (*without*) always means that the subordinate action is unrealized.]

- The subordinate clause is introduced by logical conjunctions of purpose, result, proviso:

Ahorro para que tú *puedas* ir a la universidad. [S]	*I save so you can go to college.*
Iremos *a menos que* llueva. [S]	*We are going unless it rains.*
Te ayudaré *con tal de que* me pagues. [S]	*I'll help you provided you pay me.*

3. *The conditional mood and si-clauses*

a. *The conditional*

The conditional verb form indicates that the main action would take place under conditions that are stated or implied. There is a state or implied **pero**/*but-clause* or **si**/*if-clause:*

Iría a la fiesta contigo (pero no puedo).	*I would go to the party with you (but I can't).*
Iría a la fiesta contigo (si pudiera).	*I would go to the party (if I could).*

Note that the English would can have both conditional and imperfect (habitual) meaning. Spanish requires two different verb forms (conditional and imperfect, respectively). This is can be a subtle distinction if the context of the statement is implied but not stated. Compare the following sentences

Iba a la iglesia (cuando era más joven).	*I would go to church (when I was younger.)*
Iría a la iglesia (pero no tenga tiempo).	*I would go to church (but I don't have time.)*

b. *The si-clause*:

Si clauses are special examples of adverb clauses. There are two basic patterns:

- *Indicative* + *si* + *Indicative* [Factual]

Voy [I] **a la iglesia si tengo** [I] **tiempo**.	*I go to church if I have time.*

Iba [I] **a la iglesia si tenía** [I] **tiempo.**	*I would go to church when I had time.*
	I used to go to church when I had time.
Iré [I] **a la iglesia si tengo** [I] **tiempo.**	*I will to go to church if I have time.*

- *Conditional* + *si* + *Past subjunctive* [Contrary to fact]

| **Iría** [C] **a la iglesia si tuviera** [S] **tiempo.** | *I would go to church if I had time.* |

c. *The aunque clause*

The conjunction **aunque** can introduce either an indicative: **aunque** (although/even though); or a subjunctive clause: **aunque** (even if), but its meaning changes as indicated:

Trabajamos aunque no ganamos [I] **mucho.**	*We work even though we do not earn much.*
Trabajabamos aunque ganabamos [I] **poco.**	*We worked even though we earned little.*
Trabajamos aunque no ganemos [S] **mucho.**	*We will work even if we do not earn much.*
Trabajaríamos aunque ganáramos [S] **poco.**	*We would work even if we earned very little.*

4. *Command forms*

a. *Formal commands*

- *Regular verbs*: Swap the theme vowels [a ⟷ e]:

| hablar: | **Hable(n) despacio.** | *Speak slowly.* | **No hable(n) tanto.** | *Don't talk so much.* |
| escribir | **Escriba(n) pronto.** | *Write soon.* | **No me escriba(n).** | *Don't write me.* |

- *Irregular yo verbs*: Take the **yo** form as the base and swap the theme vowels [a ⟷ e]:

| decir: | **Díga(n) lo.** | *Say it.* | **No lo diga(n).** | *Don't say it.* |
| salir: | **Salga(n) de aquí.** | *Get out of here.* | **No salgan todavía.** | *Don't leave yet.* |

- *Other irregulars*:

ser:	**Sea(n) breves.**	*Be brief.*
ir	**Vaya(n) ya.**	*Go now!*
saber	**Sepa(n) esto.**	*Know this.*

b. *Familiar [tú] commands*

- *Regular verbs*: Affirmative commands looks like 3rd person singular forms (**él/ella/Ud.**).

Negative command take the **yo** form as the base, changes *a* ←→ *e* and adds −*s*.

cantar	**Canta.**	*Sing to us.*	**No nos cantes.**	*Don't sing to us.*
correr	**Corre allá.**	*Run over there.*	**No corras por aquí.**	*Don't run here.*

- *Irregular yo:* Affirmative commands have a short form. Negative commands form as above (**yo** form, then *a* ←→ *e* and add −*s*):

decir:	**Di la verdad.**	*Tell the truth.*	**No digas mentiras.**	*Don't tell lies.*
hacer:	**Hazlo ya.**	*Do it now.*	**No lo hagas otra vez.**	*Don't do it again.*

Other irregular **yo** verbs: **poner** (*put/set*) **pon / no pongas**, **salir** (*leave*) **sal / no salgas**, **tener** (*have*) **ten / no tengas**, **venir** (*come*) **ven / no vengas**.

Pronouns: Object pronouns follow affirmative commands and form one word with the verb. They *precede* negative commands as separate words. Indirect objects precede direct objects. **dar/cheque** (*give/check*): **Dámelo** (*Give it to me.*) / **No me lo des.** (*Don't give it to me.*)

c. *Vosotros commands:*

hablar:	**Hablad.**	*Speak.*	**No habléis.**	*Don't speak.*
venir:	**Venid.**	*Come.*	**No vengáis.**	*Don't come.*
sentarse:	**Sentaos.**	*Sit.*	**No os sentéis.**	*Don't sit.*

d. *Let's commands:*

jugar:	(No) **juguemos**	*Let's (not) play.*
comer:	(No) **comamos**	*Let's (not) eat.*
irse:	**Vámonos**	*Let's go.*
	No nos vayamos.	*Let's not go.*

e. *Indirect commands/wishes*

Que entren.	*Have/Let them come in.*
Que le vaya bien.	*May/I hope things go well for you.*

F. IMPORTANT VERB CLASSES

1. Overview

a. *Auxiliary/helping Verbs*: Auxiliary verbs express details of aspect. That is, they indicate that the action is being reported as either completed (perfect) or incomplete (imperfect). They combine with a form of the main verb called the *participle*.

- **Haber** + *Past Participle*: Expresses an action completed by a critical moment, either the present moment (*present perfect*), a past moment (*past perfect*), or a future moment (*future perfect*):

Paco *ha/había/habrá llegado* ya.   *Frank* has/had/will have *arrived already.*

- **Estar** + *Present Participle:* Expresses an action in progress at a given moment in the present (present progressive), past (past progressive) or future (future progressive).

Pedro está/estaba/estará trabajando.   *Peter* is/was/will be *working.*

- **Ser** + *Past Participle* forms a structure called the passive. The direct object of an active sentence is expressed as the subject of a passive sentence.

El niño perdió el juguete.	→	**El juguete *fue perdido* por el niño,** [passive]
The child lost the toy. →		*The toy* was lost *by the child.* [passive]

    b. *Aspectual verbs* refer to the phase of an event; beginning: **comenzar a estudiar** (*begin to study*), middle: **seguir trabajando** (*keep on working*) or end: **dejar de trabajar** (*stop working*). These verbs are part of the aspect system since they express notions of complete/ incomplete act.

    c. *Modal verbs:* These modify the action or event in terms of ability / possibility / probability or necessity / obligatoriness / permission. English modal verbs include the following set: *may, must, might, should (ought to), can (is able to), could, will (is going to), would.* Spanish has few modal verbs, but many structures that express modality. Modal verbs are, in a sense, part of the mood system.

    d. *Linking verbs:* The English verb *to be* has a number of functions and meanings. The basic function is to link a noun to a classification or description. Spanish has two linking verbs, **ser** and **estar**, but they are not interchangeable. The **ser/estar** contrast is important, but **hay** *(there is/are)*, **tener** expressions and **hacer** + weather expressions are part of the problem.

    e. *Intransitive vs. transitive verbs:* Intransitive verbs generally carry no direct object. Transitive verbs generally require a direct object.

    f. *Reflexive verbs:* Many English verbs can be used in both intransitive and transitive contexts. A very important use of the reflexive form of the verb in Spanish is to allow a transitive verb to be used intransitively.

2. *Auxiliary verbs*

Auxiliary verbs express details of aspect. That is, they indicate that the action is being reported as either completed (perfect) or incomplete (imperfect). They combine with a form of the main verb called the *participle.*

    a. **Haber** + *Past Participle*: Expresses action completed by a critical moment, either the present moment (present perfect), a past moment (past perfect), or a future moment (future perfect):

Paco *ha llegado ya*.   *Frank* has arrived already.   *present perfect*
Paco *había llegado ya*.   *Frank* had arrived already.   *past perfect*
Paco *habrá llegado ya*.   *Frank* will have arrived already.   *future perfect*

 b. ***Estar*** + *Present Participle*: Expresses an action on-going or in progress at the moment of speaking (present progressive), a past moment (past progressive) or a future moment (future progressive).

Paco *está durmiendo*.   Frank is sleeping.   *present progressive*
Paco *estaba durmiendo*.   Frank was sleeping.   *past progressive*
Paco *estará durmiendo*.   Frank will be sleeping.   *future progressive*

Students tend to overuse the progressive form of the verb. For one thing, the progressive form focuses powerfully on the moment of action and on purposeful, effortful action, which makes it subtly inappropriate in certain contexts with certain verbs: **Los estudiantes llegan/~~están llegando~~** (*The students are arriving*); **Los estudiantes vienen/~~están viniendo~~** (*The students are coming*). For another, unlike English, the progressive form in Spanish *may not* refer to future events: **Viajamos/Viajaremos/Vamos a viajar/~~Estamos viajando~~ mañana.** *(We are travelling tomorrow.)*

 c. ***Ser*** + *the past participle*: **Ser** is used with the past participle of a verb to produce a form called the passive. In this form, attention is shifted from the agent/doer to the patient/object by changing the functions of the direct object and the subject of the corresponding active sentence.

El mecánico arregló el coche. → **El coche *fue arreglado* (por el mecánico.)**
The mechanic fixed the car. → *The car* was fixed *(by the mechanic.)*

The past participle functions as an adjective; that is it agrees in number and gender with the subject: **Las ventan*as* fueron arreglad*as* ayer**. *(The windows were fixed yesterday.).*

 English permits an indirect object to become subject of a passive sentence. Spanish does not. In this example, **las flores** *(flowers)* is the direct object and **Ana** *(Ann)* is the indirect object.

Di las flores a Ana.   **Las flores fueron dadas a Ana. (por mí)**
              [awkward, but OK]
I gave the flowers to Ann.   The flowers were given to Ann (by me).
              ~~Ana fue dada las flores~~. [no good]
              Ann was given the flowers.

3. *Aspectual verbs*

These are helping verbs that refer to the phase of an event; beginning, middle or end. Note that both Spanish and English use verb constructions involving a helping verb and a main verb to communicate the phase of an event.

 a. *Initiative aspect*: Beginning of event Structure: *Verb + **a** + infinitive*

Mauricio comenzó a hablar.   *Mauricio began to leave.*

b. *Iterative aspect*: Repetition of event Structure: ***Volver*** + ***a*** + *infinitive*

Mauricio volvió a salir.   *Mauricio left again.*

c. *Durative aspect*: Ongoing event Structure: *Verb* + *present participle*

Mauricio estaba leyendo.   *Mauricio was reading.*
Mauricio seguía leyendo.   *Mauricio continued to read.*

d. *Terminative aspect*: End of an event Structure: *Verb* + ***de*** + *infinitive*

Mauricio dejó de leer.   *Mauricio stopped reading.*
Mauricio terminó de leer.   *Mauricio finished reading.*

e. *Perfective aspect*: Just completed Structure: ***Acabar*** + ***de*** + *infinitive*

Mauricio acaba de leer la novela.   *Mauricio has just read the novel.*
Mauricio acababa de leer la novela.   *Mauricio had just read the novel.*

f. *Habitual aspect*: Habitual event Structure: ***Soler*** + *infinitive*

Mauricio suele trabajar los domingos.   *Mauricio usually works on Sundays.*
Mauricio no solía salir los viernes.   *Mauricio did not usually go out on Fridays.*

Just like the preterite, imperfect, progressive and compound perfect verb forms, these helping verbs define the aspect of an action or event.

4. *Modal verbs and expressions*

Modal verbs are closely associated with the notion of mood. Like the subjunctive, these verbs modify the action or event by indicating the ability / possibility / probability or necessity / obligatoriness / permission. English modal verbs include the following set: *may, must, might, should (ought to), can (is able to), could, will (is going to), would.*

Spanish has only a few modal verbs. They are **poder** (*can/be able to*), **deber** (*should*), **haber de** (*be supposed/expected to*), **hay que** (*one must/has to*), **tener que** (*have to*). We can also include special uses of certain verbs: **pensar** + infinitive (*plan/intent to*), **saber** + infinitive (*know how to*).

Nevertheless, Spanish uses a variety of forms to express modality. One familiar example is the use of the future and conditional forms of the verb to communicate the modal notion of probability: **Serán las dos**. (*It must be two o'clock*). Here are a few examples of the way Spanish expresses modal notions:

a. *Ability:*

I can/am able to lift 200 lbs.   **Puedo levantar 200 libras de peso.**
                                          Soy capaz de levantar 200 libras.

I know how to read.   **Sé leer.** [**saber** + infinitive]

b. *Possibility / probability / conjecture*

He could/may/might be upstairs.	**Puede estar arriba.**
	Puede (ser) que esté arriba.
	Es posible que esté arriba.
	Estará arriba. [future of probability]
He must be outside.	**Debe (de) estar afuera.**
	Tiene que estar afuera.
	Estará afuera. [future of probability]
He must have been inside.	**Debía (de) estar adentro.**
	Tenía que estar adentro.
	Estaría adentro. [conditional of probability]
He should arrive soon.	**Debe (de) llegar pronto.**
He should have been at home.	**Debía (de) estar en casa.**

c. *Necessity / obligation*

They should/ought to be home early.	**Deben/debían/deberían/debieran volver temprano.** [most direct→most gentle]
He/She should have studied.	**Debió/debía/debería/debiera haber estudiado.** [most direct → most gentle]
They had to finish by eight.	**Tenían que terminar para las ocho.**
One must do the right thing.	**Hay que hacer lo correcto.**
One had to do everything.	**Había que hacerlo todo.**
We are [supposed] to stay here.	**Hemos de quedarnos aquí.**
We were to turn out the lights.	**Habíamos de apagar las luces.**

d. *Condition*

I would go to church, but I don't have time.	**Iría a la iglesia, pero no tengo tiempo.**
I would go to church if I had time.	**Iría a la iglesia si tuviera tiempo.**
vs.	
I would go to church as a child.	**Iba a la iglesia de niño.** [imperfect]

e. *Will*

Future:	*We will do it.*	**Lo haremos.**	**Vamos a hacerlo.**
Emphasis:	*We will do it.*	*Sí* **que lo haremos.**	*Sí* **que lo vamos a hacer.**

f. *Intent*

They plan to get married.	**Piensan casarse.**

g. *Attempt/effort*

He tries to help.	**Trata de ayudar.**

h. *Request/permission*

Can/May we go?	**¿Podemos irnos?**	**¿Nos permite(s) irnos?**
Can/Could/Will/Would you open a window?	**¿Quiere(s)/quería(s)/querría(s)/quisiera)(s) abrir una ventana?**	[most direct → most polite]
Can/Could/Will/Would you help me?	**¿Me ayuda(s)?**	**¿Me puede(s)/podías/ podrías/pudieras ayudar?**
		[most direct → most polite]

i. *Wishes:*

(May you) Have a good week end.	**Que tenga(n) un buen fin de semana.**

5. *Linking verbs and "to be" expressions*

The basic function is to link an entity/noun to a classification or description. Spanish has two verbs that perform the same functions **ser/estar**, but they are not interchangeable.

a. *Uses of **ser** and **estar***

- **Ser** + noun = classification
  Pedro es carpintero.

  Estar *cannot* precede a noun.
  Mauricio ~~está~~ arquitecto.

- Only **ser** + expressions of time:
  Es la una y media.

  Only **estar** + present participle
  Estamos trabajando duro.

- **Ser** + adjective = quality
  [**Ser** = X compared to Y]
  Anita es inteligente.
  El río es largo.
  Laura es buena. (adjective)
  Manuel es malo.

  Estar + adjective = condition
  [**Estar** = X compared to X]
  Carmen está enojada.
  El agua está sucia.
  Laura está bien. (adverb)
  Manuel está mal.

- **Ser** + location of events
  El accidente fue en la esquina.
  tener lugar = ser
  La guerra tuvo lugar en Bosnia.

  Estar + location of objects
  El autobús estaba en la esquina.
  quedar = estar (immovables)
  La tienda queda a dos cuadras.

- **Ser** + past participle = action
  La puerta fue abierta (por Ana).
  The door was opened (by Anne).

  Estar + past participle = resulting state.
  La puerta estaba abierta ya.
  The door was open already.

- **Ser** + de = various meanings:
  Gabriel es de Chile. (origin)
  La silla es de metal. (material)
  El reloj es de Ana. (possession)

  Estar + dc = temporary role
  Lucía está de secretaria hoy.

b. ***Hay*** (*there is/there are*); **hubo** (*there was/were*); **había** (*there was/were*). **Hay** is usually used in the singular: ***Hay/Hubo/Había* dos problemas**. (*There are/were two problems*).

c. **Tener** *expressions:*

tener frío/calor (*be [feel] cold/hot*), **tener hambre/sed** (*be [feel] hungry/thirsty*), **tener éxito** (*be successful*), **tener razón** (*be right*), **tener prisa** (*be in a hurry*), **tener 20 años** (*be 20 years old*).

d. **Hacer** *expressions (weather):*

hacer frío/calor/fresco (*be cold/hot/cool*)
hacer sol/viento (*be sunny/windy*)

6. *Main verbs*

a. *Subjectless verbs*

These verbs have no logical subject. They include many weather expressions like **llover** (*to rain*), for example: **Llueve** (*It is raining*). Spanish has no subject it. Other examples: **lloviznar** (*drizzle*), **nevar** (*to snow*), **granizar** (*to hail*), **tronar** (*to thunder*), **relampaguear** (*to lightning*), **anochecer** (*to become night/grow dark*), **atardecer** (*to become afternoon*), **amanecer** (*to dawn*), **hacer frío/calor/fresco** (*to be hot/cold/cool*), etc.

b. *Intransitive vs. transitive verbs*

- *Intransitive verbs* typically have no direct object.

Los chicos dormían.   *The children were sleeping.*

- *Transitive verbs* typically take direct objects. The verbal action transfers to an object:

Los chicos rompieron *la ventana*.   *The children broke the window.*
D.O.

c. *Notes on transitivity and reflexivity*

- Basically intransitive verbs can often be used transitively [with a direct object]:

María cansó a Juan con sus quejas continuas.   *Mary made John tired with her constant complaints.*

- Basically transitive verbs can often be used intransitively [without a direct object]:

Nuestro equipo ganó.   *Our team won.* [direct object is understood]

- Certain verb pairs in English and Spanish reflect the intransitive/transitive distinction:
  English: *sit* vs. *set* / *lie* vs. *lay* / *rise* vs. *raise* / *die* vs. *kill*
  Spanish: **salir** (*to leave*) vs. **dejar** (*to leave [direct object]*)
                volver (*to return*) vs. **devolver** (*to return [direct object]*)

- Corresponding verbs in the two languages may differ on transitivity:

English transitive:	**entrar en** (*enter*), **salir de** (*leave*), **jugar a** (*play*), **asistir a** (*attend*), **ayudar a** (*help*)
Spanish transitive:	**escuchar** (*listen to*), **mirar** (*look at*), **buscar** (*look for, seek*), **pedir** (*ask for, request*)

- Unlike English, most Spanish transitive verbs cannot be used intransitively unless they are made **reflexive**. The reflexive form is required or the sentence is understood as incomplete.

Yo rompí el vaso.	*I broke the glass.*	[transitive]
El vaso se rompió.	*The glass broke.*	[reflexive → intransitive]
~~**El vaso rompió**.~~	*The glass broke [what?].*	[WRONG]

Modifiers

A. GENERAL OVERVIEW

Modifiers qualify or add to the meaning of nouns and verbs, they are either adjectival or adverbial. They may be morphemes (prefixes or suffixes), words, phrases, or clauses. This section is divided into the following sections: adjective (phrases), adverb (phrases), prepositional phrases, comparatives.

1. *Adjectives:* Adjectives modify nouns. Adjectival phrases can be single words (**el joven *guapo*** (*the* good-looking *youth*), phrases (**el joven *de la vecindad*** (*the youth* from the neighborhood) or relative clauses (**el *joven que conociste anoche*** (*the youth* you met last night). The past participle frequently functions as an adjective: **el joven perd*ido*** (*the* lost *youth*).

Simple adjectives fall into various classes that roughly determine their position around the noun:

a. *Determiners* (articles, demonstrative adjectives, possessive adjectives) precede the noun. Differences between Spanish and English cause students to underuse the definite article and overuse the indefinite article.

b. *Limiting adjectives* restrict or quantify the noun. There are several subclasses of adjective: *counters:* dos hombres (*two men*), *estimators:* **muchos hombres** (*many men*), and *totalizers:* **ambos hombres** (*both men*). Limiting adjectives almost always precede the noun.

c. *Descriptive adjectives* qualify the meaning of the noun in terms of either conditions/states, such as **cansado** (*tired*) or qualities/characteristics **inteligente** (*intelligent*). The former usually follow the noun and are compatible with **estar**. They may precede or follow the noun (depending on subjectivity/number of adjectives) and are compatible with **ser**.

d. *Classifying adjectives* label the subject noun in terms of a classification: **la música clásica** (*classical music*). They *always* follow the noun. English frequently uses nouns to modify or classify other nouns, Spanish does not permit this: (water pistol is **pistola de agua**, NOT ~~agua pistola~~.

2. ***Adverbs:*** Adverbs modify verbs, adjectives, other adverbs. They can be single words, as in **Vamos *ahora*** (*We are going* now), phrases such as **Vamos *dentro de una hora*** (*We are going* within an hour.), or clauses: **Vamos *después de que comamos*** (*We are going* after we eat). The present participle functions as an adverb: **La gente salió *corriendo*.** (*The people left running*).

Adverbials express meanings such as: space (location/position/direction), time (point in time, frequency, duration), manner, purpose/cause, end/result, condition, degree/intensity, etc. An important adverbial construction is ***hacer* + *time*.**

3. ***Prepositions/prepositional phrases***: Prepositional phrases are composed of a *preposition + noun phrase*. They modify nouns and verbs; that is, they function adjectivally or adverbially. Prepositional phrases generally reflect notions of time, space, or some more abstract concept.

There are two classes of preposition: simple prepositions such as **bajo** *(under, below)* and compound prepositions, such as **debajo de** *(underneath)*. These often get confused with related *adverbs:* **abajo** *(below, downward, downstairs)*. A number of contrasts are noted; the **por/para** distinction being one of the more troublesome.

4. ***Comparatives***
a. There are three degrees of comparison:

Absolutive:	**Einstein fue muy inteligente.** *Einstein was very intelligent.*
Comparative:	**Él fue más inteligente que yo.** *He was more intelligent than I.*
Superlative:	**Einstein fue el hombre más inteligente de nuesta época.** *Einstein was the most intelligent man of our era.*

b. The two basic comparative structures are:

Comparisons of equality: **tan(to)... como**
Comparisons of inequality: **más/menos...que.**

These structures can function as either adjectives (modify a noun) or adverbs (modify an adjective, an adverb or a verb).

B. ADJECTIVES

1. *Overview*

Adjectives and adjective phrases modify nouns by limiting the reference of the noun or by adding various types of information to the noun.
  a. *Adjectival structures*:

• *Simple adjectives*

• *Past participles* [verb forms ending in **–ado** / **–ido**, some irregulars] are very frequently used to modify nouns. They generally refer to state/condition and, therefore, almost always follow the noun. For example: **dañar** (*to damage*) → **dañado. Compraron la casa *dañada* en el incendio.** (*They bought the house damaged in the fire*).

- *Prepositional phrases* can modify both nouns and verb adding information of various kinds. For example: **Compraron la casa *con el garaje grande*** *They bought the* house with the big garage. The phrase **con el garaje grande** tells us which house.

- *Relative/adjective clauses* are subordinate sentences that modify nouns by limiting the noun or adding information about the noun: **Compraron la casa *que estaba abandonada*.** (*They bought the house that was abandoned*).

b. *Meaning classes: Simple [one-word] adjective classes*

In Spanish, the adjective precedes or follows the noun depending on its type or specific meaning. Here we take a quick look at the various types of adjective phrases:

2. *Determiners*

Determiners precede the noun and specify it. They answer the basic question: Which one? The class of determiners includes *indefinite/definite articles*, *demonstrative adjectives* and *possessive adjectives*.

a. *The indefinite article*

In Spanish, the indefinite article refers to a noun that actually exists in the context, it is often omitted when the noun refers to a simple human classification (especially after words like **ser**) or to an abstract modifier of classification (especially after a preposition like **de**). Compare the following sentences:

Arturo es un profesor alemán. [modified]   **Arturo es profesor.** [simple classification]

Arthur is a German professor.   *Arthur is a professor.*

Esta es la ropa de un niño.   **Esta es ropa de niño.** [type of clothing]
This is the clothing of a [existing] child.   *This is child's/childrens clothing.*

Certain limiting adjectives do not take indefinite article: **otro, mil, cien, cierto, tal**

b. *The definite article*

Like English, the Spanish the definite article is used to refer to individuals or to a specific set of individuals. Unlike English, Spanish uses the definite article to refer to a concept in its totality. English uses zero-article to express this notion. Compare these sentences:

El gato tomó la leche.   *The cat drank the milk.*   [indvidual]
Los gatos se escaparon.   *The cats escaped.*   [specific set]

Los gatos son independientes.	*Cats are independent.*	[totality/all cats]
Odio *los* gatos.	*I hate cats*	[totality/all cats]

Rule of thumb: Subject nouns in Spanish require a determiner (an article, a demonstrative adjective, or a possessive adjective.)

There are a number of specific cases where Spanish uses the definite article, but English does not. A few important ones are: titles in indirect reference (**el señor Juárez** (*Mr. Juárez*), days of week (except after **ser**): **Vamos *el* lunes.** (*We are going on Monday.*), clock time: **Son *las* tres.** (*It is three o'clock*), in place of the possessive adjective: **Se quitó *la* chaqueta.** (*He took off his jacket*), etc.

c. *Demonstrative adjectives*

These determiners specify the noun by pointing to (demonstrating) the noun in terms of distance (physical or psychological) from the speaker. English makes a two way distinction: this/these (near speaker), that/those (apart from speaker).

Spanish makes a three-way distinction:

este / esta / estos / estas	this/these (near speaker)
ese / esa / esos / esas	that/those (near listener)
aquel / aquella / aquellos / aquellas	that/those (apart from both speaker and listener)

The demonstrative adjective generally precedes the noun, but may follow to communicate an especially negative attitude on the part of the speaker:

No me gusta ese tipo.   **No me gusta el tipo *ese*.**   *I don't like that guy.*

*Note the masculine plural forms are: **este → *estos*, ese → *esos*** NOT ~~estes / eses.~~

d. *Possessive adjectives*

Possessive adjectives specify the noun in terms of the possessor: **mi(s)/mío(s)** (*my*), **tu(s)/tuyo(s)** (*your*), **su(s)/suyo(s)** (*its/his/her/your*) [**de Ud.**], **nuestro(s)** (*our*), **vuestro(s)** (*your*) [**de vosotros**], **su(s)** (*their/your*) [**de Uds.**].

The Spanish possessive adjective agrees in number with the thing possessed, NOT with the possessor. Compare these sentences:

Su casa es roja.	His/Her/Their/Your (singular)/Your (plural) *house is red.*
Sus casas son rojas.	His/Her/Their/Your (singular)/Your (plural) *houses are red.*

The Spanish possessive has both a short and long form. The short form precedes the noun and expresses possession casually. The long form always follows the noun (or **ser**) and emphasizes possession. Compare these sentences:

Neutral	Emphatic/Contrastive	Emphatic/Contrastive
Mi/Tu casa está cerca.	La casa *mía/tuya* es verde.	Esta casa es *mía/tuya*.
My/Your house is nearby.	*MY/YOUR house is green.*	*This house is MINE/YOURS.*

3. *Limiting adjectives*

Limiting adjectives answer the implicit questions "Which one?" or "How much/many."

    a. *Counters* simply count the noun.

- *Cardinal numbers.* The following examples make a number of points. Study them closely: **un(a)** *(stressed)* *(one)*, **quince** *(fifteen)*, **diez y seis/dieciséis** *(sixteen)*, **veinte y un días/veintiún días** *(twenty-one days)* / **veintiuna casas**, **treinta y una** casas, **cien** *(a hundred)*, **ciento dos** *(a/one hundred (and) two)*, **trescientas vacas**, **quinientos** *(five hundred)*, **mil dólares** *(a thousand dollars)*, **un millón *de* dólares** *(a million dollars)*, **mil millones de personas** *(a billon people [U.S.])*, **un billón de personas** *(a trillon people [U.S.])*.

- *Ordinal numbers* count items in terms of their order in a set: **primer(a)** *(first)*, **segundo/a** *(second)*, **tercer(a)** *(third)*, **cuarto** *(fourth)*, **quinto** *(fifth)*, **sexto** *(sixth)*, **séptimo** *(seventh)*, **octavo** *(eighth)*, **noveno** *(ninth)*, **décimo** *(tenth)*.

- *Fractions* quantify the noun in units less than one. Key examples are: **la mitad de** *(one-half of)*, **la tercera parte de/un tercio de** *(one-third of)*, **la cuarta parte de/un cuarto de** *(one fourth/quarter of)*, **la quinta parte de/un quinto de** *(one-fifth of)*, etc. Note the optional forms using ordinal numbers.

    b. *Estimators* (my word) quantify in less precise terms. It is important to know these: **demasiado(s)** *(too much/many)*, **tanto(s)** *(so much/many)*, **mucho(s)** *(much/many/a lot of)*, **varios** *(several)*, **bastante(s)** *(enough/plenty of/quite a bit of/quite a few)*, **un poco de** *(a little bit of/some)*, **unos cuantos** *(a few)*, **poco(s)** *(little/few)*, **muy poco(s)** *(very little/few)*, **demasiado poco(s)** *(too little/few)*. You do NOT say ~~muy mucho~~ *(very much/many)* or ~~demasiado mucho~~ *(too much/many)*. Note the difference between **poco dinero** *(little money)* and **un poco de dinero** *(a little money)*.

    c. *Set adjectives* (my word) refer to a noun as a member of a set (unique or many). They frequently express the totality (meaning all/none) of the set. Some important ones are: **el único problema** *(the only problem)*, **el *mismo* día** *(the same/very day)*, **el *otro* carro** *(the other car)*, **Tengo *otro* problema.** *(I have another problem)*, **cada página** *(each/every page)*, **ambos estudiantes** *(both [of the] students)*, **cualquiera de los dos libros** *(either [one] of the books)*, **cualquier estudiante** *(ANY student)*, **todo** estudiante (*any STUDENT*), **todos los profesores** (*all [of the] professors*), **ningún examen** (*no test*), **ninguno de los dos libros** (*neither [one] of the [two] books*). A couple of notes: 1. the Spanish word for *no + noun*. **ningún/ninguna** are not generally used in the plural: no books → **ningún libro**, not usually ~~ningunos libros~~. 2. Spanish does not have simple forms either/neither.

4. *Descriptive adjectives*

Descriptive adjectives modify nouns by adding information about the state/condition of the noun, or about its qualities.

Descriptive adjectives describing states such as **limpio** (*clean*), **roto** (*broken*), **lleno/vacío** (*full/empty*), **aburrido/interesado** (*bored/interested*), **enfermo/sano** (*sick/healthy*), **borracho** (*drunk*), **cansado** (*tired*), **casado** (*married*), **muerto** (*dead*) generally *follow* the noun and are used with the verb **estar**.

Adjectives describing qualities such as **rojo** (*red*), **grande** (*big*), **gordo/flaco** (*fat/skinny*), **pobre/rico** (*poor/rich*), **joven/viejo** (*young/old*), **inteligente/estúpido** (*intelligent/stupid*), **aburrido/interesante** (*boring/interesting*), generally follow the noun, but may precede it if they are used very subjectively and/or the noun has other modifying phrases that follow it: **Es un libro muy interesante** (*It is a very interesting book*), **Es un interesante libro de historia** (*It is an interesting history book*).

5. *Limiting/descriptive adjectives*

Some adjectives belong to both preceding classes and can change meaning according to position: ***antiguo* presidente** (*former president*) vs. **civilización *antigua*** (*ancient civilization*); ***ciertas* personas** (*certain people*) vs. **una cosa *cierta*** (*a sure thing*); ***diferentes* soluciones** (*various solutions*) vs. **soluciones *diferentes*** (*different solutions*); **una *gran* ciudad** (*a great city*) vs. **una ciudad *grande*** (*a big city*); ***medio* loco** (*half-crazy*) vs. **un salario *medio*** (*an average salary*); **un *nuevo* carro** (*new, different car*) vs **un carro *nuevo*** (*brand new car*);**el *pobre* hombre** (*unfortunate man*) vs. **el hombre *pobre*** (*economically poor man*); **la *propia* casa** (*[one's] own house*) vs. **la casa *propia*** (*the house itself, a house of one's own*); ***pura* agua** (*pure water*, nothing but *water*) vs. **agua *pura*** (*pure, uncontaminated water*); **un *simple* hombre** (*just a man*) vs. **un hombre *simple*** (*a simple man*); **la *única* persona** (*the only person*) vs. **una persona *única*** (*a unique person*).

6. *Classifying adjectives*

These adjectives modify a noun by indicating its membership in a class or type.

They *always follow* the noun: **estudiante norteamericano** (*[North] American student*), **novela histórica** (*historical novel*), **música clásica** (*classical music*), **coche deportivo** (*sports car*), **título universitario** (*university degree*).

Note that English often uses a noun as an adjective to classify another noun; this is never possible in Spanish: *table wine* → **vino de mesa**, *school year* → **año escolar**. Spanish must use a **de** phrase or a specific adjective.

C. ADVERBS/ADVERBIALS

1. *Overview*

Adverbs are words and expressions that modify verbs, adjectives and other adverbs. That is, they add information about actions/events (verbs), descriptions of things (adjectives) or descriptions of events (adverbs).

Like adjectival phrases, adverbial expressions can take various forms

a. *Simple adverbs*: **ahora** (*now*), **apenas** (*hardly*), etc.

b. *Prepositional phrases*: ***para* siempre** (*forever*), **con cuidado** (*carefully*), etc.

c. *Present participle phrases:* express the manner in which an action takes place:

Los niños salieron *corriendo* y *gritando*.	*The kids left* running *and* screaming.
Entraron rompiendo la ventana.	*They entered (by)* breaking *the window.*

d. *Adverbial clauses* are introduced by adverbial conjunctions and express many meanings (space, time, manner, cause/purpose/reason, condition/circumstance, etc.)

Se van *porque están aburridos*.	*They are leaving* because they are bored.
Te ayudo *para que pases el examen*.	*I help you* so that you pass the test. [reason]

Meaning: Adverbial expressions fall into a number of identifiable meaning classes. The next section presents a few examples in each of the major meaning categories. *Hacer* + *time* expressions are an important adverbials, so they receive some special attention below.

2. *Adverbial meaning classes*

When adverbs modify verbs, they usually give one of the following types of information about the action or event. We can give here only a few examples of each class:

a. *Space/location/direction*:

aquí (*here*), **allí** (*there*), **acá** (*[to/over/around] here*), **allá** (*[to/over] there*), **arriba** (*above, overhead, upstairs*), **abajo** (*below, down [there], downstairs*), **adentro** (*inside, within, indoors*), **afuera** (*outside, outdoors*), **cerca** (*nearby*), **lejos** (*far way*).

b. *Time*:

- *Calendar time*: **hoy** (*today*), **esta mañana** (*this morning*), **esta tarde** (*this afternoon*), **esta noche** (*this evening/tonight*), **ayer** (*yesterday*), **ayer por la mañana/tarde/noche** (*yesterday morning/afternoon/evening*), **anoche** (*last night*), **anteayer** (*yesterday*), **pasado mañana** (*the day after tomorrow*), **la semana entrante** (*next week/the coming week*), **el mes/año que viene** (*next month/year, the coming month/year*), **de hoy/mañana en ocho** (*a week from today/tomorrow*).

- *Immediacy/timeliness*: **ahora** (*now*), **ahorita** (*right now [speech]*), **ahora mismo** (*right away*), **enseguida** (*right away*), **pronto** (*soon*), **temprano** (*early*), **tarde** (*late*), **a tiempo** (*on time*), **antes** (*earlier/before*).

- *Frequency*: **[casi] siempre** (*[almost] always*), **frecuentemente** (*frequently*), **a menudo** (*often*), **a veces** (*at times, sometimes*), **de vez en cuando** (*from time to time*), **rara vez** (*seldom, rarely*), **[casi] nunca** (*[almost] never*), **dos veces a la semana/al mes** (*two times a week/month*).

- *Duration*: **para siempre** (*forever*), **de hoy en adelante** (*from today on*), **durante various años** (*for/during several years*), **por dos días** (*for two days*), **a lo largo del día** (*throughout the day*), **a través de los años** (*throughout the years*), **hace mucho tiempo que** + **present/imperfect** (*[present/imperfect] for a long time*).

c. *Manner*:

An important meaning class indicates *how* an action/event takes place. Many manner adverbs are derived from adjectives by adding **–mente** (*–ly*).

Adjective:	**El caballo es rápido.**	*The horse is fast.*
Adverb:	**Corre rapidamente.**	*It runs fast/quickly.*
Adjective:	**Los accidentes son frecuentes.**	*Accidents are frequent.*
Adverb:	**Ocurren frecuentemente.**	*They occur often/frequently.*
Adjective:	**El examen fue fácil.**	*The test was easy.*
Adverb:	**Lo pasamos fácilmente.**	*But we passed it easily.*

Note the change of vowel in the first example: **rapido → rapidamente.**

d. *Cause/reason/purpose/end/result*

Lo hicimos *por miedo*.	*We did it* out of fear.
Se van *porque están aburridos*.	*They are leaving* because they are bored.
Te ayudo *para que pases el examen*.	*I help you* so that you pass the test. *[reason]*
Llegaron, *de modo que pudimos irnos*.	*They arrived,* so we could leave.

e. *Condition/proviso/circumstance*

Vamos *a menos que llueva*.   We are going *unless it rains*.
Trabajaremos *con tal de que*   We will work *provided that they pay us*.
***nos paguen*.**

f. *Degree*:

When adverbs modify adjectives or other adverbs, they do so in terms of degree; that is, they answer the question how big/fast/etc. A useful set of (degree) adverbs are presented on the following scale:

***demasiado* caliente** (*too hot*), ***sumamente* pelogroso** (*highly dangerous*), ***extremadamente* difícil** (*extremely difficult*), ***muy* interesante** (*very interesting*), ***bastante* rico** (*quite/rather rich, rich enough*), ***un poco* testarrudo** (*a little/somewhat stubborn*), ***más o menos* honesto** (*more or less honest*), ***algo* curioso** (*somewhat odd/strange*), ***poco* útil** (*of little use*), **muy poco trabajador** (*not very hardworking*), **demasiado poco frecuente** (*too infrequently*). Note that, although the adverbs **demasiado/muy** can modify **poco**; they can never modify **mucho:** ~~muy mucho, demasiado mucho~~.

g. *Limit*:

Some adverbs imply the presence of a limit:

casi (*almost*), **apenas** (*hardly*)

h. *Phase/aspect*:

ya (*already*), **ya no** (*no longer/not any more*), **ahora** (*now*), **ahora no** (*not now*), **todavía** (*still*), **todavía no** (*not yet*).

3. *Hacer* + *time expressions*

Two important adverbial expressions of time are formed with the verb **hacer**. The structure ***hacer*** + *present/imperfect* expresses the duration of an act or event. ***Hacer*** + *preterite* expresses the interval or time elapsed since something happened; that is, time ago.

a. *Duration* [time during which an event takes place]

- *Present*:   **Hace mucho tiempo que no te veo.**
  I haven't seen you for a long time.
  [*Lit: It makes a lot of time that I do not see you.*]

  No te veo *desde hace mucho tiempo*.
  I haven't seen you for a long time.
  [*Lit: I do not see you since it makes a lot of time.*]

- *Imperfect*:   **Hacía tres días que esperábamos.**
  We had been waiting for three days.
  [*Lit: It made three days that we were waiting.*]

Esperábamos desde hacía tres días.
We had been waiting for three days.
[Lit: We were waiting since it made three days.]

b. *Interval* [time elapsed since event took place]

Preterite: **Hace un mes y medio que se fueron.**
They left a month and a half ago.
[Lit: It makes a month and a half that they left.]
Se fueron hace un mes y medio.
They left a month and a half ago.
[Lit: They left it makes a month and a half.]
Hace siglos que leí esa novela.
It's been years since I read that novel.
I read that novel years ago.
[Lit: It makes centuries that I read (past) that novel.]
Leí esa novela hace siglos.
I read that novel years ago.
[Lit: I read (past) that novel it makes centuries.]

D. PREPOSITIONAL PHRASES

1. Overview

a. Prepositions are words needed to introduce certain noun (phrases) into a sentence. They are called prepositions because they are pre-posed to noun (phrase). In fact, any noun other than the subject, predicate noun or direct object must be preceded by a preposition which indicates the nature of the relationship of its object to the event [time, space, abstract].

Time: **Me fui después de la fiesta.** *I left* after the party.
Space: **Estamos detrás de la casa.** *We are* behind the house.
Abstract: **Abrí la puerta con una llave.** *I opened the door* with a key.

b. Prepositional phrases work like adjectives or adverbs; they modify nouns and verbs:

- *Noun*: **El hombre con el revolver estaba nervioso. (¿Cuál hombre?)**
  The man with the revolver was nervous.
  Escribí un cuento de aventuras. (¿Qué clase de cuento?)
  I wrote an adventure story.

- *Verb*: **La llave está debajo de la alfombra. (¿Dónde?)**
  The key is under the rug.
  Nos vamos después de la fiesta. (¿Cuándo?)
  We are leaving after the party.

c. There are two basic structural classes of preposition in Spanish:

- *Simple one-word prepositions* take an object directly.

Carmen dejó la maleta *bajo* la mesa.	Carmen left the suitcase *under* the table.
Pusimos la carta *sobre* el escritorio.	We put the letter *on* the desk.

- *Compound prepositions* taking a non-direct object of **de/a**.

Carmen dejó la maleta *debajo de* la mesa.	*Carmen left the bag* under(neath) *the table.*
Pusimos la carta *encima de*l escritorio.	*We put the letter* on (top of) *the desk.*

2. *Preposition lists*

Below are given basic lists of Spanish simple and compound prepositions with representative meanings in English. The prepositions are given in alphabetical order and English meanings are ordered as follows: space → time → abstract meaning.

a. *Simple prepositions*

a *(to the park, at 3:00 p.m.)*, **ante** (before *the judge*, faced with *these problems*), **bajo** (under *the table*, under *pressure*), **como** (like/as *a fox*), **con** (with *a spoon*, with *care*), **contra** (against *the wall*, against *all opposition*), **de** *(come from the park, 3:00 o'clock in the morning, glass of water, made of glass material, be from Spain [origin], a friend of John's/John's friend [possession], talk about a book)*, **desde** (from *the corner*, since *yesterday*), **durante** (during *the party*, for *three years*), **en** (in *the park*, on *the table*, at *the party*, at *class/work/school*, dive into *the water [some dialects prefer a]*), **entre** (between *meals*, among *friends*, amid *the snow*), **excepto** (except *for John*), **hasta** *(walk up to the counter, go as far as the park, work until dark)*, **hacia** (toward *the park*, toward/around *9:00 p.m*), **para** (toward *the park [destination]*, by *9:00 p.m.[deadline]*, flowers for *Mary [receiver]*, work for *John Deer [employment]*, work in order to *save money [purpose]*, smart for *a kid [unequal comparison]*, as for *me [opinion]*), **por** (through *the park*, along *the road*, around *the park [aimless movement]*, around *here somewhere [vague location]*, for *two hours [duration]*, because *of the weather [cause]*), **salvo** (except *John*, everyone save for *John*), **según** (according *to John*), **sin** (without *a coat*, without *a doubt*, unpainted → **sin pintar**, **sin afeitar** → *unshaven*), **sobre** *(on the table, above the table, jumped over the fence, around 9:00 p.m., talk about a book)*, **tras** (behind *the curtain*, run after *the car*, day after *day*)

b. *Compound prepositions*

acerca de *(a book about the movie)*, **alrededor de** *(sit around the table, around 3:00 p.m.)*, **antes de** (before *3:00 p.m.*), **arriba de** (above *the window*), **cerca de** (near *the corner*), **debajo de** (underneath *the table*), **delante de** (in front of *the window*), **dentro de** (inside of *the box*, *within ten minutes*), **detrás de** (in back of *the house*), **encima de** (on top of *the table*),

enfrente de (in front of *the house*), **fuera de** (outside of *the house*, outside of/besides *that (issue)*), **lejos de** (far from *here*), **a causa de** (because of *that*), **a finales de** (at the end *of the century*), **a mediados de** (at the middle of *the year*), **a pesar de** (despite/in spite of *the difficulties*), **a principios de** (at the beginning of *the year*), **a través de** (across *the park*, throughout *the years*, through *hard work*), **al fondo de** (at the bottom of *the page*), **al lado de** (beside *the telephone*), **a lo largo de** (along *the river*, through *the years*), **en contra de** (against *the enemy*), **en lugar de** *(rent* instead *of buying)*, **en vez de** *(talk* instead *of argue)*, **más allá de** (beyond *the horizon*, beyond *our wildest dreams*), **conforme a** (in accordance with *the rules*), **contrario a** (contrary to *public opinion*), **frente a** (in front of/facing *the building*, *be seated* opposite *someone*), **igual a** (just like *a fox*), **junto a** (next/adjacent to *the wall*), **pese a** (despite/in spite of *the difficulties*), **respecto a** (regarding *your letter*, with respect to *that issue*), **en cuanto a** (with respect to your letter, as far as *the proposal [goes]*), **en la parte superior de** (at the top of *the painting*), **en el centro de** (in the middle of *town*), **en el medio de** (in the middle of *the street*)

3. *Contrasting Prepositions*

a. Spanish **en** *(in, on, at)* has a wider range of meanings than English *on*.

b. Spanish **entre** has a range of meanings *(between, among, amid(st))*.

c. English *at* is translated differently in Spanish with respect to space and time:

• *Space* **en** → at + location:
en casa *(at home)*, **en clase** *(at clase)*, **en la universidad** *(at the university)*, **en el trabajo** *(at work)*, **en la oficina** *(at the office)*.

• *Space* **a** → at + boundary/limit:

Los niños están *a* la mesa/ *a* la puerta.	*The kids are at the table / at the door.*

• *Time* **a** → at + clock time:

Vienen a las cuatro.	*They are coming at four.*

d. English *around* translates in various ways:

• Use **alrededor de** to indicate around in terms of circumference:

Hay un muro alrededor del terreno.	*There is a wall around the plot of land.*

• Use **por** to indicate around in terms of vague position or aimless movement:

Los niños están por aquí cerca.	*The kids are around here (somewhere) nearby.*
Caminábamos por la feria todo el día.	*We would walk around the fairgrounds all day.*

e. Spanish **para** can mean *in order to*. It cannot be omitted in sentences where the infinitive expresses the purpose or goal of another action:

Vine acá para olvidar. *I came here (in order to) forget.*

f. Spanish **durante** can translate as either *during* (*during* the party) or *for* (*for* six years).

g. Spanish **contra** can mean *against* in two ways: physically against (*against the wall*) or in opposition to (*against the enemy*). Spanish **en contra de** only means *in opposition to*.

h. Do not confuse **cerca de** (*close to, near*) with **acerca de** (*about, related to*).

i. Do not confuse **hasta** (*up to, as far as, until*) with **hacia** (*toward(s)*).

4. *Por vs. para*

a. *Time*
- **Por** expresses the notion of something that happens through time.
  Estuve en cama *por* dos semanas. *I was in bed* for *two weeks.*
  Siempre trabajo *por* la noche. *I always work* at/during the *night.*
- **Para** expresses the notion of end point in time (deadline).
  El ejercicio es *para* el lunes. *The exercise is* for (due) *Monday.*
  Llegaremos *para* las siete. *We will arrive* by *seven o'clock.*

b. *Space*:
- **Por** expresses the notion of through space.
  Juan corrió *por* la calle. *John ran* through/along *the street.*
  Viajamos *por* Nueva York. *We traveled* through/around *New York.*
- **Para** expresses the notion of end point space (destination)
  Juan corrió *para* la calle. *John ran* toward *the street.*
  Viajábamos *para* Nueva York. *We were travelling* toward *New York.*

c. *Motion*:
- **Por** is used with compound prepositions to express motion through space
  El tigre saltó *por* encima del muro. *The tiger jumped over the wall.*
- **Para** is used with adverbs to express motion toward a position
  Dimos dos pasos para atrás. *We made/took two steps backward.*

d. *Means*:
- **Por** expresses the means/mode/method by which an action/event occurs:
  Llegaron *por* avión. *They arrived* by *plane.*

Ends:	• **Para** expresses the end goal of the action:
	El regalo es _para_ Ud. _The gift is_ for _you._
	(receiver)

e. _Cause/motive vs_
   purpose/goal:

• **Por** expresses the notions of **cause / motive**:
No vinimos _por_ la nieve. _We didn't come_ because
of the snow.
Lo mataron _por_ (ser) asesino. _They killed him_ for
being a thief.
Hablo _por_ el senador. _I speak_ for _the senator. (on
his behalf)_
una novela escrita _por_ Cervantes a _novel written_
by _Cervantes_
• **Para** expresses the notions of **purpose / goal / ends**:
Fui _para_ recoger las comida. _I went_ in order to _get
the food._
Trabajo _para_ el senador. _I work_ for _the senator._
(paid employee)

f. _Oppositions:_

• **Por** expresses the notions of **exchange /
substitution / replacement**:
Vendí el coche _por_ cien dólares. _I sold the car_ for
_$100._
Me tomaron _por_ mexicano. _They mistook me_ for _a
Mexican._
Fui _por_ la comida. _I went_ for (to get) _the food._
• **Para** expresses the notion of unequal comparison
Para ser norteamericano, hablas muy bien. _For an
American, you speak very well._
Julio es alto _para_ un niño de ocho años. _Julio is
tall_ for _a child of eight._

5 _Prepositions and related adverbs_

The following chart presents and contrasts a set of prepositions and adverbs
that cause confusion because they are very close in form or meaning .

Simple prepositions	**Compound prepositions**	**Related adverbs**
	fuera (de)	**afuera**
	outside (of)	_outside, outward(ly), outdoors_
en	**dentro (de)**	**adentro**
_in, on, at_	_inside (of)_	_inside, inward(ly), indoors_
sobre	**encima (de)**	**arriba**
on, over, above	_on top (of)_	_above, overhead, upwardly, upstairs,_
bajo	**debajo (de)**	**abajo**
below, under	_underneath_	_below, downward(ly), downstairs_

tras	detrás (de)	atrás
behind, after	*in back (of)*	*back, backward (direction)*
ante	**delante (de)**	**adelante**
before (space)	*in front (of)*	*ahead, forward (direction)*
	antes (de)	**antes**
	before (time)	*earlier, in the past*
	antes (de)	**antes**
	after (time)	*later*

a. *Form*: The simple prepositions must have noun objects, the adverbs typically do not have objects. Compound prepositions may be used adverbially (without **de** + object), if the reference object is clearly understood: **¿Ves ese árbol? Hay un venado detrás (de él)**. (*Do you see that tree? There is a deer behind [it]*).

b. *Meaning*: Compound prepositions are generally more limited in meaning than the simple prepositions. For example, **delante de, detrás de, encima de, debajo de** must refer to fixed, physical location or position: **debajo de la mesa** (*under(neath) the table*), but **bajo órdenes** (*under orders*), NOT ~~**debajo de órdenes**~~. Compound prepositions cannot express change of position: **El perro *corrió y se escondió detrás de* la casa**. (*The dog ran behind the house*) NOT **El perro corrió ~~detrás de~~ la casa**.

c. *Movement*: The preposition **por** helps compound prepositions to express movement through a space: **El león saltó sobre/*por encima de* la muralla.** (*The lion jumped over the wall*). **El gato se escapó *por debajo de* la casa.** (*The cat escaped under the house*). The prepositions **para/hacia** help adverbs express movement toward a position: **Dimos un paso *para/hacia* atrás.** (*We took a step back*ward.); **Pedro lanzó la pelota *para/hacia* arriba.** (*Peter threw the ball upward*).

E. COMPARATIVE CONSTRUCTIONS

1. There are three degrees of comparison:

a. *Absolutive*:

Einstein fue *muy inteligente*/inteligent*ísimo*.   *Einstein was very intelligent.*

b. *Comparative*

Einstein fue *más inteligente que nadie*.   *Einstein was more intelligent than anybody else.*

c. *Superlative*

Einstein fue el hombre *más inteligente de nuesta época*.   *Einstein was the most intelligent man of our era.*

2. The two basic comparative structures are:

a. *Comparisons of equality* formed with the conjunction **tan(to)... como**

b. *Comparisons of inequality* formed with the conjunction **más/menos...que**.

3. These structures can function as either *adjectives* (modify a noun) or *adverbs* (modify an adjective, an adverb or a verb). Some examples:

Noun:	**Arturo tiene más dinero que yo.**	*Arthur has more money than I.*
	Tiene menos tiempo que yo.	*He has less time than I.*
	Tiene tantos problemas como yo.	*He has as many problems as I.*
Adjective:	**Tu perro es más feo que el mío.**	*Your dog is uglier than mine.*
	Es menos inteligente que el mío.	*He is less intelligent than mine.*
	No es tan grande como el mío.	*He isn't as big as mine.*
Adverb:	**El tigre corre más rápido que el león.**	*The tiger runs faster than the lion.*
	Caza menos eficazmente que a león.	*It hunts less efficiently than a lion.*
	No ruge tan fuerte como un léon.	*It doesn't growl as loudly as a lion.*
Verb:	**Manuel estudia más que tú.**	*Manuel studies more than you.*
	Lidia sale menos que sus amigas.	*Lidia goes out less than her friends.*
	Paco no trabaja tanto como Uds.	*Pete doesn't work as much as you.*

4. *Notes on comparative expressions*:

a. When referring to the age of people: **mayor** is preferable to **más viejo: Julio es mayor que Paco** (*Julio is older than Frank*), and **menor** is equivalente to **más joven: Soy menor que Marcos** (*I'm younger than Mark*).

b. The forms **mejor/peor** are preferable to **más bueno/bien** or **más malo/mal** to express the ideas better/worse: **Julia canta mejor que Carmen.** *(Julia sings better than Carmen);* **Es una mejor cantante.** (*She is a better singer);* **Rafaél maneja peor que Silvia.** (*Rafael drives worse than Silvia);* **Es un peor chofer.** (*He is a worse driver*).

c. When comparing quantities/amounts, use **más/menos** *de* not **que: Ese anciano tiene más de 100 años** (*That old man is more than 100 years old).* When amounts appear as abstract expressions, the phrase **de lo que** is used: **Está más sano *de lo que* parece.** (*He is healthier than he appears).* Note how the choice of **de/que** affects the meaning of these sentence pairs:

Antonio tiene más *de* cien dólares.	[*Antonio has an amount of money greater than $100*]
Antonio tiene más *que* cien dólares.	[*Antonio has things besides $100 in his pocket*]
Jorge se quejaba mas *que* pensaba.	[*George. did more complaining than thinking*]
Jorge se quejaba mas *de lo que* pensaba.	[*George complained more than he thought (he did)*]

    d. *Other ways of expressing comparison*

- ***como*** + noun phrase

    Adela canta como un pájaro.
    Adela sings like a bird.

- ***igual que*** + noun phrase (like):

    Pedro trabaja en un banco, igual que Marisela.
    Peter works in a bank, just like Marisela.

- ***a diferencia de*** + noun phrase (unlike)

    A diferencia de Marisela, Pedro es muy simpático.
    Unlike Marisela, Peter is very nice.

- ***ser semejante a / parecido a:***

    Una avispa es semejante/parecida a una abeja.
    A wasp is similar to/like a bee.

- ***ser distinto a/diferente de:***

    Una avispa es distinta a/diferente de una mosca.
    A wasp is different from a fly.

- ***parecerse a*** (to look alike/resemble):

    Antonio se parece mucho a su padre.
    Anthony looks like/resembles his father.

- ***también/tampoco***

    Arturo va a la fiesta y yo (voy) también.
    Arthur is going to the party, and I'm going too.

- ***pero X sí/pero X no***

    Arturo no va a la fiesta y yo (no voy) tampoco.
    Arthur is not going to the party, and I'm not either.
    Arturo va a la fiesta pero yo no (voy).
    Arthur is going to the party, but I am not.
    Arturo no va a la fiesta pero yo sí (voy).
    Arthur is not going to the party, but I am.

Conjuncts and Complex Sentences

A. GENERAL OVERVIEW

Conjunctions are forms that join together (con-join) other language forms into larger and more complex units. There are two ways of conjoining structures: coordination and subordination:

1. **Coordination**: Coordinating conjunctions combine words or phrases of the same type. They may be simple or compound. In example (a) the simple coordinating conjunction **y** (*and*) connects the two nouns **Pedro** and **Maria.** In (b) the compound coordintating conjunction **ni...ni** (neither...nor) connects the two verbs **tomar** (drink) and **fumar** (smoke):

Pedro *y* María me visitaron.	*Peter* and *Mary visited me.*
Fabio *ni* toma *ni* fuma.	*Fabio* neither *drinks* nor *smokes.*

2. **Subordination**: Subordinating conjunctions introduce subordinate clauses [sub-sentences] into a main sentence. If the subordinate clause functions like a noun, it is called a complement clause. Below, the underlined clause is the direct object of the verb **saber** (*to know):*

Yo sé *que Ud/es muy listo*.	*I know* (that) you are very clever. [clause dir. obj.]

If the subordinate clause functions like an adjective, it is called a relative/adjective clause. The underlined clause below modifies **florero** (*flowerpot)* by indicating which one:

El florero *que rompiste* era mi favorito.	*The flowerpot* (that) you broke *was my favorite.*

The most common subordinating conjunction is **que** (*that)*. Note above that, unlike English, the Spanish subordinating conjunction can never be omitted.

The relative pronouns are **que** (*that, which, who*), **quien** (*whom*), **el que** (*which, who*), **el cual** (*which, who*), and **cuyo** (*whose*). They are not exactly interchangeable.

Students confuse the coordinating conjunction **sino** *(but rather)* with the subordinating conjunction **pero** *(but nevertheless, but anyway)*

3. **Transitional expressions/sentence adverbials** Another class of conjunctive expression relates one idea to another in discourse. These transitional expressions can appear at the beginning of a sentence separated by a comma. The phrase **sin embargo** *(nevertheless)* below suggests a relationship with a preceding idea.

Sin embargo, yo me fui.	*Nevertheless, I left.*

Especially for writing purposes, it is important to know a range of expressions of this kind.

B. COORDINATION

Coordinating conjunctions combine two language forms af a given type into a larger unit of the same type, for example, two adjectives form a larger adjective phrase.

1. *Some examples:*

Combine nouns:	**Juan *y* María son mis amigos.**	*John* and *Mary are my friends.*
Combine verbs:	**Pedro siempre come *y* corre.**	*Peter always eats* and *runs*
Combine adverbs:	**Trabajan rápido *y* bien.**	*They work quickly* and *well.*
Combine prepositions:	**Voy a la biblioteca antes *y* después de la clase.**	*I go to the library before* and *after class.*
Combine sentences:	**Ana estudia mucho *y* saca muy benas notas.**	*Ann studies a lot* and *gets very good grades.*

2. *Simple and compound conjunctions*

Simple conjunctions		Compound conjunctions	
y	*and*	**tanto...como**	*both...and*
o	*or*	**o...o**	*either...or;*
ni	*nor*	**ni...ni**	*neither...nor*
sino	*but (rather)*	**no solo ... sino también**	*not only ... but also*
		más...que	*more...than*
		menos...que	*less/fewer than*
		tan(to)...como	*as much/many...as*

Note that the compound conjunction "both...and" is **tanto...como**, NOT ~~ambos...y~~

C. SUBORDINATION

1. *Overview*

Subordinating conjunctions introduce secondary sentences (called subordinate clauses) into the main sentence. Each subordinate clause has its own subject and verb. The most common subordinating conjunction is ***que** (that)*.

    a. Subordinate clauses can function like adjectives (modifying nouns). Adjective clauses are often called relative clauses and there are two types:

* *Restrictive relative clauses* are not separated from their noun by a comma and modify the noun by specifying which noun: **El coche *que tu me vendiste ayer* tiene frenos malos.** *(The car* (that) *you sold me yesterday has bad brakes.)* [specifies which car].

- *Non-restrictive relative clauses* are separated from their noun by a comma and modify the noun by adding information about the it: **El nuevo coche de Jorge, *que le costó un montón*, tiene frenos malos.** (*George's new car, which cost him a a lot, has bad brakes*) [adds information about cost].

b. Subordinate clauses can also function like nouns (subjects, direct objects or objects of preopositions) as in the examples below, for example. These are called noun clauses.

Subject:	**Es importante *que Ud. entienda*.**	*It is important* (that) you understand.
Direct object:	**Todo el mundo sabe *que Mauricio miente*.**	*Everyone knows* (that) Maurice lies.
Object of a preposition:	**Vámonos antes de *que Samuel llegue*.**	*Let's leave before* Sam arrives.

English may omit the conjunction "that" and does not use "that" after a preposition. Spanish requires the conjunction **que** in all of these cases, even after preposition.

c. There are two types of subordinating conjunctions:

- *Simple conjunctions*:
  que (that/which/who), **si** (if/wether), **pero** *(but, nevertheless, anyway)*, **como** *(since, because)*, **mientras** *(while)*, **cuando** *(when)*, **donde** *(where)*, **porque** *(because)*, **aunque** *(although/even though)*

- *Complex conjunctions*:
  para que *(so, in order that [purpose])*, **sin que** *(without [event])*, **antes de que** *(before [event])*, **depués de que** *(after [event])*, **hasta que** *(unti)*, **desde que** *(since [time/logic])*, **con tal de que** *(provided that [condition])*, **a menos que** *(unless [condition])*, **de modo que** *(so that [purpose/result])*, **de manera que** *(so that [purpose/result])*, **a fin de que** *(so that [purpose])*

2. *Pero vs. sino (que)*

The coordinating conjunction **sino** and the subordinating conjunction **pero** can be confused since they both can translate as the English conjunction but. The differences are summarized below:

a. **Pero** must introduce a full clause, which makes an additional commentary; it means something like *but nevertheless, but anyway, but still.*

Santiago tiene un montón de dinero, pero quiere más.	*Santiago has a ton of money, but he wants more.*
Tomás no sabe nada pero habla como si fuera un genio.	*Tom doesn't know anything, but he talks as if he were a genius.*

b. **Sino** can be use to conjoin any two structures of the same type. It is used to make contrastive commentary and means something like not X *but rather* Y. **Sino** must be preceded by a *negative* clause.

Nouns: **Susana no toma cerveza sino ginebra.**
Susan doesn't drink beer but rather gin.

Adjectives: **Alberto no es rubio sino moreno.**
Albert isn't blond but rather dark-haired.

Adverbs: **Ramón no anda rápido sino muy lento.**
Raymond doesn't walk quickly but rather very slowly.

Infinitives: **No queremos dormir sino mirar la televisión.**
We don't want to sleep but rather watch television.

Clauses: **Yo no esperaba el bus *sino que* descansaba en el banco.**
I wasn't waiting for the bus but (rather) resting on the bench.

Note that **sino que** is used when two clauses, each with a conjugated verb, are contrasted.

Sino can also mean nothing/anything but as in the following examples:

Este hombre no es sino un ladrón.	*This man is nothing but a thief.*
Este curso no me da sino problemas.	*This course gives me nothing but problems.*
No comemos sino comida natural.	*We eat nothing but natural food.*

c. **Sino** can *only* follow a *negative* verb. **Pero** can follow a negative verb, but its meaning is different.. Compare the sentences below:

Eduardo no estudia sino que juega a las cartas todo el día.
Ed doesn't study but rather plays cards all day.

Eduardo no estudia pero va a pasar el examen de todos modos.
Ed doesn't study but is he going to pass the test anyway. [still *going to pass the test.*]

3. *Relative clauses/conjunctions*

The Spanish relative pronouns are: **que**, **quien, el que** and **el cual**, and possessive **cuyo**. Here are some rough guidelines on the use/choice of relative pronoun:

a. Unlike English, the relative pronoun can never be omitted in Spanish relative clauses.

El joven *que* conoció es mi primo.	*The man (that) you met is my cousin.*

b. Spanish **que** (not **quien**) is generally required when the modified noun is subject or direct object of the verb in the relative clause. Spanish **que** is also frequently used in non-restrictive clauses involving a human referent. Study the examples given below:

- *Restrictive clauses*:

Conocí al hombre *que* (not quien) le ayudó.
I met the man who helped you.

El joven que conociste es mi primo.
The youth that you met is my cousin.

- *Non-restrictive clauses*:

El joven, que dice que te conoció en año pasado, llegará pronto.
The young man, who says he met you last year, will arrive soon.

c. The choice of relative pronoun is roughly related to the length (specificity or precision) of the preposition. As a rule of thumb, two syllable or compound prepositions tend to be more specific or precise; as a result they tend to co-occur with more the longer and more precise relative pronouns: **el que / el cual.** For example:

Allí está el escritorio en *que/el que* el presidente firmó el decreto.
There is the desk on which the president signed the decree.

Allí está el escritorio por *el que/el cual* regateamos.
There is the desk over which we were haggling.

Allí está el escritorio encima *del cual* dejamos los paquetes.
There is the desk on top of which we left the packages.

d. *Summary chart: choice of relative pronoun*

Noun subject:	**que**	*[that, which, who]*
Noun direct object:	**que**	*[that, which, who]*
Noun indirect object:	**a quien**	*[to/for whom]*
Noun object of preposition:		*[see below]*

- Use **que/quien/el que/el cual** with common 1-syllable prepositions [**a, de, en, con**].

- Use **quien/el que/el cual** [not **que**] after other 1-syllable and 2-syllable prepositions [**ante, bajo, contra, desde, entre, hacia, hasta, para, por, según, sin, tras**, etc.].

- Use **el cual** after all 2-word prepositions [**cerca de, delante de, dentro de**, etc.].

4. *Infinitives vs. clauses*

a. *Complex verbs*: Verbs that permit infinitives or clauses as subjects and/or objects.

Subject:	Es importante *estudiar*.	It is important to study.
	Es importante *que estudiemos*.	It is important that we study.
Object:	Queremos *ir al parque*.	We want to go to the park.
	Quiero *que tú vayas también*.	I want you to go too.

Note when the subject of the clause is indefinite or identical to the subject of the main verb, both languages permit the use of the infinitive. However, English, unlike Spanish permits/requires the infinitive even when they differ in the use of infinitives; English permits the use of the infinitive in many cases where Spanish does not:

We prefer that the kids stay home. → *We prefer the kids to stay home.*
Preferimos que los chicos se queden en casa. → ~~Preferimos a los chicos quedarse en casa.~~
I understand that he is very smart. → *I know him to be very smart..*
Sé que él es inteligente. → ~~Lo sé ser inteligente.~~

b. The basic rule for Spanish is: Two different subjects + 2 verbs → Two different clauses.

But there are some cases [also verb classes worth noting]. Spanish still permits 2 clauses.

- *Verb + DO + a + Clause*: **invitar a, enseñar a, ayudar a, obligar a, forzar a**

Invitan a Paco a ir con ellos.	*They are inviting Frank to go with them.*
Lo invitan a que vaya con ellos.	~~They are inviting him that he go with them.~~

- *Verb + IO + Clause*: **permitir, prometer, sugerir, aconsejar**

Permiten a Paco ir con ellos.	*They permit Frank to go with them.*
Permiten a Paco que vaya con ellos.	*They permit Frank that he goes with them.*
Permiten que Paco vaya con ellos.	*They permit that Frank goes with them.*

- *Perception verbs*: **ver, mirar, oir, escuchar, sentir**

Vimos que Paco salía.	*We saw that Frank was leaving.*
Vimos a Paco salir.	*We saw Frank leave.*
Vimos salir a Paco.	*We saw Frank leave.*

- *Causal verbs*: **dejar** *(let X do)*, **hacer** *(make/have X do)*

Dejamos que Paco ayude.	*We let Frank help.*
Dejamos a Paco que ayude.	*We let Frank help.*
Dejamos a Paco ayudar.	*We let Frank help.*
Dejamos ayudar a Paco.	*We let Frank help.*
Hacemos que Paco ayude.	*We made/hade Frank help.*

Hacemos a Paco que ayude.	*We made/hade Frank help.*
Hacemos ayudar a Paco.	*We made/hade Frank help.*

D. *TRANSITIONS AND SENTENTIAL ADVERBS*

Sentential adverbs often appear at the beginning of a sentence, and are set off by comas: **Según el periódico, las escuelas están cerradas.** *(According to the newspaper, schools are closed)*. These adverbials relate (a) one idea to another or (b) relate the speaker to the the idea. Here are a few examples in each class:

1. *Order or relationship among ideas:*

a. *Sequence of ideas*:

primero *(first)*, **en primer lugar** *(in the first place)*, **luego** *(then)*, **entonces** *(then)*, **por fin** *(finally)*, **mientras tanto** *(meanwhile)*.

b. *Opposition or contrast of ideas*:

sin embargo *(nevertheless/anyway)*, **no obstante** *(nevertheless)*, **en cambio** *(on the other hand)*, **por un lado**...**por el otro** *(on the one hand...the other)*.

c. *Cause/effect-result*:

por eso *(therefore/for that reason)*, **como resultado** *(as a result)*, **consequentemente** *(consequently)*, **como consecuencia** *(as a consequence)*, **por consiguiente** *(as a result)*, **por lo tanto** *(therefore)*

d. *Example*:

por ejemplo *(for example)*

e. *Addition or extension of an idea*:

además *(furthermore/what's more)* *(vs.***también***)*, **es más** *(furthermore)*.

f. *Summary of ideas*:

para resumir *(to summarize)*, **en resumen** *(in summary)*, **en fin** *(in short)*

2. *Speaker-writer opinion/attitude/judgment or perception:*

a. *Generality of the idea*:

generalmente *(generally)*, **por lo general** *(generally)*, **normalmente** *(normally)*, **teóricamente** *(theoretically)*, **principalmente** *(principally)*, **basicamente** *(basically)*.

b. *Affirmation*:

de verdad *(really/in truth)*, **por supuesto** *(of course)*, **probablemente** *(probably)*, **posiblemente** *(possibly)*, **a lo mejor** *(probably)*.

c. *Obviousness/appearance:*

obviamente (*obviously*), **por lo visto** (*apparently*), **aparentemente** (*apparently*).

d. *Opinion/attitude*:

afortunadamente (*fortunately*), **desafortunadamente** (*unfortunately*), **desgraciadamente** (*unfortunately*), **curiosamente** (*curiously*), **para mí** (*as for me*), **a mi modo de ver** (*to my way of thinking*).

e. *Attribution of source*:

según X (*according to X*)

Appendix: Punctuation Signs

A. *Period / Punto [.]:*

1. To end a complete declarative sentence or command:

Hay un examen el lunes. / Asistan a clase todos los días.

2. In abbreviations: **El Sr. González conoce a la Dra. Rodríguez.**
3. To group sets of three digits in numbers (*vs.* [,] in English):
1.234 (Spanish)   1,234 [English]

B. *Question Mark / Signo de Interrogación [¿?]:*

Marks the beginning [inverted] and end [upright] of questions. Note that these may be internal to a sentence.

¿Adónde vas?
Me pregunto: ¿por qué tenemos tantos problemas?

C. *Exclamation Mark / Signo de Admiración [¡!]:*

Marks the beginning [inverted]and end [upright] of exclamations. These may be internal to a sentence.

¡Qué día tan bonito!
Arturo le dió ¡pum! en la cara.   *Arthur hit him POW! in the face.*

D. *Coma / Coma [,]*

1. Indicates decimal point in numbers [*vs.* English period]:
5.653,03 (Spanish)   5,653.03 [English]
2. Sets off names and titles in direct address:

Dime la verdad, Carmen.
Señores, todo está listo.

3. Sets off items in a series:

Juan, Pedro, Julio y Antonio son hermanos.

4. Sets off distributed phrases:

Todos vamos a morir, *bien* **seamos ricos,** *bien* **seamos pobres**.

5. Sets off participial phrases:

Entró en la casa, *corriendo como un loco.*
*Acabada la tarea***, el niño se puso a mirar la televisión.**

6. Sets off subordinate phrases that intervene between subject and verb or verb and direct object, or phrases that out of normal position:

Yo digo que la risa es la mejor medicina.
La risa, *digo yo***, es la mejor medicina.**

7. Sets off sentence-initial phrases that are out of normal position:
a. Prepositional phrases:

Limpiamos toda la casa como regalo de cumpleaños para mamá.
*Como regalo de cumpleaños para mamá***, limpiamos toda la casa.**

b. Adverbial clauses:

Estuvimos cansadísimos cuando por fin terminó la reunión
*Cuando por fin terminó la reunión***, estuvimos cansadísimos**.

c. **Si** clauses:

Iremos contigo si tenemos tiempo.
*Si tenemos tiempo***, iremos contigo.**

8. Sets off long subjects:

*El candidato conservador que postulaba la presidencia***, pronunció un discurso largo**

9. Sets of clauses introduced by causal conjunctions (**porque, ya que, etc.**), consequential conjunctions (**así que, por lo tanto, etc.**), or adversative conjunctions (**pero, sin embargo, al contrario, etc.**):

Paco no viene, *pues tiene mucho trabajo.*
Pienso, *luego existo.*
Mario se olvidó de llamarme, *por lo tanto me perdí la fiesta.*
*No obstante los problemas***, vamos a seguir con nuestro plan.**
Vamos a seguir adelante, *a pesar de que hay muchos obstáculos.*
Nunca nos rendiremos, *al contrario***, vamos a esforzarnos más.**

10. Sets off explanatory/clarifying clauses:

El presidente se reunió con Juan Carlos, *el rey de España.*
Los Alpes, *que son las montañas más altas de Europa***, son muy viejos.**

E. *Semi-colon / Punto y Coma [;]*

1. Separate elements of a series when there is internal punctuation:

Invitamos a Jorge, mi hermano mayor; Silvia, la hija de mis vecinos; y Hector, el novio de Marcela.

2. Set off particularly long adversative/result clauses in complex sentences:

Todo el mundo comentaba los sucesos tan extraños que habían tomado lugar en las afueras del pueblo; *pero nadie pudo ofrecer una explicación satisfactoria de lo que pasaba.*

Estamos bien hartos [fed up] de la corrupción del gobierno actual; *por consiguiente es nuestra intención fundar un nuevo partido político que de veras represente la pueblo.*

3. To conjoin two complete, closely-related sentences [with or without a conjunction]:

El profesor corregía papeles; los estudiantes hacían un examen.

Antonio se puso muy bravo; se quedó en su habitación todo el día.

F. *Colon / Dos Puntos [:]*

1. Before lists and examples:

Para tener éxito necesitamos muchas cosas: experiencia, empuje, y dinero.

No puedo comer nada con grasa, por ejemplo: papas fritas, huevos fritos, tocino, etc.

2. Expansion, development, explanation or summary of the preceding statement:

Los padres visitaron varias escuelas: querían que sus hijos tuvieran la mejor educación posible.

Nunca volvieron a hablar a sus vecinos: tan violento fue el disgusto que tuvieron.

3.   Set off a statements after verbs of communication:

Martin Luther King dijo: «¡He visto la tierra prometida!»

El niño suplicó: Por favor, cómprenme un cachorro. *(puppy)*

4. After verbs announcing rulings, regulations, acts, pronouncements:

La ley decreta: está prohibido fumar en las vuelos domésticos.

5. After the salutation in letters:

Querido Mauricio: // Estimados Señores:

G. *Parenthesis / Paréntesis [( )]*

1. Inserted clarifying information/facts:

El año que yo nací (1947) se vieron muchos platillos voladores.

2. Insert text in the original language:

El tiempo es oro *(Time is money)*.

H. *Quotation Marks / Comillas [«...» or ...]:*

1. Enclose direct quotes:

Martin Luther King dijo: «¡He visto la tierra prometida!»

2.   Single out a word or phrase in a sentence:

¿Cómo se dice «árbol» en inglés?

3.   Enclose titles of movies, poems, plays, stories, articles etc.

«La misión» se trata de los jesuitas en el Brasil.

I. *Dash / Guión mayor (Raya) [—]:*

1. Can substitute for the parenthesis.
2. Marks dialogue.

—¿Quieres ir al cine conmigo? —preguntó el joven.
—Lo siento, pero ya tengo compromiso. —contestó la muchacha.

J. *Elipsis points / Puntos suspensivos [...]:*

1. Indicates the omission of a word or words from a quote:

«El senador García ... hace una campaña limpia y honorable.»

2. Indicates suspension of a thought, indicate doubt:

Quiero ir, pero ...

K. *Brace / Brackets / Corchetes [ ]*

Used to insert information inside quotes or parentheses:

«La fiesta de Pamplona [San Fermín] es la más famosa de España.

Vocabulary Issues

A. *Conceptual problems*: This is a list of frequently-needed concepts that present problems for students due to differences between Spanish and English. These items represent two basic problems: 1. misleading cognates (false friends) and 2. concepts that have a variety of specific sub-meanings requiring different translations in Spanish.

about, account, act, actual/actually, advise, *against, also, any-*, appear, around, ask, assist, at, atmosphere, attend, *bad/badly*, be, become*, because, believe, bill, *borrow/lend, both (and)*, but, *can/could*, care, character, child/children, close (adj.), *conference*, corner, country, cost, date, different, disgrace, dormitory, *drop, each, either (or)*, embarrased, *enter*, event, *every-*, exciting, excuse (noun/verb), exit, experience, faculty, fact, familiar, fault, feel, for, *forget*, funny, free, game, get, *good/well*, gracious, grade, hang, happen, happy, have, help, hit, *how*, hurt, individual, intend/intent, introduce, involve, issue, job, joke, keep, kill/die, know, language, large, last, law, leave, learn, lecture, *let*, library, *listen/hear*, look, make, *may/must/might, mean/meaning*, meet, miss, molest, more/most, move, *neither (nor)*, nice, *no-*, note, office, only, pain, paper, parents, part, particular, pay attention, people, play, pretend, procure, question, *quit, quite, rather*, remember, respect, real, *really*, realize, reflect, relate, *relative*, return, reunion, *re*-verb, right, room, sane, say/speak/talk, save, *see/watch*, sensible, *sensitive*, short, should, show, since, sit, smell, *so, some-*, speak, spend, stand, start, stay, stop, straight, subject, success/succeed, suggestion, support, *sure*, take, taste, tell, then, think, time, *too*, try, turn, ultimate/ultimately, way, while, *whole*, wild*, *will, wonder/guess*, work, would, wrong, ...

[BE] ABOUT [*de ~ sobre ~ acerca de ~ aproximadamente ~ alrededor de ~ cerca de ~ a eso de ~ tratarse de ~ tener que ver con*], ACCOUNT [*el relato-la historia ~ la cuenta*], ACT (v) [*actuar ~ representar ~ hacer las veces de ~ portarse/comportarse*], ACTUAL (adj) [*verdadero ~ *actual*], ACTUALLY (adv.) [*en realidad ~ de veras ~ *actualmente currently*], ADVISE (v.) [*aconsejar-dar consejos ~ *avisar warn/notify*], ADVICE (n.) [*el consejo ~ *el aviso warning/notice*], APPEAR [*aparecer ~ parecer*], AROUND [*alrededor de ~ por ~ aproximadamente*], AS [*tan ~ como*], ASK [*pedir ~ preguntar ~ hacer una pregunta*], ASSIST [*ayudar ~ *asistir* attend)], AT [*a ~ en*], ATMOSPHERE [*la atmósfera ~ el ambiente*], ATTEND [*asistir a ~ atender*], BE [*haber ~ ser ~ estar ~ tener-expressions ~ hacer + weather*], BECOME [*hacerse ~ ponerse ~ volverse ~ convertirse en ~ llegar a ser ~ envejecerse* (etc)], BECAUSE (OF*) [*por ~ porque ~ a causa de*], BELIEVE [*creer ~ pensar ~ sentir*], BILL [*el billete ~ la cuenta*], BOTH (...and*) [*ambos ~ los dos ~ tanto X como Y*], BUT [*pero ~ sino (que)*], CARE (v) [*cuidar a/de ~ tener cuidado ~ preocuparse de ~ importar*], CHARACTER [*el carácter ~ el personaje*], CHILD [*niño/a ~ hijo/a*], CLOSE [*cercano ~ íntimo-unido ~ cerca de*], CORNER [*la esquina*

~ el rincón ~ el pico], COULD [poder imperfect ~ poder conditional],
COUNTRY [el campo ~ el país], COST [el costo-la costa ~ el coste / el
precio], DATE [la fecha ~ la cita], DIFFERENT [varios-diferente(s) ~
distinto(s)], DISGRACE [la deshonra-la vergüenza ~ *la desgracia
misfortune], DORMITORY [la residencia estudiantil ~ *el dormitorio
bedroom], (BE) EMBARRASSED [(estar) avergonzado-tener vergüenza ~
*embarazada], EVENT [el acontecimiento ~ el suceso], EXCITING
[emocionante ~ exitante], EXCUSE (v) [disculpar-perdonar ~ excusar],
EXIT [la salida ~ *el éxito], EXPERIENCE [pasar-experimentar-tener una
experiencia], FACULTY [la facultad ~ el profesorado], FACT [el hecho ~
los datos (usually plural)], FAMILIAR [conocido ~ *familiar], FAULT [la culpa
~ la falla ~ *la falta], FEEL [sentir ~ sentirse ~ palpar ~ creer-
pensar~opinar], FOR [por ~ para], FUNNY [curioso-raro-extraño ~
divertido-gracioso-chistoso-cómico], FREE [gratis ~ libre], GAME [el juego
~ el partido], GET [recibir-obtener-conseguir ~ hacerse-ponerse-volverse (see
become)], GRACIOUS [afable-cortés ~ *gracioso funny], GRADE [el grado
~ la nota], HANG [ahorcar ~ colgar], HAPPEN [pasar-ocurrir-suceder ~
acontecer], HAPPY [(ser) feliz ~ (ser/estar) alegre ~ (estar) contento],
HAVE [haber ~ tener ~ have a good time ~ have a something to eat ~
have a party], HELP [ayudar ~ help a cold curar-remediar ~ help a
problem resolver], HIT [golpear ~ chocar ~ dar con], HURT [doler ~
lastimar(se) ~ hacer(se) daño ~ dañar ~ ofender], INDIVIDUAL
[individuo ~ individual], INTEND [pensar + infinitive ~ intentar to
attempt], INTRODUCE [presentar ~ introducir], INVOLVE(D)
[implicar/implicado ~ involucrarse/involucrado ~ dedicarse/dedicado
~ meterse/metido], ISSUE [el número ~ la tirada ~ la cuestión], JOB [el
trabajo ~ el puesto ~ la ocupación ~ el oficio], JOKE (n/v) [el
chiste/contar un chiste ~ la broma/gastar una broma], KEEP [quedarse
con ~ guardar ~ seguir/continuar + present participle], KILL/DIE
[matar/asesinar ~ morir/fallecer], KNOW [conocer ~ saber ~ saber +
infinitive], LANGUAGE [el lenguaje ~ la lengua ~ el idioma], LARGE
[grande-enorme ~ *largo long], LAST [pasado ~ último], LAW [el derecho
~ la ley], LEAVE [dejar + object ~ salir (de) ~ irse- marcharse-partir],
LEARN [aprender ~ saber (preterite)-caer en la cuenta- enterarse de],
LECTURE [la conferencia ~ *la lectura reading], LIBRARY [la biblioteca ~
*la librería bookstore], LOOK [mirar ~ buscar ~ parecer ~ parecerse a],
MAKE [hacer-fabricar ~ make money ~ make a decision ~ make a
speech], MEET [conocer ~ encontrarse con ~ reunirse con], MISS [perder
~ faltar a ~ extrañar-echar de menos ~ no acertar-no dar con], MOLEST
[abusar ~ *molestar bother/irritate], MOST [más ~ la mayoría de], MOVE
[mover(se) ~ mudar(se) ~ trasladar(se)], NICE [simpático-amigable ~
agradable], OFFICE [el despacho ~ lo oficina ~ el oficio], ONLY [único~
solo-solamente], PAIN [el dolor ~ la pena], PAPER [el papel ~ el informe ~
el periódico-el diario], PARENTS [los padres ~ *los parientes relatives],

PIECE [*la parte ~ la pieza ~ el pedazo-el trozo*], PARTICULAR [*cierto-determinado ~ *particular private*], PAY ATTENTION [*prestar atención ~ hacerle caso a alguien*], PEOPLE [*la gente ~ el pueblo ~ las personas*], PLAY [*jugar ~ tocar*], PRETEND [*fingir-aparentar ~ *pretender try, attempt*], PROCURE [*obtener-conseguir ~ *procurar + infinitive try to do something*], QUESTION [*la pregunta ~ la cuestión*], RESPECT [*el respeto ~ con respecto a*], REAL [*verdadero ~ real royal*], REALIZE [*realizar ~ darse cuenta de*], REFLECT [*reflejar ~ reflexionar ~ indicar*], RELATE [*contar-relatar ~ relacionar(se)*], RETURN [*volver-regresar ~ devolver*], (BE) RIGHT [*tener razón ~ acertar // correcto- indicado-apropiado ~ derecho*], ROOM [*el espacio-el sitio-el lugar ~ el cuarto-la habitación-el salón*], SAVE [*ahorrar ~ guardar ~ salvar-poner a salvo*], SANE [*cuerdo-sensato ~ *sano healthy*], SENSIBLE [sensato ~ *razonable ~ *sensible sensitive*], SHORT [bajo ~ corto ~ breve], SHOULD [*deber ~ deber de*], SHOW (v.) [*mostrar ~ señalar ~ demonstrar*], SHOW (n) [el espectáculo ~ la función ~ el programa], SINCE [como ~ desde (que) ~ ya que], SOME [*algún-alguna-algunos-algunas ~ unos-unas ~ unos cuantos ~ un poco de*], SIT [*estar sentado ~ sentarse*], SMELL [*olfatear ~ oler (a) ~ sentir*], SPEAK [*decir ~ hablar*], SPEND [*pasar ~ gastar*], STAND [*estar de pie-estar parado ~ levantarse ~ aguantar-soportar*], START [*comenzar (a)-empezar (a) ~ arrancar*], STAY [*quedarse ~ mantenerse*], STOP [*cesar ~ parar(se)-detener(se) ~ dejar de + infinitive ~ impedir*], STRAIGHT [*lacio-liso ~ recto ~ derecho*], SUBJECT [*el sujeto ~ el tema ~ el asunto ~ la materia*], SUCCESS [*éxito ~ *el suceso [event- occurrence]*], SUCCEED [*tener éxito ~ lograr + infinitive ~ *suceder [happen, occur]*], SUGGESTION [*la sugerencia ~ la suggestión*], SUPPORT [*apoyar ~ mantener ~ *soportar-- support physically (a structure)/endure, put up with, suffer*], TAKE [*llevar ~ llevarse (algo)~ tomar ~ sacar ~ quitar ~ aguantar-soportar*], TASTE [*probar ~ saber a ~ estar bueno/rico*], TELL [*decir-contar ~ determinar ~ distinguir-deferenciar*], THEN [*entonces ~ luego*], THINK [*pensar ~ pensar de ~ pensar en ~ creer-opinar*], TIME [*el tiempo ~ la hora ~ la vez ~ la instancia ~ el rato ~ la época*], TRY [*probar(se) ~ tratar de + infinitive ~ intentar + infinitive*], TURN [volverse ~ dar la vuelta ~ dar vueltas a ~ girar ~ doblar ~ ponerse-volverse *become*], ULTIMATE [*máximo ~ final ~ *último last (in a series)*], ULTIMATELY [*por lo último ~ *últimamente lately / recently*], WAY [*el camino ~ la manera-el modo*], WHILE [*un rato ~ mientras (que) ~ mientras tanto*], WILD [*silvestre ~ salvaje ~ loco*], WORK (noun) [*el trabajo ~ la tarea-el quehacer ~ el empleo-el puesto ~ la obra*], WORK (vrb.) [*trabajar ~ funcionar-marchar ~ operar*], WOULD [*used to imperfect form of the verb ~ under cetain conditions conditional form of the verb*], (BE) WRONG [*no tener razón ~ estar equivocado-equivocarse ~ tener la culpa*], WRONG (adj.) [*equivocado-falso-incorrecto*]

TEXT CREDITS

UNIT 1

EL CORREO DEL AMOR
by Dick Syatt
El Mundo, February 25-March 2, 1988: reprinted by permission from the
author.

**PREAMBULO A LAS INSTRUCCIONES PARA DAR CUERDA
AL RELOJ**
by Julio Cortazar
from *Historia de cronopios y de famas*, Ediciones Minotauro, Buenos Aires,
1966.

CANNING Y RIVERA
by Roberto Arlt
reprinted by permission from Dr. Susana Saboya, executor of the estate for
Roberto Arlt. Buenos Aires.

UNIT 2

UNA CARTA DE TUNEZ
A letter to Lynn Carbón-Gorell from a friend.
reprinted by permission from the author.

GENESIS
by Marco Denevi
McMillan Publishers, 1965.

TERUEL Y SUS AMANTES
by Pedro Massa
La Prensa, 4 October 1986; reprinted by permission from La Prensa,
Buenos Aires.

UNIT 3

EL AUDAZ LECHERO DE LAS MINIVACAS
El audaz lechero de las minivacas, El Mundo, No. 833, Augusta 8-24, 1988; reprinted by permission from El Mundo, Cambridge, MA.

LA CIUDAD MIEDO / RAZO Y GUARDIA
by Julio Marenco,
Enfoques, La Prensa Gráfica Online, www.laprensa.com.sv/enfoques/enfl.asp, 7 July 2000

'INVENTOR' DE LA GUITARRA
by A.M.F
Hoy, Nu. 516, 8-14 June 1987; reprinted by permission from *Hoy*.

UNIT 4

LA HISTORIA OFICIAL
by Ezequiel Barriga Chavez
Excelcior, México D.F.

EL LECTOR TIENE LA PALABRA
by Mercedes Sánchez E., *Hoy*, Nu. 586,10-16 October 1988; reprinted by permission from *Hoy*.

DEBATEN PUBLICAMENTE SUS DIFERENCIAS ...
by Frank del Olmo, The Los Angeles Times, June 4, 1989; reprinted by permission from the The Los Angeles Times Syndicate.

UNIT 5

A LA MALINCHI, DISCRETA, PERO SINCERA DEVOCION
by Roberto Sosa, Excelsior, 25 June 1990.

DALI, FIGURA EMBLEMATICA DEL SIGLO XXX
by Julio Sáez-Angulo, *Reseña*, Año XXVI, No. 193, March 1989; reprinted by permission from publisher.

TODAS SOMOS RAMONAS
a standing article at the website for the Zapatista National Liberation Army [ELZN], www.ezlnorg.org/ezln_zonezero.html; reprinted by permission from the website.